교과서 GO! 사고력 GO!

GO! 매쓰

Start

교과서 개념

수학 4-2

Go! 매쓰 구성과 특징

1 교과서 개념 잡기

교과서 개념을 익힌 다음 개념 Check 또는 개념 Play로 개념을 확인하고 개념 확인 문제를 풀어 보세요.

개념 Check 또는 개념 Play로 개념을 재미있게 확인할 수 있습니다.

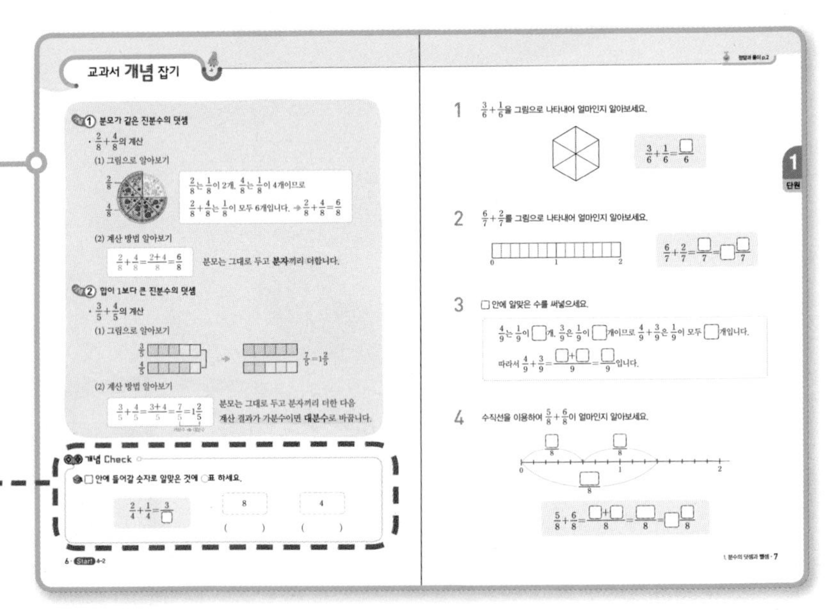

2 교과서 개념 play

개념을 게임으로 학습하면서 집중력을 높여 개념을 익히고 기본을 탄탄하게 만들어요.

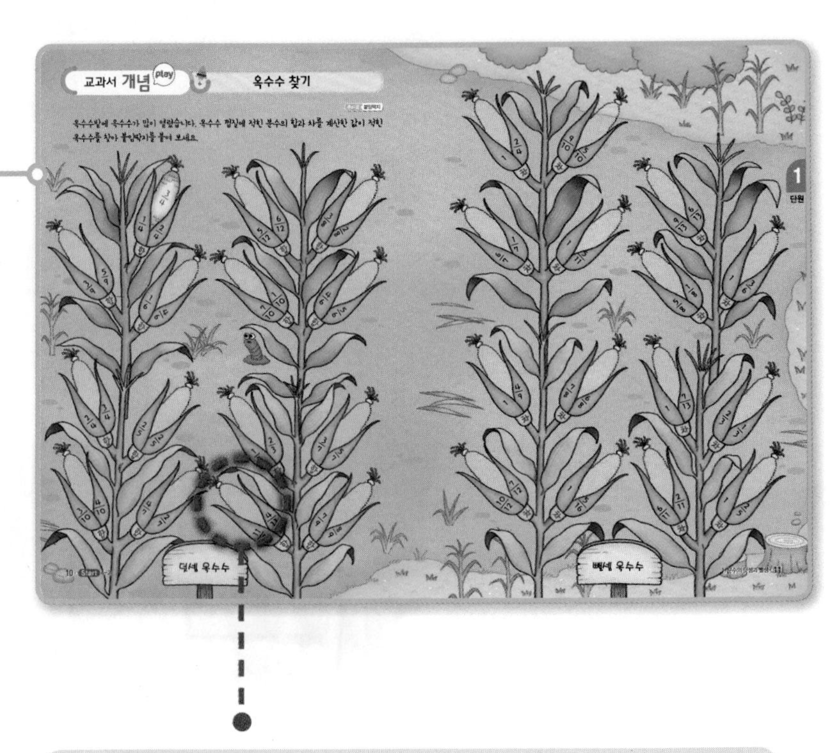

Play 붙임딱지를 활용하여 손잡이를 접어 붙였다 떼었다를 반복하면 하나의 게임도 여러 번 할 수 있습니다.

3 집중! 드릴 문제

각 단원에 꼭 필요한 기초 문제를 반복하여 풀어 보면 기초력을 향상시킬 수 있어요.

집중! 드릴 문제

정답과 풀이 p.3

(1~6) □ 안에 알맞은 수를 써넣으세요.

1 $\frac{4}{6}+\frac{1}{6}=\frac{\square}{6}$

2 $\frac{3}{8}+\frac{3}{8}=\frac{\square}{8}$

3 $\frac{5}{9}+\frac{4}{9}=\frac{\square}{9}=\square$

4 $\frac{6}{7}+\frac{3}{7}=\frac{\square}{7}=\square\frac{\square}{7}$

5 $\frac{7}{10}+\frac{8}{10}=\frac{\square}{10}=\square\frac{\square}{10}$

6 $\frac{3}{13}+\frac{4}{13}=\frac{\square}{\square}$

(7~12) 계산해 보세요.

7 $\frac{1}{11}+\frac{6}{11}$

8 $\frac{1}{5}+\frac{4}{5}$

9 $\frac{4}{6}+\frac{5}{6}$

10 $\frac{3}{4}+\frac{2}{4}$

11 $\frac{2}{3}+\frac{2}{3}$

12 $\frac{6}{9}+\frac{8}{9}$

12 Start 4-2

(13~18) □ 안에 알맞은 수를 써넣으세요.

13 $\frac{3}{7}-\frac{1}{7}=\frac{\square}{7}$

14 $\frac{6}{8}-\frac{2}{8}=\frac{\square}{8}$

15 $1-\frac{1}{9}=\frac{\square}{9}$

16 $\frac{5}{6}-\frac{4}{6}=\square$

17 $\frac{9}{10}-\frac{7}{10}=\square$

18 $1-\frac{13}{20}=\square$

(19~24) 계산해 보세요.

19 $\frac{6}{8}-\frac{5}{8}$

20 $\frac{5}{7}-\frac{3}{7}$

21 $1-\frac{3}{8}$

22 $1-\frac{4}{5}$

23 $\frac{7}{9}-\frac{2}{9}$

24 $\frac{10}{11}-\frac{8}{11}$

1 단원

1. 분수의 덧셈과 뺄셈 · 13

4 교과서 개념 확인 문제

교과서와 익힘책의 다양한 유형의 문제를 풀어 볼 수 있어요.

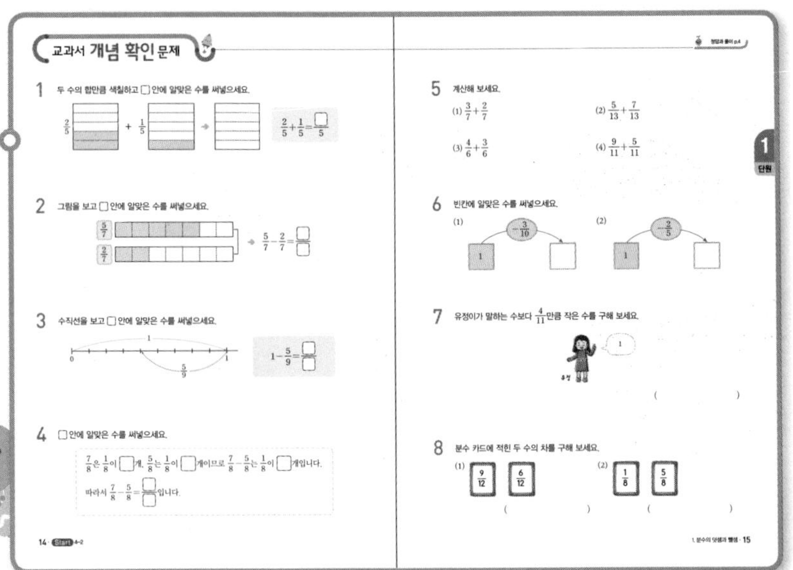

5 개념 확인평가

각 단원의 개념을 잘 이해하였는지 평가하여 배운 내용을 정리할 수 있어요.

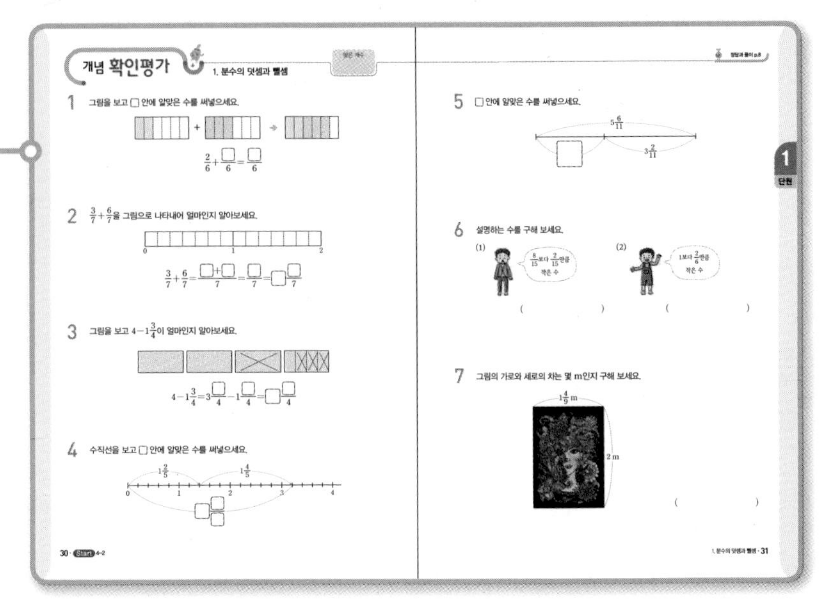

차례

1 분수의 덧셈과 뺄셈

학습 계획표

내용	쪽수	날짜		확인
교과서 개념 잡기	6~9쪽	월	일	
교과서 개념 play / 집중! 드릴 문제	10~13쪽	월	일	
교과서 개념 확인 문제	14~17쪽	월	일	
교과서 개념 잡기	18~21쪽	월	일	
교과서 개념 play / 집중! 드릴 문제	22~25쪽	월	일	
교과서 개념 확인 문제	26~29쪽	월	일	
개념 확인평가	30~32쪽	월	일	

교과서 개념 잡기

개념 1 분모가 같은 진분수의 덧셈

• $\frac{2}{8}+\frac{4}{8}$의 계산

(1) 그림으로 알아보기

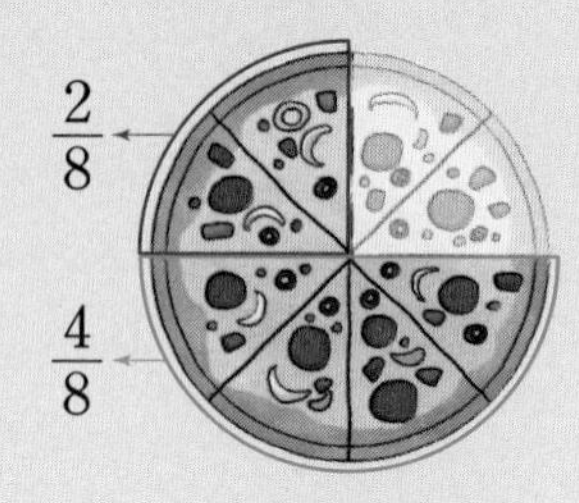

$\frac{2}{8}$는 $\frac{1}{8}$이 2개, $\frac{4}{8}$는 $\frac{1}{8}$이 4개이므로

$\frac{2}{8}+\frac{4}{8}$는 $\frac{1}{8}$이 모두 6개입니다. ➔ $\frac{2}{8}+\frac{4}{8}=\frac{6}{8}$

(2) 계산 방법 알아보기

$$\frac{2}{8}+\frac{4}{8}=\frac{2+4}{8}=\frac{6}{8}$$

분모는 그대로 두고 **분자**끼리 더합니다.

개념 2 합이 1보다 큰 진분수의 덧셈

• $\frac{3}{5}+\frac{4}{5}$의 계산

(1) 그림으로 알아보기

$\frac{3}{5}$, $\frac{4}{5}$ ➔ 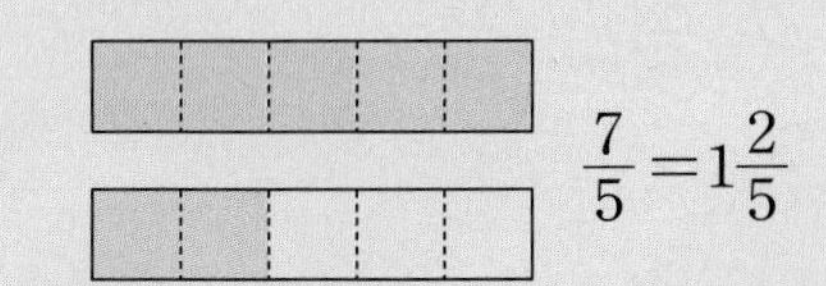 $\frac{7}{5}=1\frac{2}{5}$

(2) 계산 방법 알아보기

$$\frac{3}{5}+\frac{4}{5}=\frac{3+4}{5}=\frac{7}{5}=1\frac{2}{5}$$

가분수 ➔ 대분수

분모는 그대로 두고 분자끼리 더한 다음 계산 결과가 가분수이면 **대분수**로 바꿉니다.

개념 Check

□ 안에 들어갈 숫자로 알맞은 것에 ○표 하세요.

$\frac{2}{4}+\frac{1}{4}=\frac{3}{\square}$

8	4
(　　)	(　　)

정답과 풀이 p.2

1 $\frac{3}{6}+\frac{1}{6}$을 그림으로 나타내어 얼마인지 알아보세요.

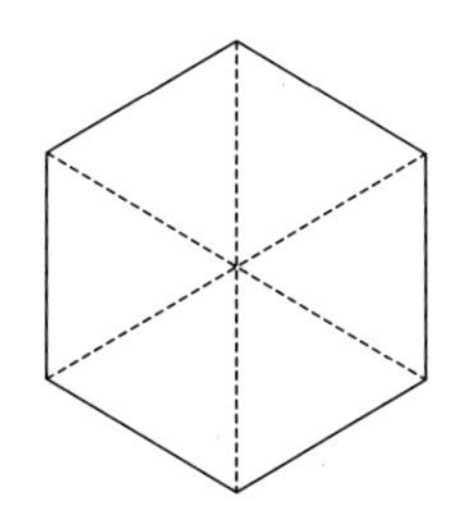

$$\frac{3}{6}+\frac{1}{6}=\frac{\square}{6}$$

2 $\frac{6}{7}+\frac{2}{7}$를 그림으로 나타내어 얼마인지 알아보세요.

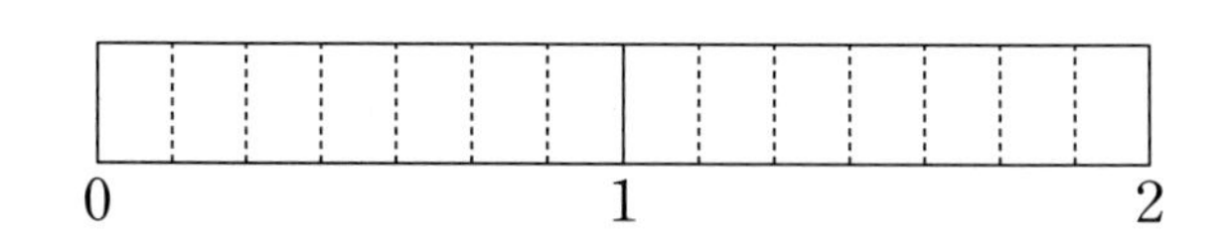

$$\frac{6}{7}+\frac{2}{7}=\frac{\square}{7}=\square\frac{\square}{7}$$

3 $\square$ 안에 알맞은 수를 써넣으세요.

$\frac{4}{9}$는 $\frac{1}{9}$이 $\square$개, $\frac{3}{9}$은 $\frac{1}{9}$이 $\square$개이므로 $\frac{4}{9}+\frac{3}{9}$은 $\frac{1}{9}$이 모두 $\square$개입니다.

따라서 $\frac{4}{9}+\frac{3}{9}=\frac{\square+\square}{9}=\frac{\square}{9}$입니다.

4 수직선을 이용하여 $\frac{5}{8}+\frac{6}{8}$이 얼마인지 알아보세요.

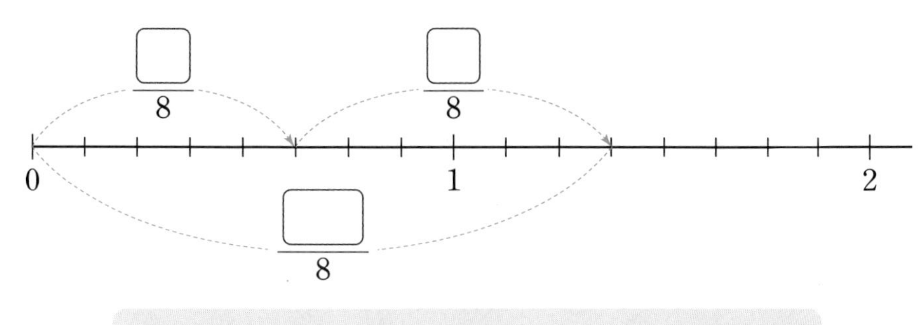

$$\frac{5}{8}+\frac{6}{8}=\frac{\square+\square}{8}=\frac{\square}{8}=\square\frac{\square}{8}$$

개념 3 분모가 같은 진분수의 뺄셈

• $\frac{5}{6}-\frac{2}{6}$의 계산

(1) 수직선으로 알아보기

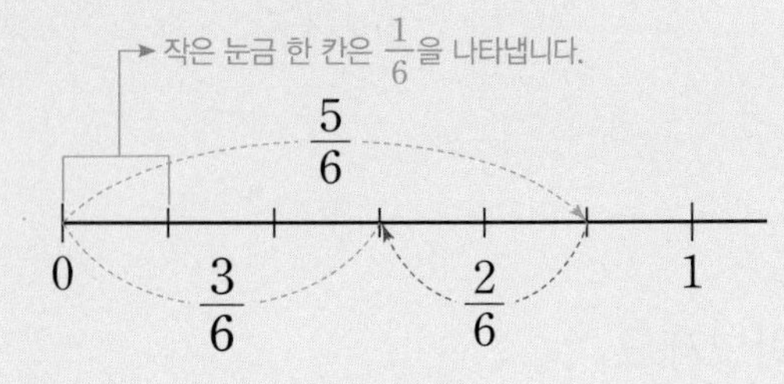

5칸을 간 다음 2칸을 되돌아 가면 3칸을 간 것과 같습니다. $\frac{1}{6}$이 3칸이므로 $\frac{3}{6}$입니다.

(2) 계산 방법 알아보기

$$\frac{5}{6}-\frac{2}{6}=\frac{5-2}{6}=\frac{3}{6}$$

분모는 그대로 두고 분자끼리 뺍니다.

개념 4 1−(진분수)

• $1-\frac{2}{9}$의 계산

(1) 그림으로 알아보기

$1-\frac{2}{9}$ → $\frac{7}{9}$

(2) 계산 방법 알아보기

$$1-\frac{2}{9}=\frac{9}{9}-\frac{2}{9}=\frac{9-2}{9}=\frac{7}{9}$$

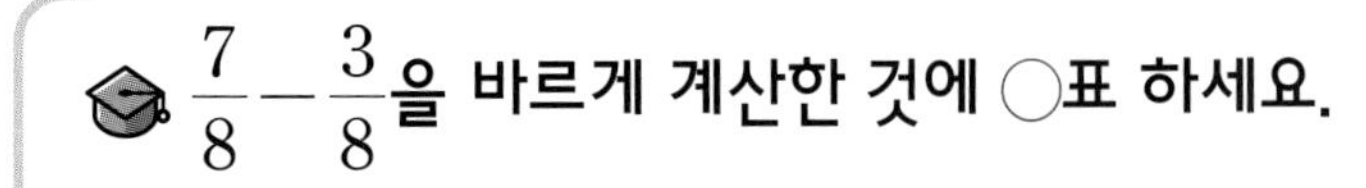

1을 빼는 수와 분모가 같은 분수로 바꾼 다음 분모는 그대로 두고 분자끼리 뺍니다.

개념 Check

$\frac{7}{8}-\frac{3}{8}$을 바르게 계산한 것에 ○표 하세요.

$\frac{7}{8}-\frac{3}{8}=4$	$\frac{7}{8}-\frac{3}{8}=\frac{4}{8}$	$\frac{7}{8}-\frac{3}{8}=\frac{7}{3}$

1 $\frac{5}{8}-\frac{2}{8}$를 그림으로 나타내어 얼마인지 알아보세요.

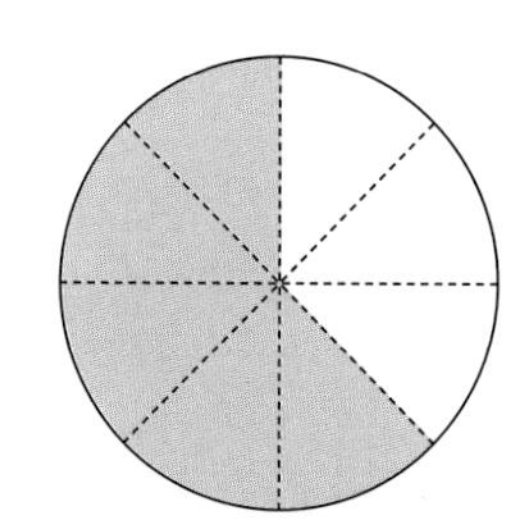

$\frac{5}{8}-\frac{2}{8}=\square$

2 $1-\frac{4}{6}$를 그림으로 나타내어 얼마인지 알아보세요.

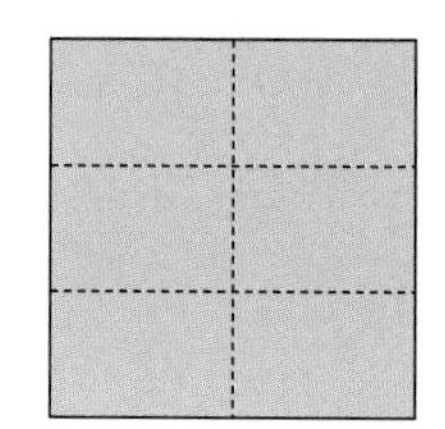

$1-\frac{4}{6}=\square$

3 수직선을 이용하여 $\frac{6}{7}-\frac{3}{7}$이 얼마인지 알아보세요.

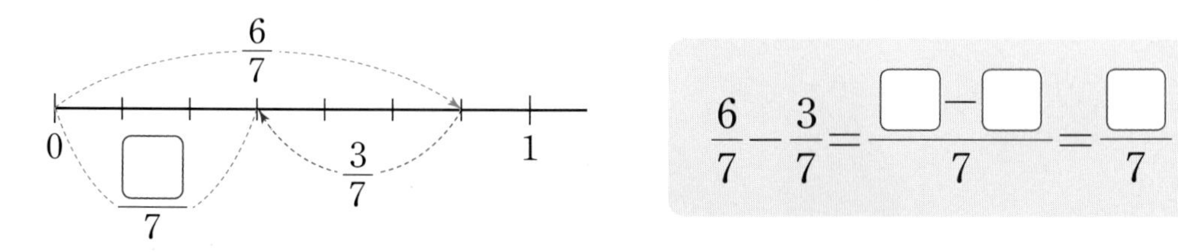

$\frac{6}{7}-\frac{3}{7}=\frac{\square-\square}{7}=\frac{\square}{7}$

4 □ 안에 알맞은 수를 써넣으세요.

1은 $\frac{\square}{9}$이므로 $\frac{1}{9}$이 □개, $\frac{5}{9}$는 $\frac{1}{9}$이 □개이므로 $1-\frac{5}{9}$는 $\frac{1}{9}$이 □개입니다.

따라서 $1-\frac{5}{9}=\frac{\square}{9}-\frac{\square}{9}=\frac{\square-\square}{9}=\frac{\square}{9}$입니다.

교과서 개념 play 옥수수 찾기

준비물 붙임딱지

옥수수밭에 옥수수가 많이 열렸습니다. 옥수수 껍질에 적힌 분수의 합과 차를 계산한 값이 적힌 옥수수를 찾아 붙임딱지를 붙여 보세요.

빼셈 옥수수
1
단원

집중! 드릴 문제

[1~6] □ 안에 알맞은 수를 써넣으세요.

1 $\frac{4}{6}+\frac{1}{6}=\frac{\square}{6}$

2 $\frac{3}{8}+\frac{3}{8}=\frac{\square}{8}$

3 $\frac{5}{9}+\frac{4}{9}=\frac{\square}{9}=\square$

4 $\frac{6}{7}+\frac{3}{7}=\frac{\square}{7}=\square\frac{\square}{7}$

5 $\frac{7}{10}+\frac{8}{10}=\frac{\square}{10}=\square\frac{\square}{10}$

6 $\frac{3}{13}+\frac{4}{13}=\frac{\square}{\square}$

[7~12] 계산해 보세요.

7 $\frac{1}{11}+\frac{6}{11}$

8 $\frac{1}{5}+\frac{4}{5}$

9 $\frac{4}{6}+\frac{5}{6}$

10 $\frac{3}{4}+\frac{2}{4}$

11 $\frac{2}{3}+\frac{2}{3}$

12 $\frac{6}{9}+\frac{8}{9}$

[13~18] □ 안에 알맞은 수를 써넣으세요.

13 $\frac{3}{7}-\frac{1}{7}=\frac{\square}{7}$

14 $\frac{6}{8}-\frac{2}{8}=\frac{\square}{8}$

15 $1-\frac{1}{9}=\frac{\square}{9}$

16 $\frac{5}{6}-\frac{4}{6}=\square$

17 $\frac{9}{10}-\frac{7}{10}=\square$

18 $1-\frac{13}{20}=\square$

[19~24] 계산해 보세요.

19 $\frac{6}{8}-\frac{5}{8}$

20 $\frac{5}{7}-\frac{3}{7}$

21 $1-\frac{3}{8}$

22 $1-\frac{4}{5}$

23 $\frac{7}{9}-\frac{2}{9}$

24 $\frac{10}{11}-\frac{8}{11}$

교과서 개념 확인 문제

1 두 수의 합만큼 색칠하고 □ 안에 알맞은 수를 써넣으세요.

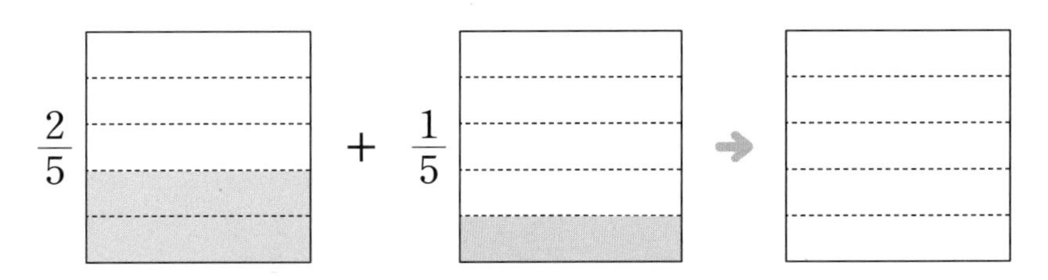

$\frac{2}{5}+\frac{1}{5}=\frac{\square}{5}$

2 그림을 보고 □ 안에 알맞은 수를 써넣으세요.

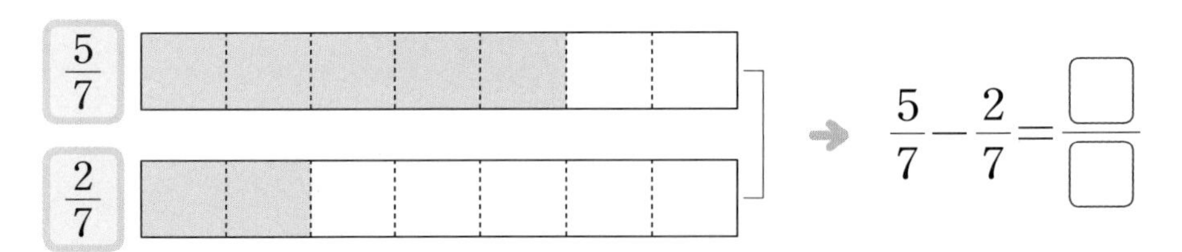

$\frac{5}{7}-\frac{2}{7}=\frac{\square}{\square}$

3 수직선을 보고 □ 안에 알맞은 수를 써넣으세요.

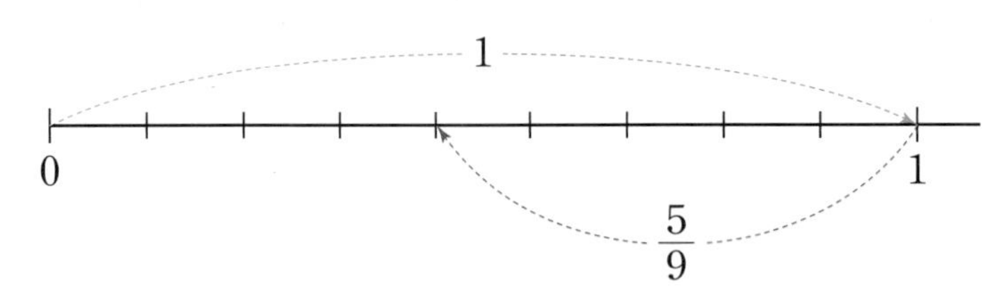

$1-\frac{5}{9}=\frac{\square}{\square}$

4 □ 안에 알맞은 수를 써넣으세요.

$\frac{7}{8}$은 $\frac{1}{8}$이 □개, $\frac{5}{8}$는 $\frac{1}{8}$이 □개이므로 $\frac{7}{8}-\frac{5}{8}$는 $\frac{1}{8}$이 □개입니다.

따라서 $\frac{7}{8}-\frac{5}{8}=\frac{\square}{\square}$입니다.

5 계산해 보세요.

(1) $\frac{3}{7}+\frac{2}{7}$

(2) $\frac{5}{13}+\frac{7}{13}$

(3) $\frac{4}{6}+\frac{3}{6}$

(4) $\frac{9}{11}+\frac{5}{11}$

6 빈칸에 알맞은 수를 써넣으세요.

(1)

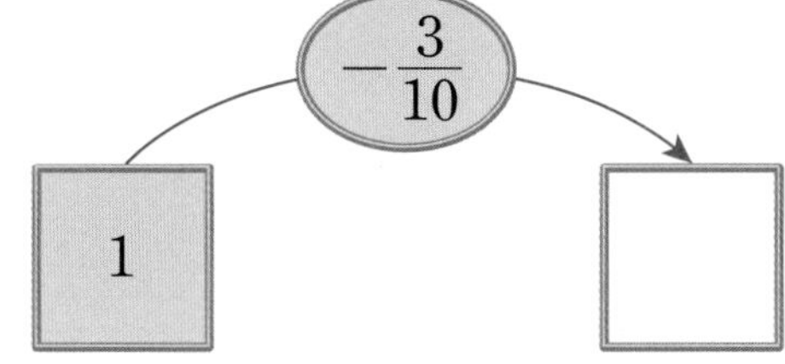

(2)

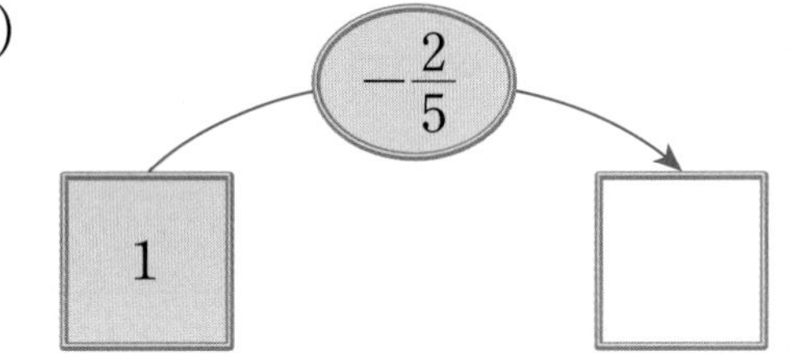

7 유정이가 말하는 수보다 $\frac{4}{11}$만큼 작은 수를 구해 보세요.

(   )

8 분수 카드에 적힌 두 수의 차를 구해 보세요.

(1) $\frac{9}{12}$ $\frac{6}{12}$

(   )

(2) 

$\frac{5}{8}$

(   )

9 잘못 계산한 곳을 찾아 바르게 계산해 보세요.

$$\frac{11}{12}-\frac{5}{12}=\frac{11-5}{12-12}=6$$

$\frac{11}{12}-\frac{5}{12}$ ______

10 보기 와 같은 방법으로 계산해 보세요.

보기

$$\frac{7}{8}+\frac{3}{8}=\frac{7+3}{8}=\frac{10}{8}=1\frac{2}{8}$$

(1) $\frac{3}{10}+\frac{9}{10}$ ______

(2) $\frac{2}{14}+\frac{13}{14}$ ______

11 빈칸에 알맞은 수를 써넣으세요.

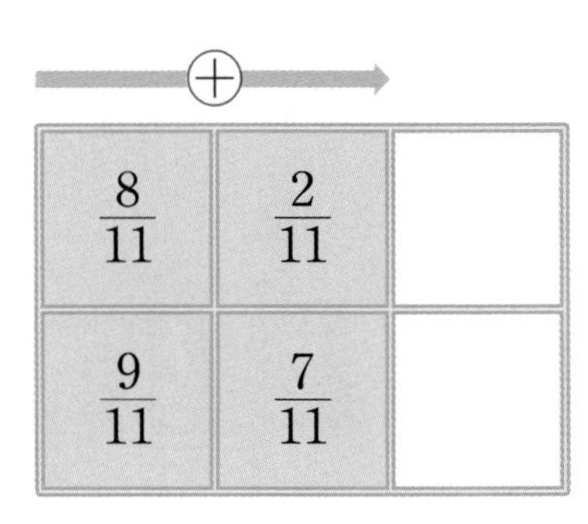

$\frac{8}{11}$	$\frac{2}{11}$	
$\frac{9}{11}$	$\frac{7}{11}$	

12 □ 안에 알맞은 수를 써넣으세요.

(1) $\frac{1}{4}+\frac{\square}{4}=1$

(2) $\frac{4}{6}+\frac{\square}{6}=1$

13 계산 결과를 비교하여 ○ 안에 >, =, <를 알맞게 써넣으세요.

(1) $\frac{2}{9}+\frac{7}{9}$ ○ $\frac{5}{9}+\frac{4}{9}$

(2) $\frac{2}{7}+\frac{5}{7}$ ○ $\frac{6}{7}+\frac{3}{7}$

14 빈칸에 알맞은 수를 써넣으세요.

(1)

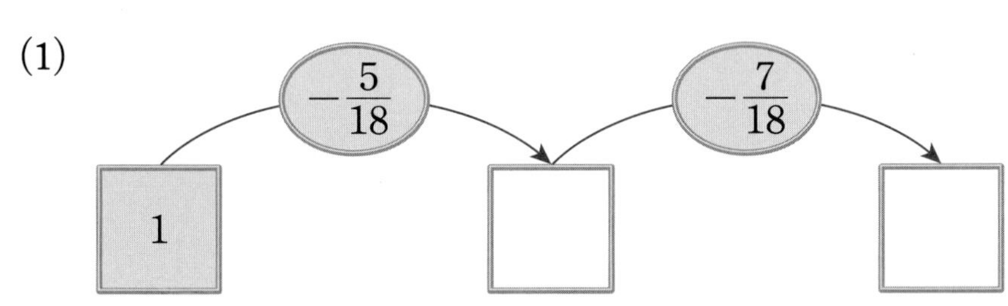

(2)

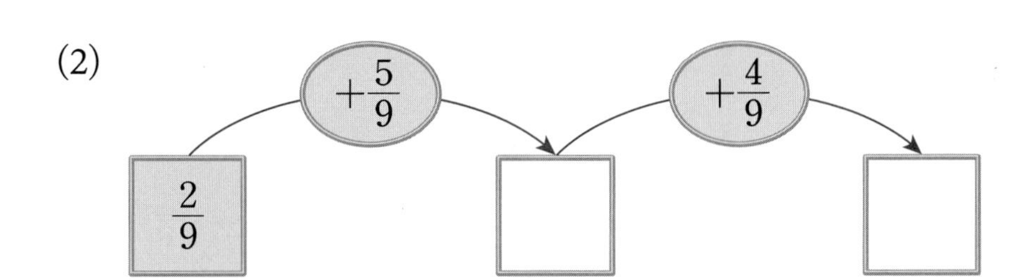

교과서 개념 잡기

개념 5 대분수의 덧셈

• $2\frac{1}{4}+1\frac{2}{4}$의 계산

방법1 자연수 부분끼리, 진분수 부분끼리 더한 결과를 더합니다.

$$2\frac{1}{4}+1\frac{2}{4}=(2+1)+\left(\frac{1}{4}+\frac{2}{4}\right)=3+\frac{3}{4}=3\frac{3}{4}$$

방법2 대분수를 가분수로 바꾸어 더한 다음 계산 결과를 대분수로 바꿉니다.

$$2\frac{1}{4}+1\frac{2}{4}=\frac{9}{4}+\frac{6}{4}=\frac{15}{4}=3\frac{3}{4}$$

대분수 → 가분수　　가분수 → 대분수

• $1\frac{3}{5}+1\frac{4}{5}$의 계산

(1) 그림으로 알아보기

$1\frac{3}{5}$ + $1\frac{4}{5}$ → $1\frac{3}{5}+1\frac{4}{5}=3\frac{2}{5}$

(2) 계산 방법 알아보기

방법1 자연수 부분끼리, 진분수 부분끼리 더한 결과를 더합니다.

$$1\frac{3}{5}+1\frac{4}{5}=(1+1)+\left(\frac{3}{5}+\frac{4}{5}\right)=2+\frac{7}{5}=2+1\frac{2}{5}=3\frac{2}{5}$$

방법2 대분수를 가분수로 바꾸어 더한 다음 계산 결과를 대분수로 바꿉니다.

$$1\frac{3}{5}+1\frac{4}{5}=\frac{8}{5}+\frac{9}{5}=\frac{17}{5}=3\frac{2}{5}$$

개념 6 받아내림이 없는 대분수의 뺄셈

• $3\frac{2}{4}-1\frac{1}{4}$의 계산

방법1 자연수 부분끼리, 진분수 부분끼리 뺀 결과를 더합니다.

$$3\frac{2}{4}-1\frac{1}{4}=(3-1)+\left(\frac{2}{4}-\frac{1}{4}\right)=2+\frac{1}{4}=2\frac{1}{4}$$

방법2 대분수를 가분수로 바꾸어 뺀 다음 계산 결과를 대분수로 바꿉니다.

$$3\frac{2}{4}-1\frac{1}{4}=\frac{14}{4}-\frac{5}{4}=\frac{9}{4}=2\frac{1}{4}$$

1

그림을 보고 $1\frac{3}{5}+2\frac{1}{5}$이 얼마인지 알아보세요.

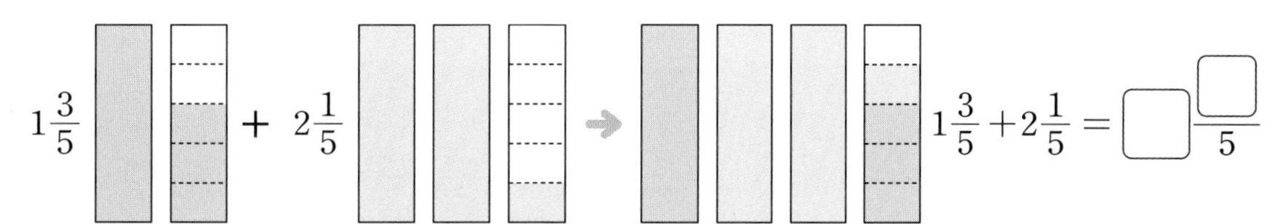

$1\frac{3}{5}+2\frac{1}{5}=\square\frac{\square}{5}$

2

그림을 보고 $3\frac{5}{6}-2\frac{4}{6}$가 얼마인지 알아보세요.

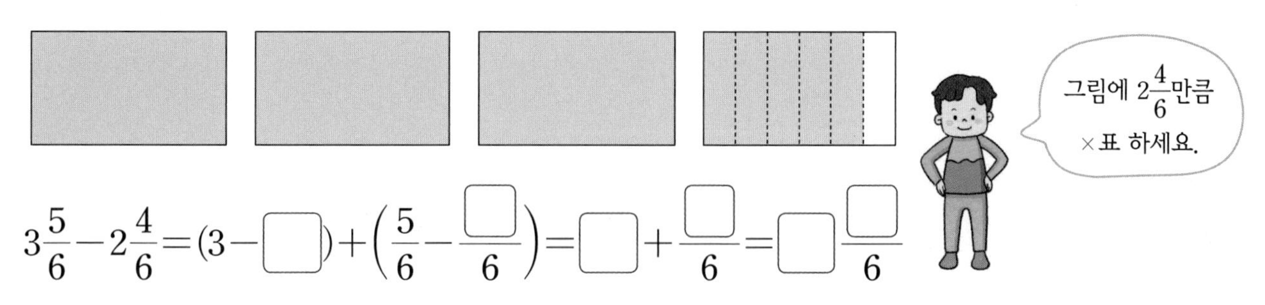

$3\frac{5}{6}-2\frac{4}{6}=(3-\square)+\left(\frac{5}{6}-\frac{\square}{6}\right)=\square+\frac{\square}{6}=\square\frac{\square}{6}$

3

수직선을 이용하여 $2\frac{6}{7}-1\frac{2}{7}$가 얼마인지 알아보세요.

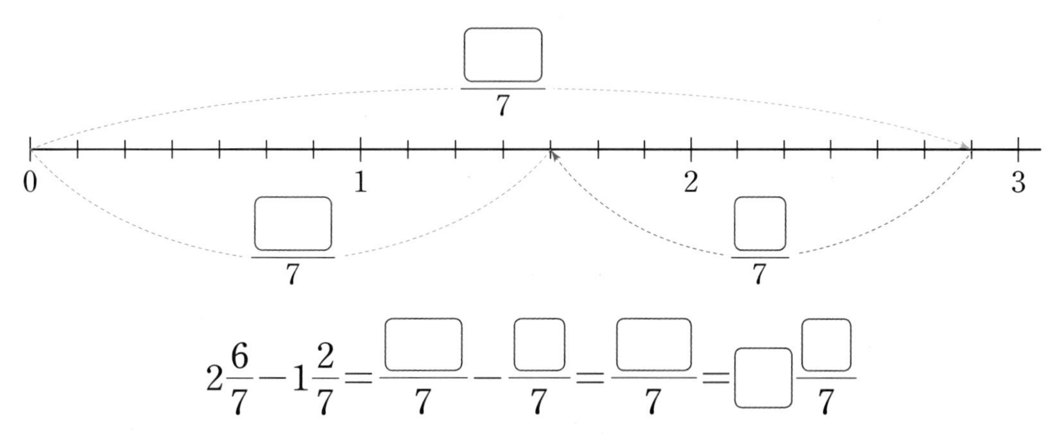

$2\frac{6}{7}-1\frac{2}{7}=\frac{\square}{7}-\frac{\square}{7}=\frac{\square}{7}=\square\frac{\square}{7}$

4

□ 안에 알맞은 수를 써넣으세요.

(1) $2\frac{3}{6}+3\frac{4}{6}=(2+\square)+\left(\frac{3}{6}+\frac{\square}{6}\right)=\square+\frac{\square}{6}=\square+\square\frac{\square}{6}=\square\frac{\square}{6}$

(2) $4\frac{3}{4}+2\frac{2}{4}=\frac{19}{4}+\frac{\square}{4}=\frac{\square}{4}=\square\frac{\square}{4}$

개념 7 받아내림이 있는 대분수의 뺄셈

• $3-1\frac{1}{5}$의 계산

(1) 그림으로 알아보기

$1=\frac{5}{5}$

$3 \rightarrow 2\frac{5}{5}$ $\qquad$ $3-1\frac{1}{5}=1\frac{4}{5}$

(2) 계산 방법 알아보기

방법1 자연수에서 1만큼을 분수로 바꾸어 자연수 부분끼리, 분수 부분끼리 뺀 결과를 더합니다.

$$3-1\frac{1}{5}=2\frac{5}{5}-1\frac{1}{5}=(2-1)+\left(\frac{5}{5}-\frac{1}{5}\right)=1+\frac{4}{5}=1\frac{4}{5}$$

자연수에서 1만큼을 분수로 바꿉니다.

방법2 두 수를 가분수로 바꾸어 뺀 다음 계산 결과를 대분수로 바꿉니다.

$$3-1\frac{1}{5}=\frac{15}{5}-\frac{6}{5}=\frac{9}{5}=1\frac{4}{5}$$

자연수, 대분수 → 가분수 $\qquad$ 가분수 → 대분수

• $4\frac{1}{4}-1\frac{3}{4}$의 계산

(1) 그림으로 알아보기

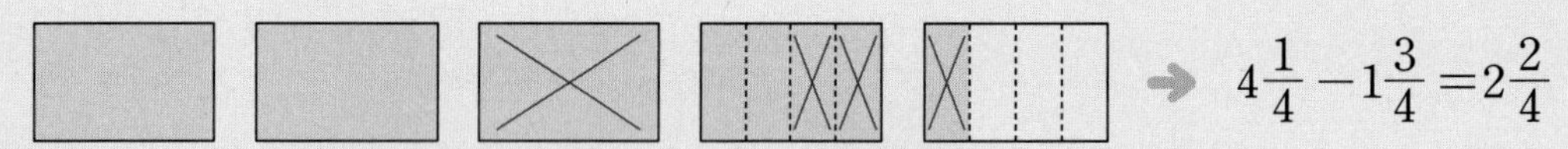

$4\frac{1}{4}-1\frac{3}{4}=2\frac{2}{4}$

(2) 계산 방법 알아보기

방법1 자연수에서 1만큼을 분수로 바꾸어 자연수 부분끼리, 분수 부분끼리 뺀 결과를 더합니다.

$$4\frac{1}{4}-1\frac{3}{4}=3\frac{5}{4}-1\frac{3}{4}=(3-1)+\left(\frac{5}{4}-\frac{3}{4}\right)=2+\frac{2}{4}=2\frac{2}{4}$$

방법2 대분수를 가분수로 바꾸어 뺀 다음 계산 결과를 대분수로 바꿉니다.

$$4\frac{1}{4}-1\frac{3}{4}=\frac{17}{4}-\frac{7}{4}=\frac{10}{4}=2\frac{2}{4}$$

1 그림을 보고 $3\frac{1}{10}-2\frac{5}{10}$가 얼마인지 알아보세요.

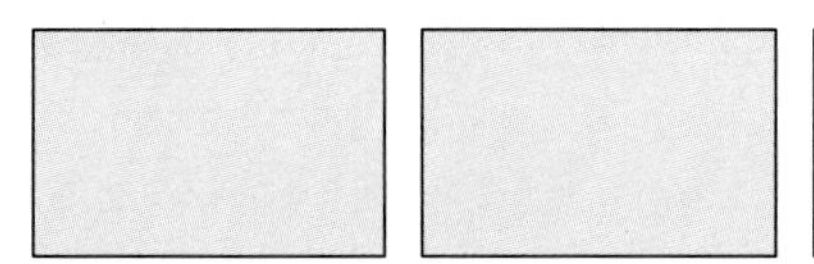 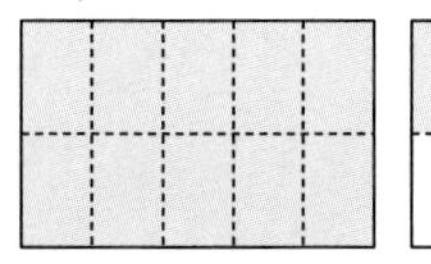 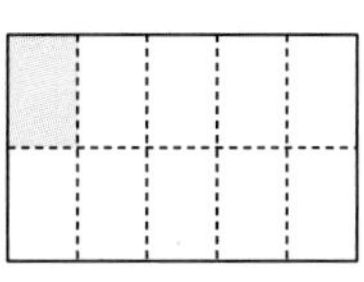 

그림에 $2\frac{5}{10}$만큼 ×표 하세요.

$$3\frac{1}{10}-2\frac{5}{10}=2\frac{\square}{10}-2\frac{5}{10}=(2-\square)+\left(\frac{\square}{10}-\frac{\square}{10}\right)=\frac{\square}{10}$$

2 수직선을 이용하여 $2\frac{2}{8}-1\frac{6}{8}$이 얼마인지 알아보세요.

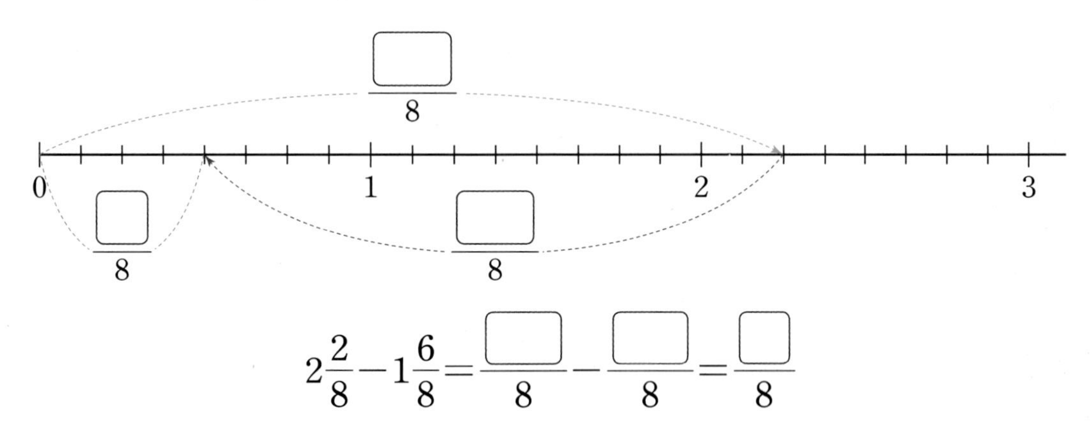

$$2\frac{2}{8}-1\frac{6}{8}=\frac{\square}{8}-\frac{\square}{8}=\frac{\square}{8}$$

3 계산 결과를 찾아 ○표 하세요.

$8-1\frac{4}{6}$	$7\frac{2}{6}$	$6\frac{4}{6}$	$6\frac{2}{6}$
	( )	( )	( )

4 잘못 계산한 곳을 찾아 바르게 계산해 보세요.

$$5-2\frac{2}{7}=5\frac{7}{7}-2\frac{2}{7}=3\frac{5}{7}$$

$5-2\frac{2}{7}$ ________________

교과서 개념 play 호박 완성하기

준비물 붙임딱지

매년 10월 31일에 열리는 할로윈 축제에는 호박을 조각하고 안에 등불을 넣어 꾸미는 풍습이 있습니다. 호박에 적힌 분수의 덧셈과 뺄셈을 계산한 값이 적힌 붙임딱지를 붙여 호박을 완성해 보세요.

$1\frac{1}{2} + \frac{4}{2} =$
$\frac{16}{5} - \frac{4}{5} =$
$4 - \frac{7}{9} =$
$\frac{11}{6} + 3\frac{5}{6} =$
$1\frac{3}{8} + \frac{33}{8} =$
$\frac{36}{7} + 4\frac{3}{7} =$
$5 - \frac{7}{10} =$
$7\frac{1}{8} - 5\frac{4}{8} =$
$8 - 6\frac{4}{5} =$
$3\frac{4}{7} + 8\frac{3}{7} =$
$2\frac{7}{9} + 3\frac{5}{9} =$
$6\frac{3}{5} - 3\frac{4}{5} =$
1
단원

집중! 드릴 문제

[1~5] 계산해 보세요.

1 $3\frac{1}{5}+2\frac{2}{5}$

2 $2\frac{3}{7}+1\frac{6}{7}$

3 $6\frac{2}{8}+1\frac{3}{8}$

4 $1\frac{8}{9}+4\frac{2}{9}$

5 $3\frac{5}{10}+2\frac{7}{10}$

[6~10] 계산해 보세요.

6 $4\frac{4}{5}-2\frac{1}{5}$

7 $4\frac{7}{9}-\frac{30}{9}$

8 $3\frac{9}{10}-\frac{5}{10}$

9 $6\frac{6}{7}-\frac{2}{7}$

10 $5\frac{3}{6}-\frac{8}{6}$

[11~14] 보기 와 같은 방법으로 계산해 보세요.

보기

$$4\frac{2}{8}-2\frac{4}{8}=3\frac{10}{8}-2\frac{4}{8}=1\frac{6}{8}$$

11 $7\frac{4}{6}-1\frac{5}{6}$

12 $5\frac{3}{10}-2\frac{9}{10}$

13 $6\frac{1}{7}-3\frac{4}{7}$

14 $10-4\frac{3}{8}$

[15~18] 보기 와 같은 방법으로 계산해 보세요.

보기

$$4\frac{2}{8}-2\frac{4}{8}=\frac{34}{8}-\frac{20}{8}=\frac{14}{8}=1\frac{6}{8}$$

15 $9\frac{5}{10}-6\frac{7}{10}$

16 $8\frac{3}{9}-1\frac{6}{9}$

17 $5\frac{4}{8}-4\frac{5}{8}$

18 $7-5\frac{3}{5}$

1 단원

교과서 개념 확인 문제

1 그림을 보고 □ 안에 알맞은 수를 써넣으세요.

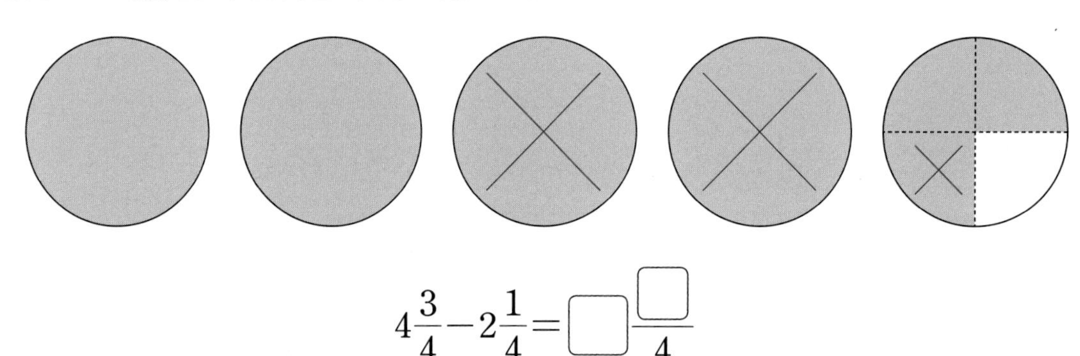

$$4\frac{3}{4}-2\frac{1}{4}=\square\frac{\square}{4}$$

2 □ 안에 알맞은 수를 써넣으세요.

(1) $1\frac{2}{7}+3\frac{4}{7}=(\square+\square)+\left(\frac{\square}{7}+\frac{\square}{7}\right)=\square+\frac{\square}{7}=\square\frac{\square}{7}$

(2) $2\frac{3}{5}+3\frac{4}{5}=(\square+\square)+\left(\frac{\square}{5}+\frac{\square}{5}\right)=\square+\frac{\square}{5}$

$=\square+\square\frac{\square}{5}=\square\frac{\square}{5}$

3 □ 안에 알맞은 수를 써넣으세요.

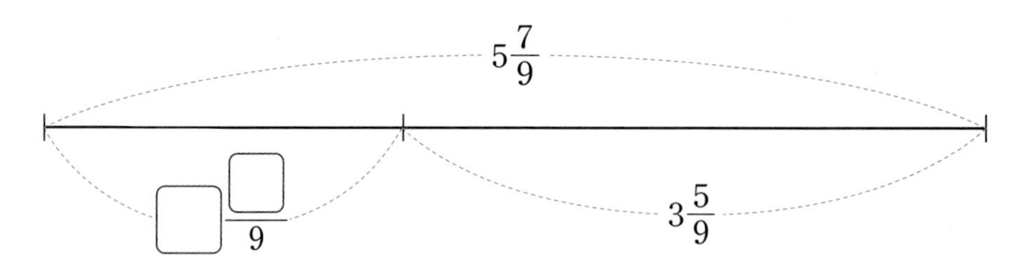

4 계산 결과를 찾아 선으로 이어 보세요.

$4\frac{4}{6}+1\frac{5}{6}$	$3\frac{3}{6}+2\frac{4}{6}$	$1\frac{2}{6}+5\frac{3}{6}$
$6\frac{1}{6}$	$6\frac{3}{6}$	$6\frac{5}{6}$

5 대분수를 가분수로 바꾸어 계산해 보세요.

(1) $2\frac{3}{10}+1\frac{9}{10}$

(2) $1\frac{10}{12}+3\frac{5}{12}$

6 다음이 나타내는 수를 구해 보세요.

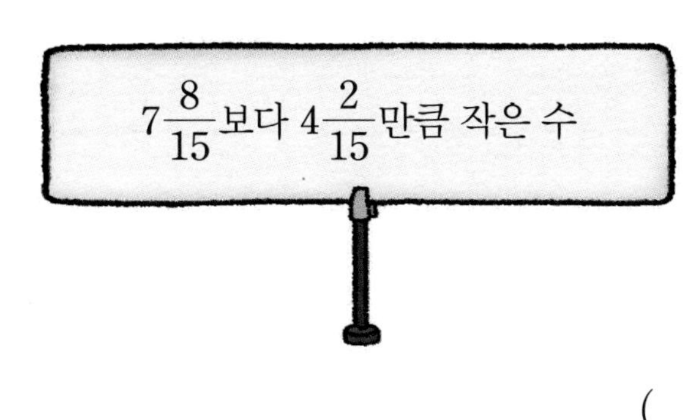

(　　　　　　　)

7 빈칸에 알맞은 수를 써넣으세요.

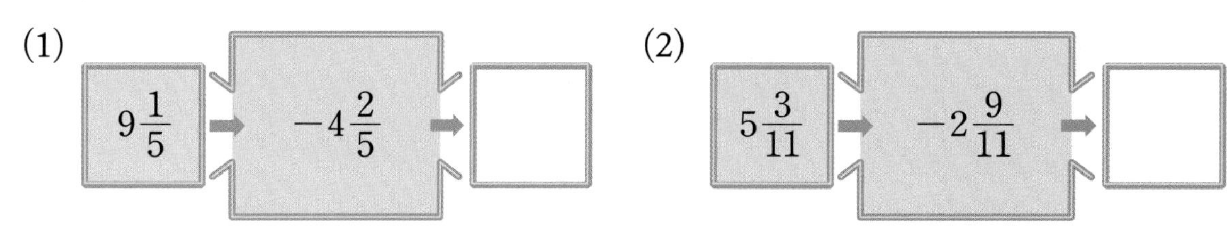

8 피자를 현수네 반 학생은 $7\frac{3}{8}$판, 민지네 반 학생은 $6\frac{2}{8}$판 먹었을 때, 두 반 학생이 먹은 피자는 모두 몇 판일까요?

(　　　　　　　　　　)

9 크기를 비교하여 ○ 안에 >, =, <를 알맞게 써넣으세요.

(1) $4\frac{2}{10}+5\frac{3}{10}$ ○ $9\frac{4}{10}$

(2) $7\frac{2}{4}+\frac{1}{4}$ ○ $8\frac{3}{4}$

(3) $3\frac{5}{6}+2\frac{5}{6}$ ○ $6\frac{5}{6}$

(4) $2\frac{8}{9}+1\frac{3}{9}$ ○ 4

10 $7\frac{2}{7}-3\frac{4}{7}$를 2가지 방법으로 계산해 보세요.

방법1

방법2

11 준수는 $6\frac{3}{8}$ m의 색 테이프 중 $3\frac{5}{8}$ m를 미술 시간에 사용하였습니다. 준수가 사용하고 남은 색 테이프는 몇 m인지 구해 보세요.

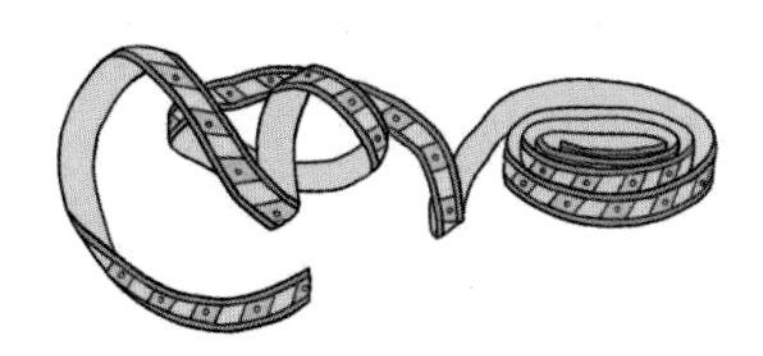

식 ______________________

답 ______________________

12 계산 결과가 3과 4 사이인 뺄셈식에 ○표 하세요.

$5-2\frac{2}{7}$	$7-3\frac{4}{9}$	$6-1\frac{3}{5}$
(　　　)	(　　　)	(　　　)

개념 확인평가

맞은 개수

1 그림을 보고 □ 안에 알맞은 수를 써넣으세요.

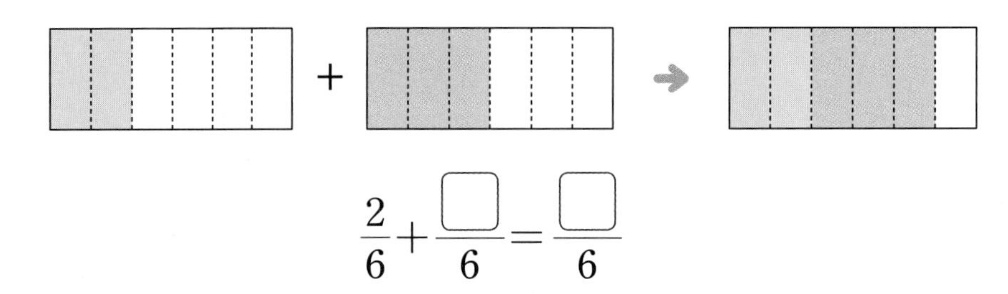

$\frac{2}{6}+\frac{\square}{6}=\frac{\square}{6}$

2 $\frac{3}{7}+\frac{6}{7}$을 그림으로 나타내어 얼마인지 알아보세요.

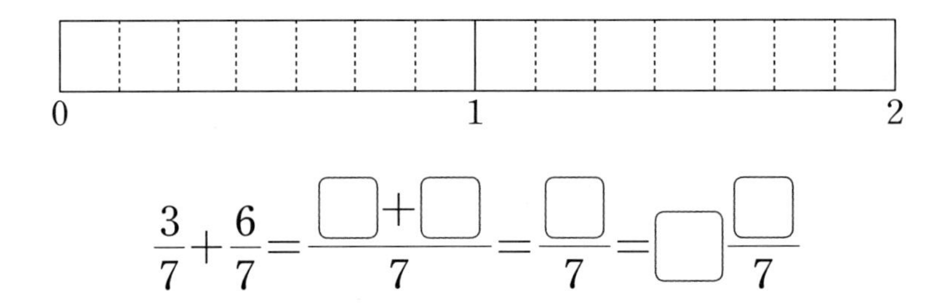

$\frac{3}{7}+\frac{6}{7}=\frac{\square+\square}{7}=\frac{\square}{7}=\square\frac{\square}{7}$

3 그림을 보고 $4-1\frac{3}{4}$이 얼마인지 알아보세요.

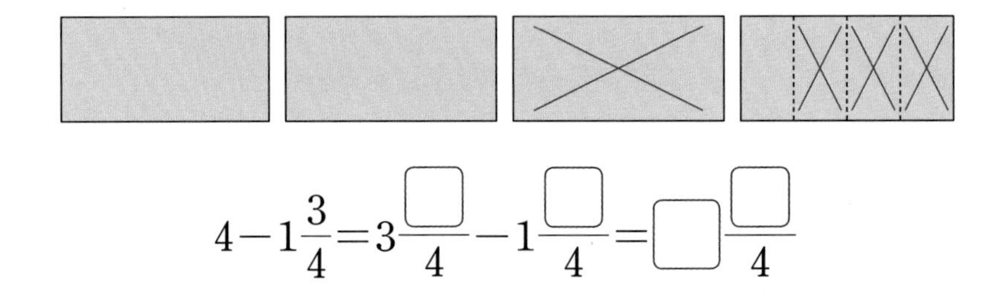

$4-1\frac{3}{4}=3\frac{\square}{4}-1\frac{\square}{4}=\square\frac{\square}{4}$

4 수직선을 보고 □ 안에 알맞은 수를 써넣으세요.

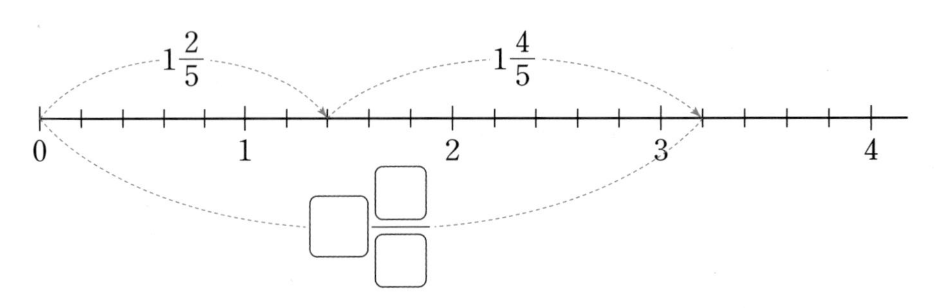

5 □ 안에 알맞은 수를 써넣으세요.

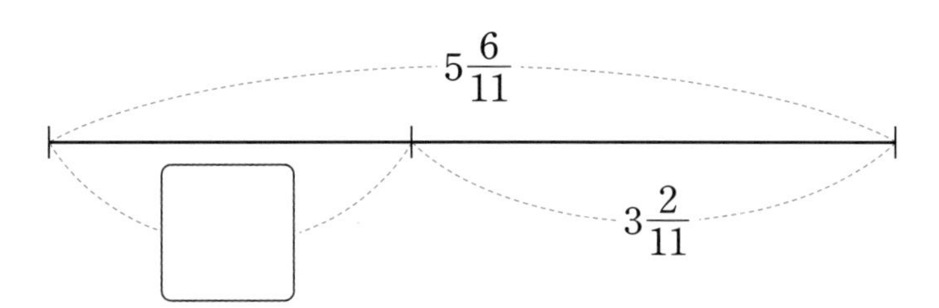

6 설명하는 수를 구해 보세요.

(1) (2)

( ) ( )

7 그림의 가로와 세로의 차는 몇 m인지 구해 보세요.

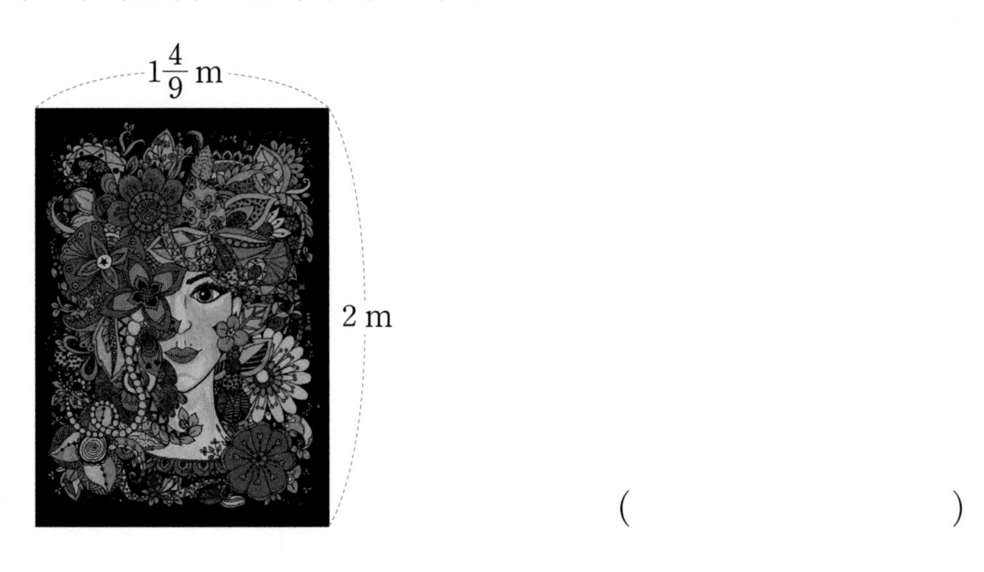

( )

8 두 색 테이프의 길이의 차는 몇 cm인지 구해 보세요.

$25\frac{2}{6}$ cm

$11\frac{4}{6}$ cm

(　　　　　　　　)

9 희원이는 꽃집에서 꽃을 사서 할머니 댁에 가려고 합니다. 희원이네 집에서 꽃집을 지나 할머니 댁까지 가는 거리는 몇 km인지 구해 보세요.

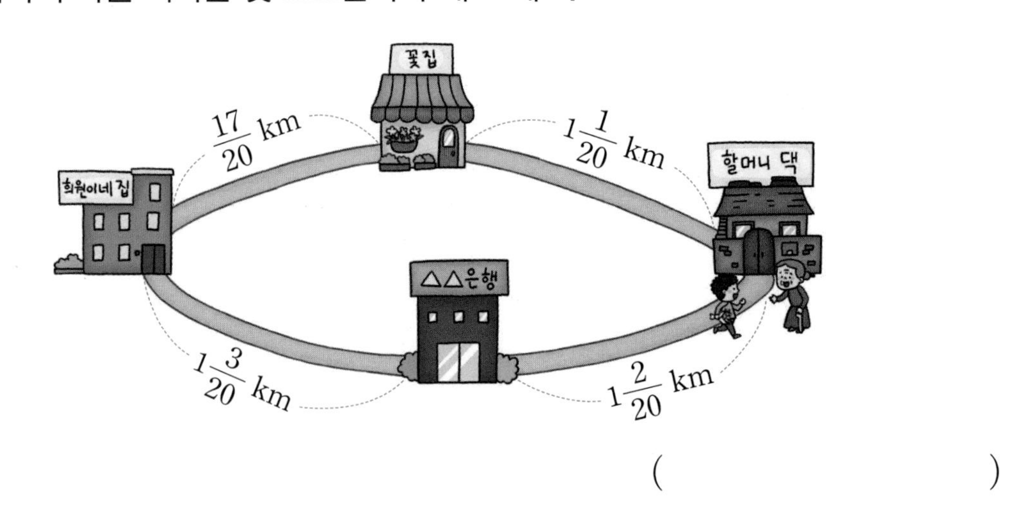

(　　　　　　　　)

10 가장 큰 분수와 가장 작은 분수가 적힌 카드를 뽑아 두 수의 차를 구해 보세요.

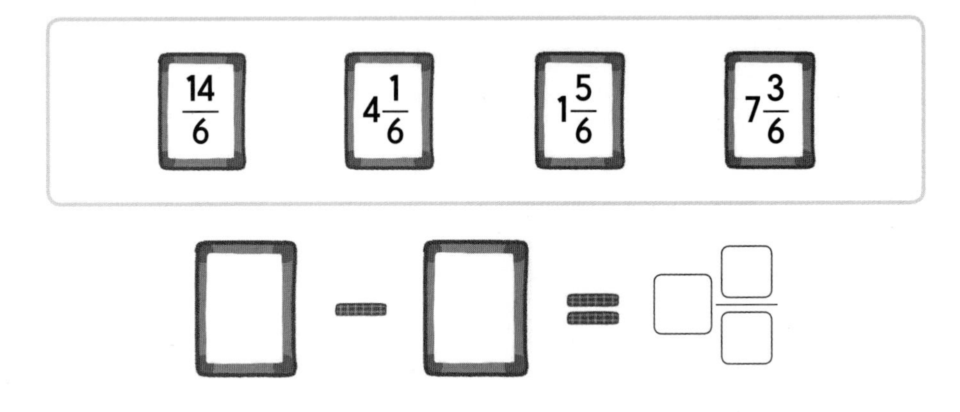

2 삼각형

학습 계획표

내용	쪽수	날짜		확인
교과서 개념 잡기	34~37쪽	월	일	
교과서 개념 play / 집중! 드릴 문제	38~41쪽	월	일	
교과서 개념 확인 문제	42~45쪽	월	일	
교과서 개념 잡기	46~49쪽	월	일	
교과서 개념 play / 집중! 드릴 문제	50~53쪽	월	일	
교과서 개념 확인 문제	54~57쪽	월	일	
개념 확인평가	58~60쪽	월	일	

교과서 개념 잡기

개념 1 이등변삼각형, 정삼각형 알아보기

• 삼각형을 변의 길이에 따라 분류하기

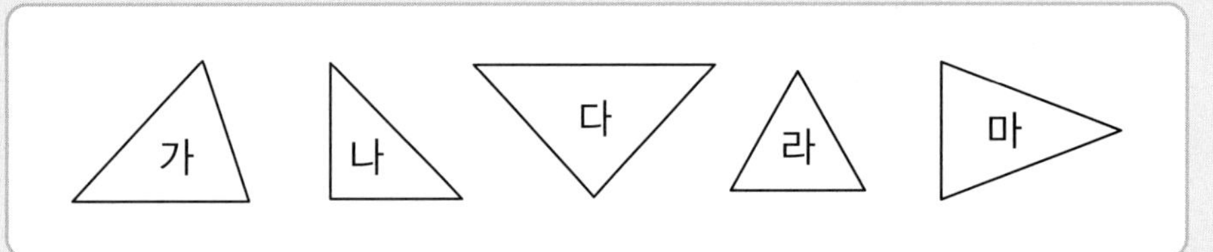

두 변의 길이만 같은 삼각형	나, 다, 마
세 변의 길이가 모두 같은 삼각형	라
세 변의 길이가 모두 다른 삼각형	가

두 변의 길이가 같은 삼각형을 이등변삼각형이라고 합니다.

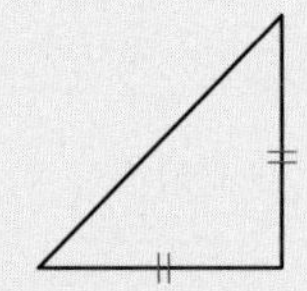
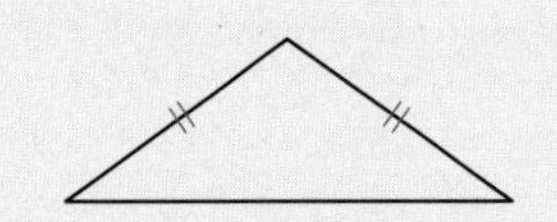
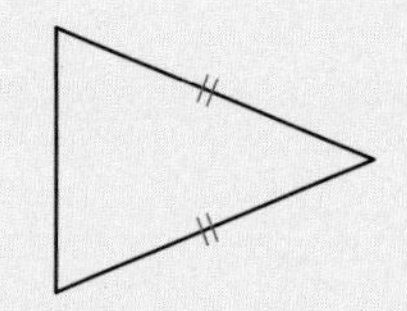

두 변의 길이가 같은지 알아볼 때에는 눈으로 비교하거나 자로 재어 비교해요.

세 변의 길이가 같은 삼각형을 정삼각형이라고 합니다.

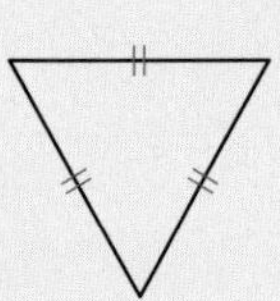
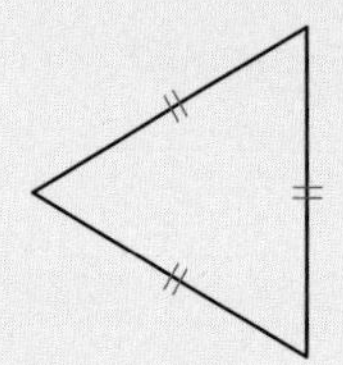

정삼각형에는 길이가 같은 두 변이 있으므로 정삼각형은 이등변삼각형이라고 할 수 있어요.

개념 Check

삼각형의 이름을 바르게 말한 사람에 ◯표 하세요.

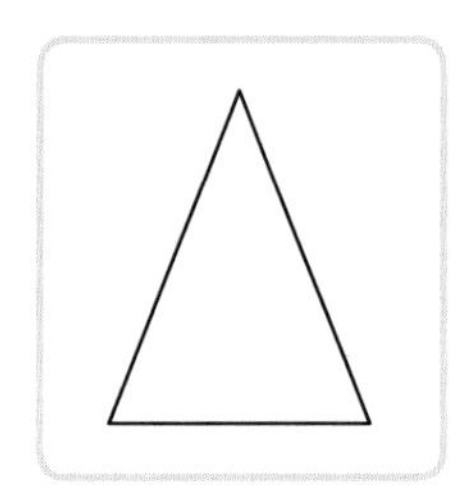

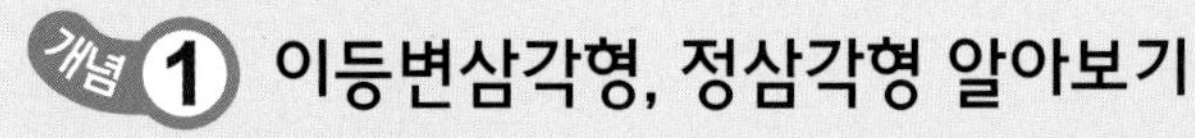

1 왼쪽 삼각형을 보고 알맞은 말에 ○표 하고 □ 안에 알맞은 말을 써넣으세요.

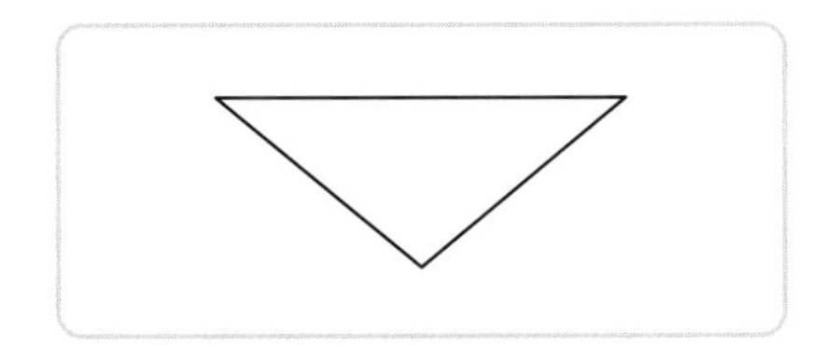

(두 , 세) 변의 길이가 같으므로

□삼각형입니다.

2 정삼각형을 찾아 기호를 써 보세요.

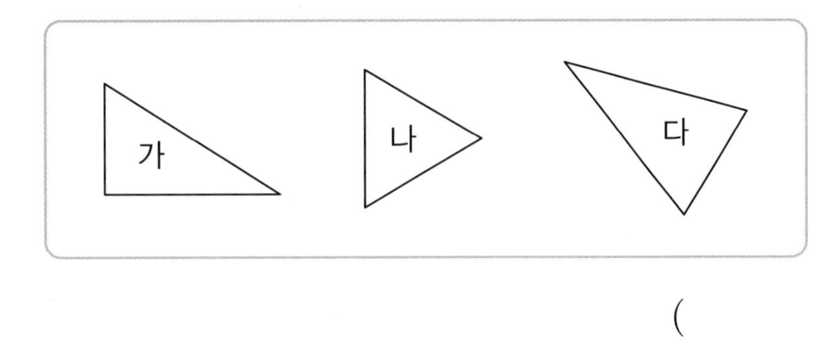

(　　　　　　　　)

3 이등변삼각형입니다. □ 안에 알맞은 수를 써넣으세요.

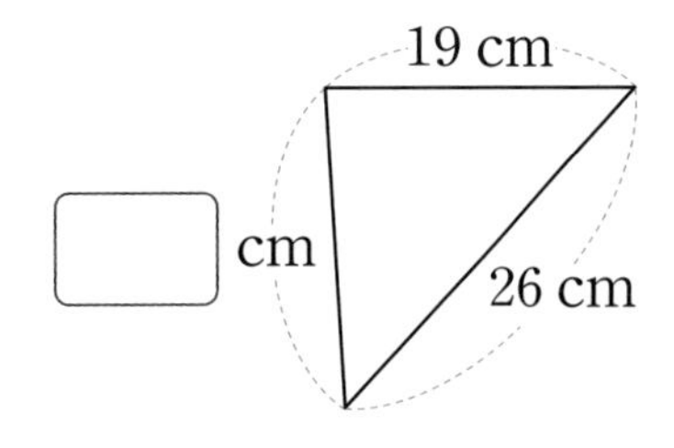

4 다음 도형의 이름이 될 수 있는 것에 모두 ○표 하세요.

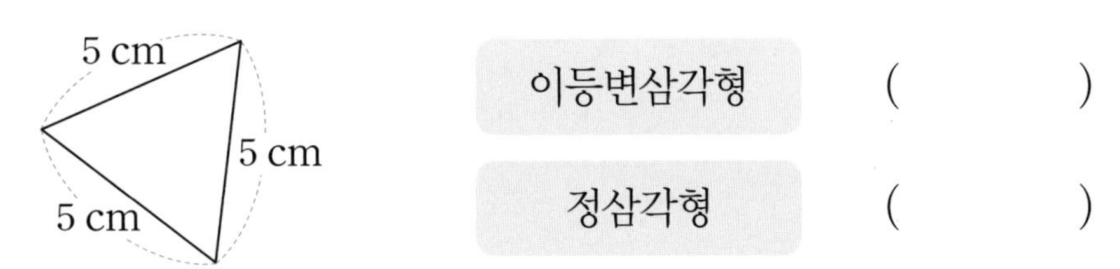

이등변삼각형 (　　　)

정삼각형 (　　　)

개념 2 이등변삼각형의 성질 알아보기

- 색종이를 잘라서 이등변삼각형의 성질 알아보기

겹쳐서 잘랐으므로 두 변의 길이가 같습니다.

겹쳐서 잘랐으므로 두 각의 크기가 같습니다.

이등변삼각형은 **두** 각의 크기가 같습니다.

- 두 각의 크기가 각각 40°인 이등변삼각형 그리기

각도기를 사용하여 두 각의 크기가 같은 이등변삼각형을 그립니다.

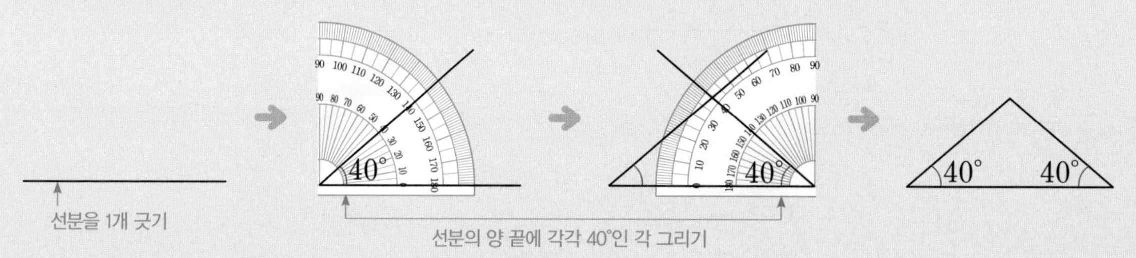

개념 3 정삼각형의 성질 알아보기

- 각의 크기를 재어 정삼각형의 성질 알아보기

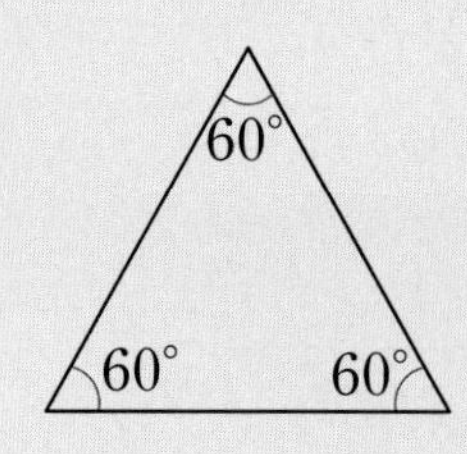

정삼각형은 **세** 각의 크기가 같습니다.

- 정삼각형 그리기

각도기를 사용하여 세 각의 크기가 모두 60°인 정삼각형을 그립니다.

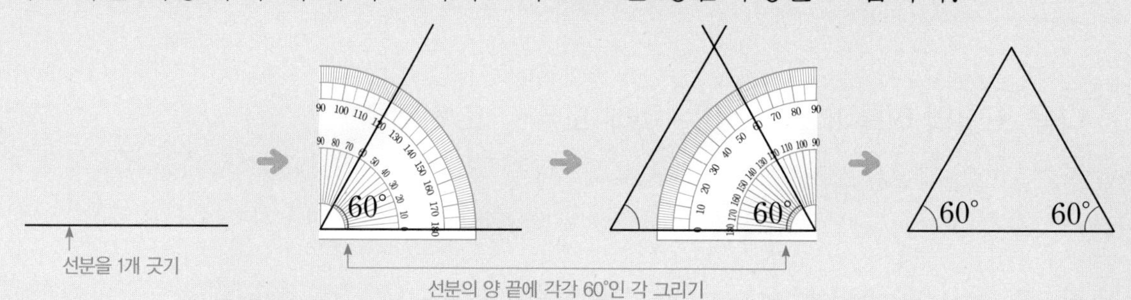

1 다음 도형은 이등변삼각형입니다. □ 안에 알맞은 수를 써넣으세요.

(1)

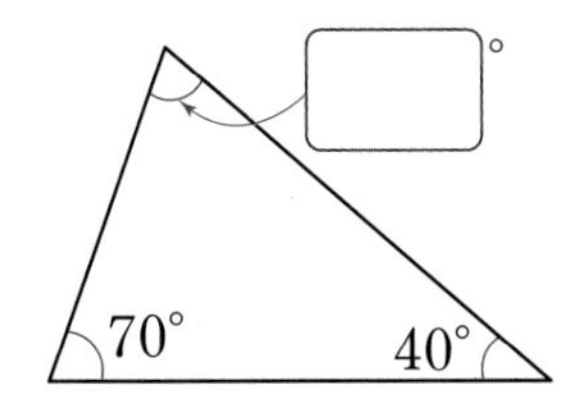

(2)

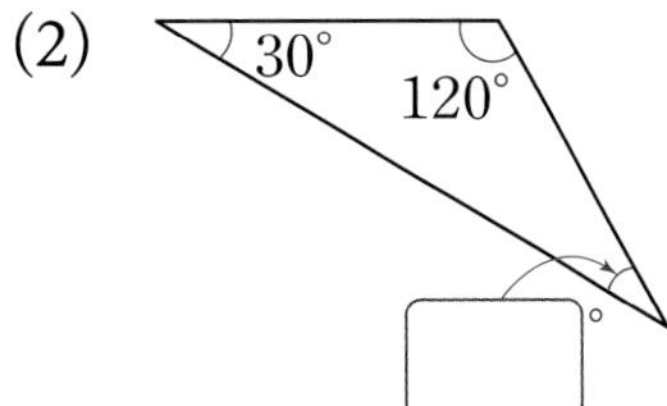

2 선분 ㄱㄴ을 이용하여 보기 와 같은 이등변삼각형을 그려 보세요.

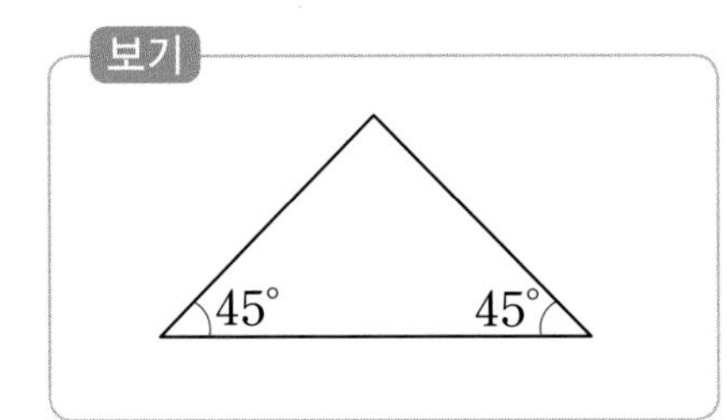

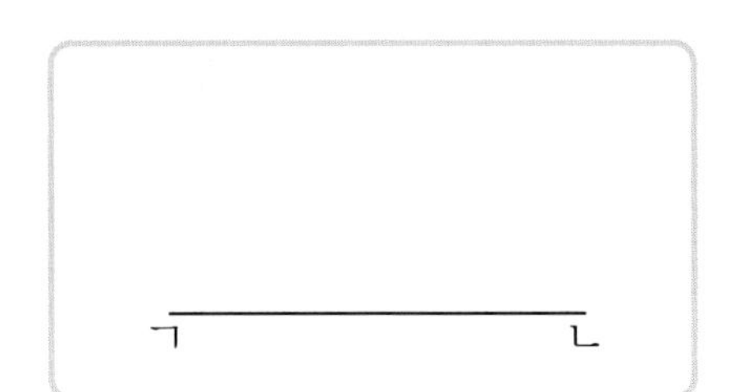

3 □ 안에 알맞은 수를 써넣으세요.

정삼각형은 세 각의 크기가 □°로 모두 같습니다.

4 주어진 선분을 한 변으로 하는 정삼각형을 각각 그려 보세요.

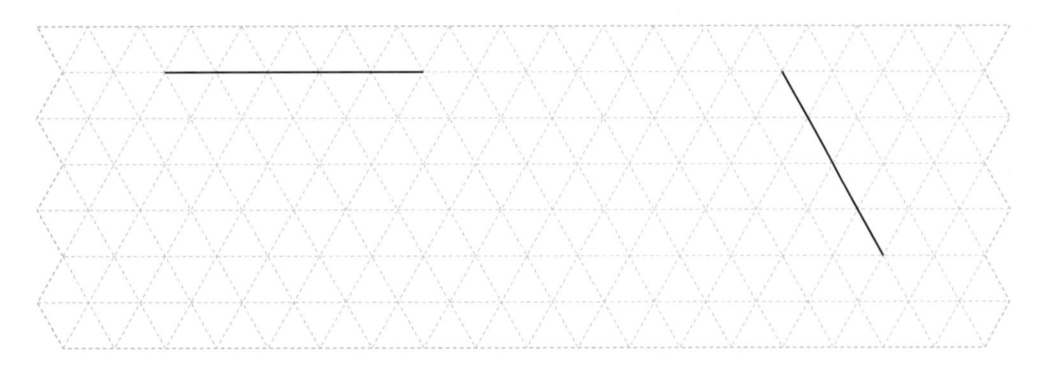

교과서 개념  대머리 도사 갓 씌우기

준비물 붙임딱지

까칠한 대머리 도사들에게 원하는 모양의 삼각형 갓을 씌우려고 합니다.
알맞은 붙임딱지를 찾아 갓을 씌워 보세요.

세 각의 크기가 모두 같고 한 변의 길이가 5 cm인 갓
두 변의 길이가 각각 10 cm인 이등변삼각형 갓
양 끝 각의 크기가 각각 35°인 이등변삼각형 갓
세 변의 길이의 합이 39 cm인 정삼각형 갓
세 변의 길이의 합이 37 cm인 이등변삼각형 갓
두 각의 크기가 각각 60°이고 한 변의 길이가 8 cm인 갓
2
단원

집중! 드릴 문제

[1~5] 이등변삼각형입니다. □ 안에 알맞은 수를 써넣으세요.

1

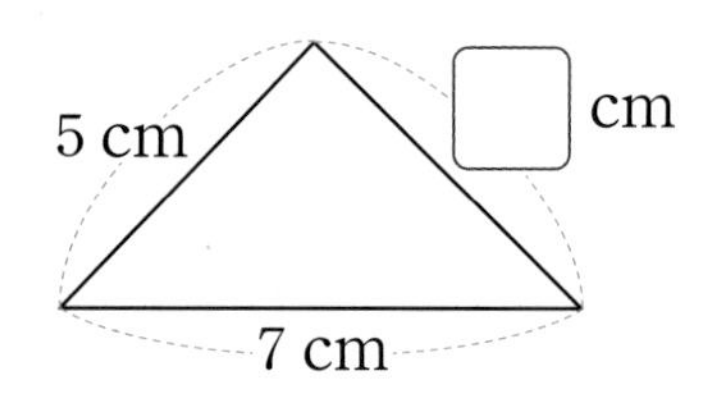

2

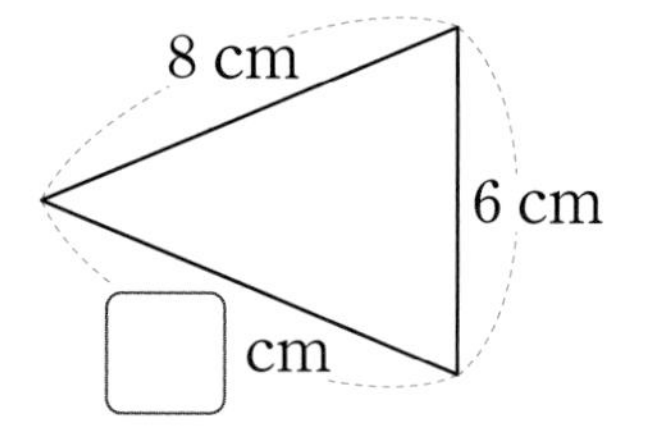

3

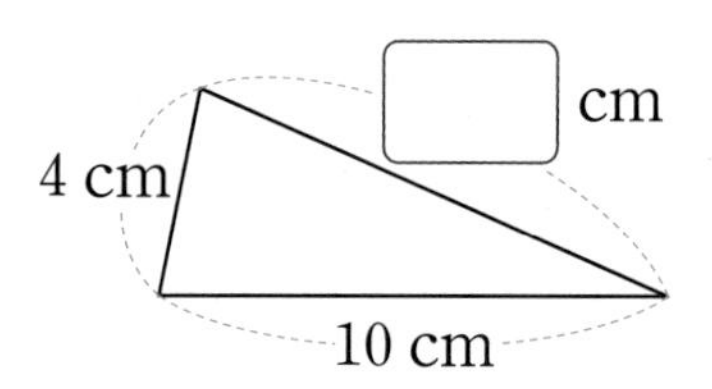

4

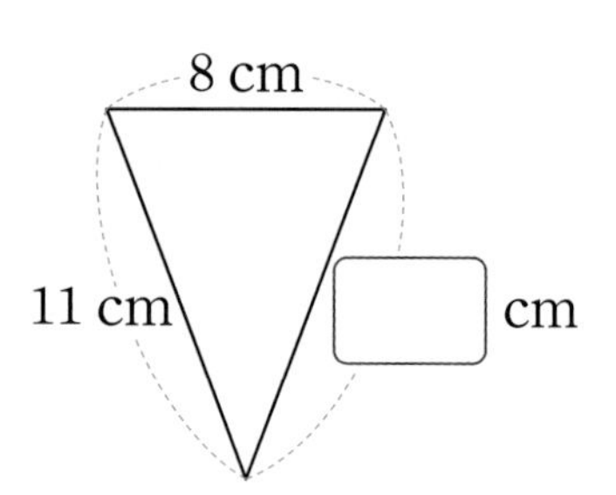

5

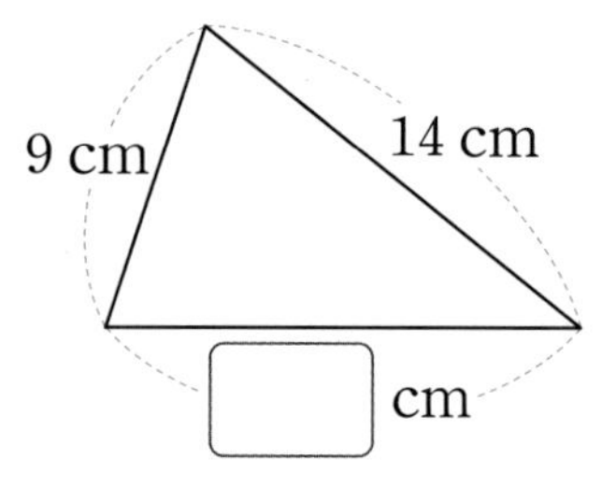

[6~10] 정삼각형입니다. □ 안에 알맞은 수를 써넣으세요.

6

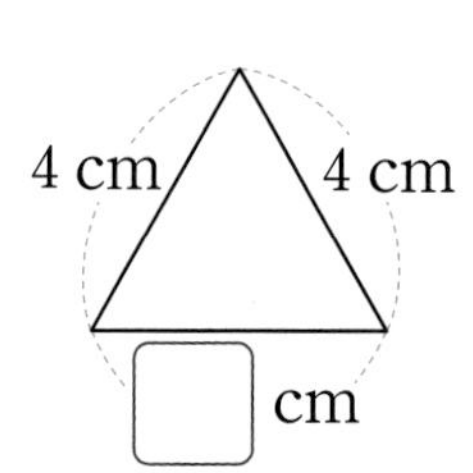

7

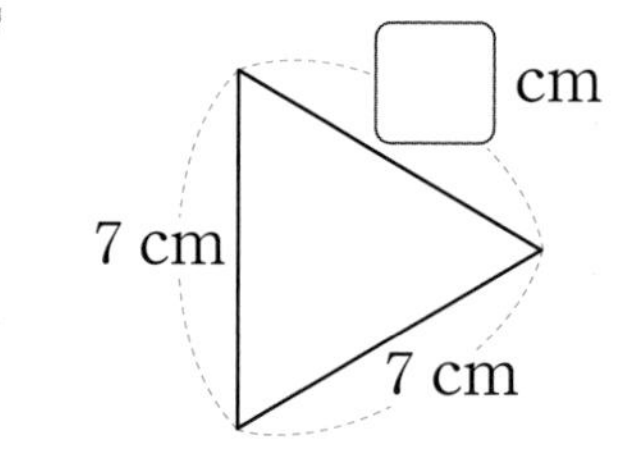

8

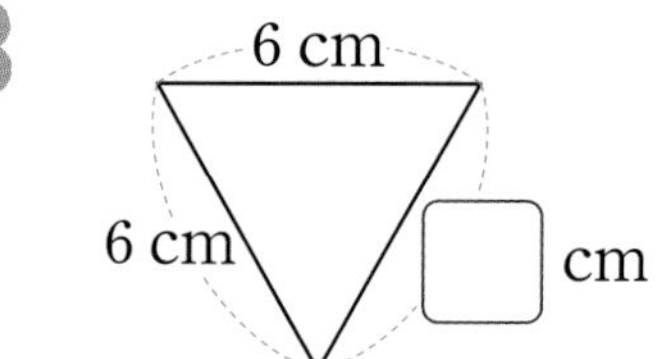

9

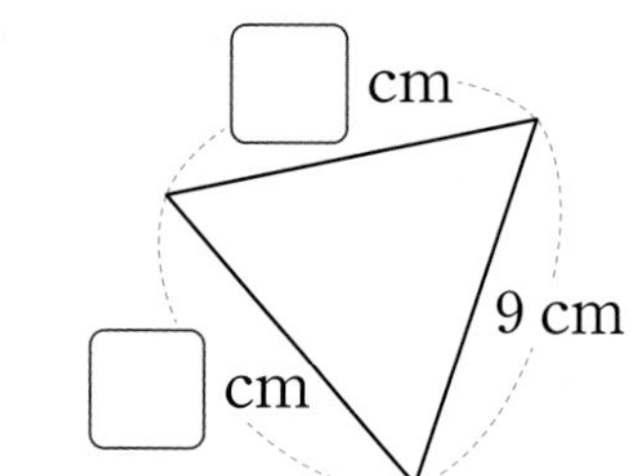

10

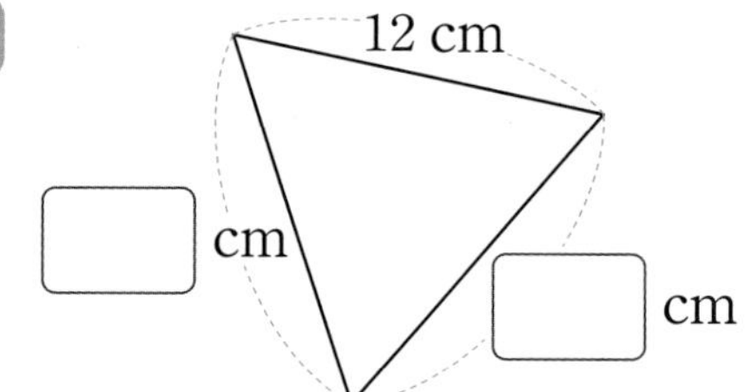

[11~15] 이등변삼각형입니다. □ 안에 알맞은 수를 써넣으세요.

11

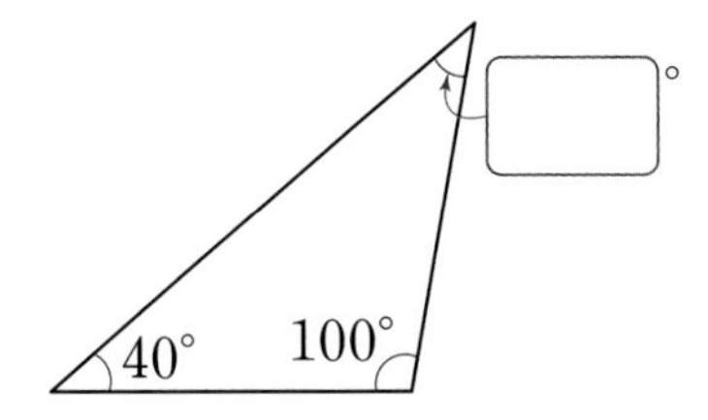

12

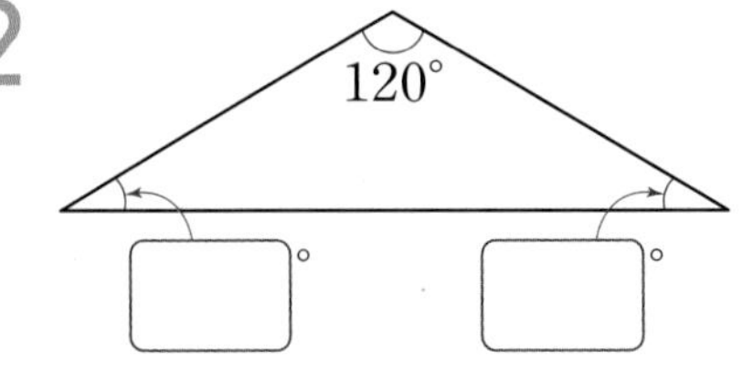

13

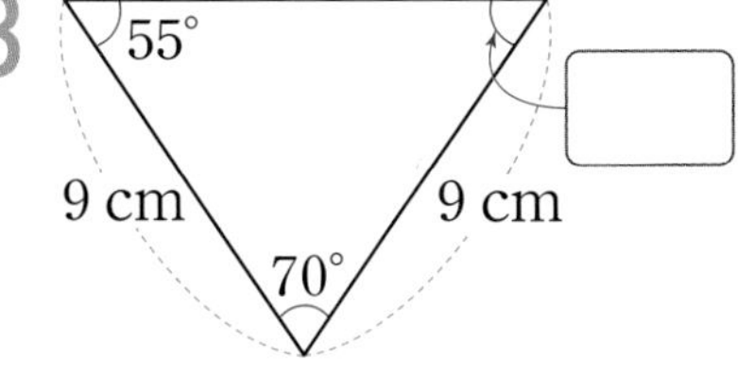

14

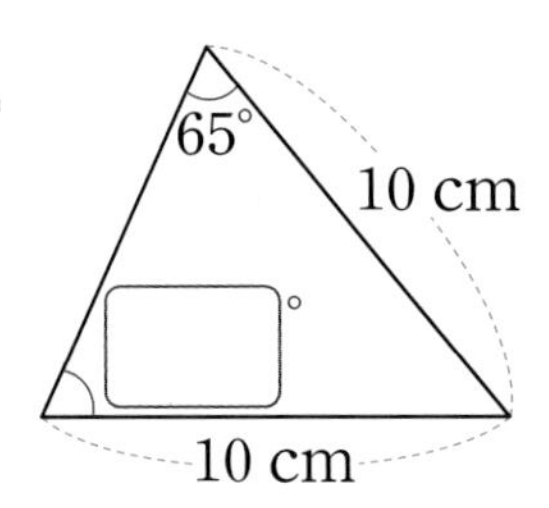

15

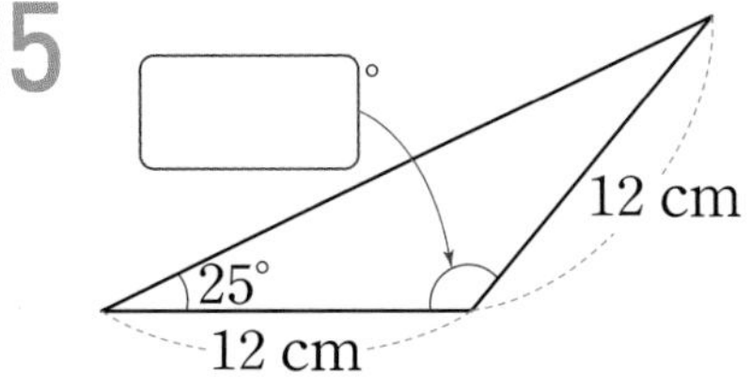

[16~17] 정삼각형입니다. □ 안에 알맞은 수를 써넣으세요.

16

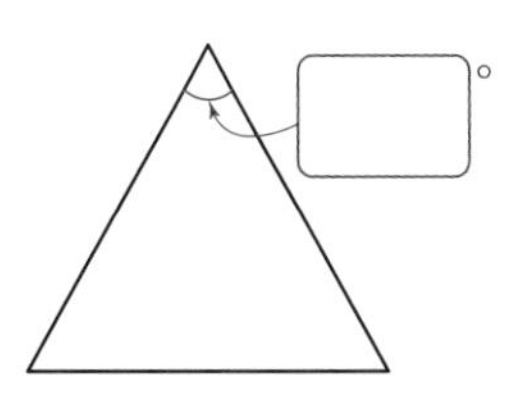

17

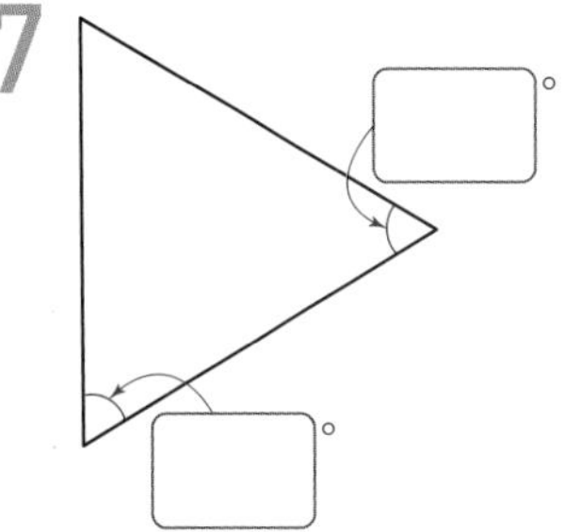

[18~19] 주어진 선분을 한 변으로 하는 삼각형을 그려 보세요.

18

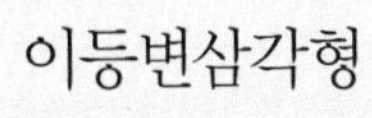

19

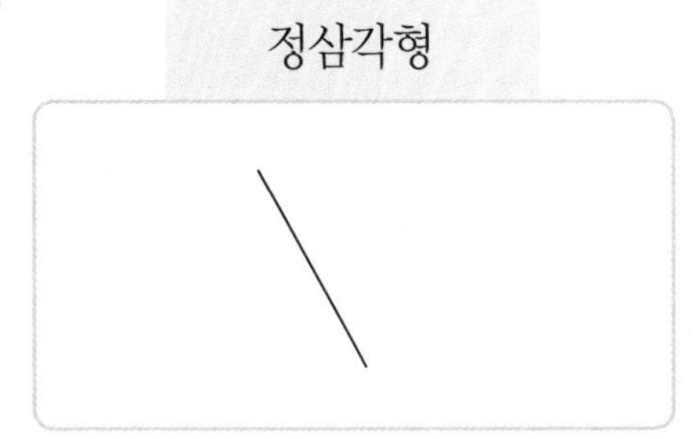

2 단원

교과서 개념 확인 문제

1 이등변삼각형입니다. □ 안에 알맞은 수를 써넣으세요.

(1)

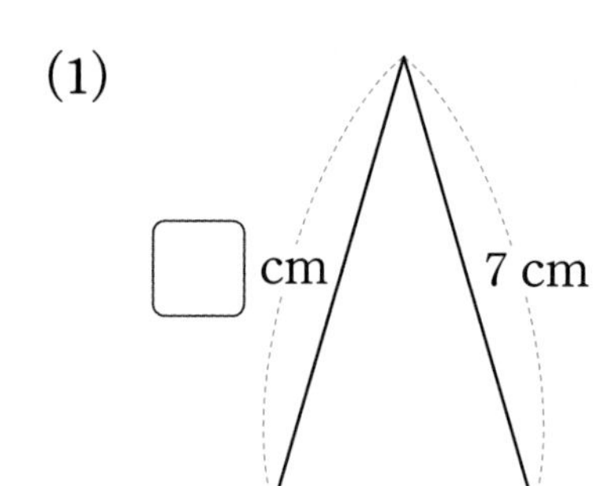

(2)

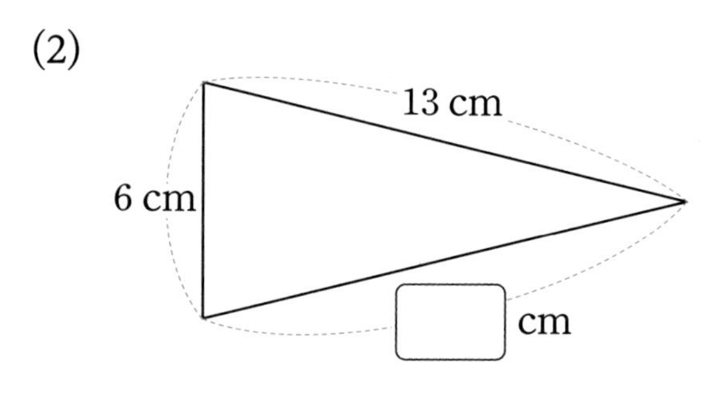

2 정삼각형을 찾아 ○표 하세요.

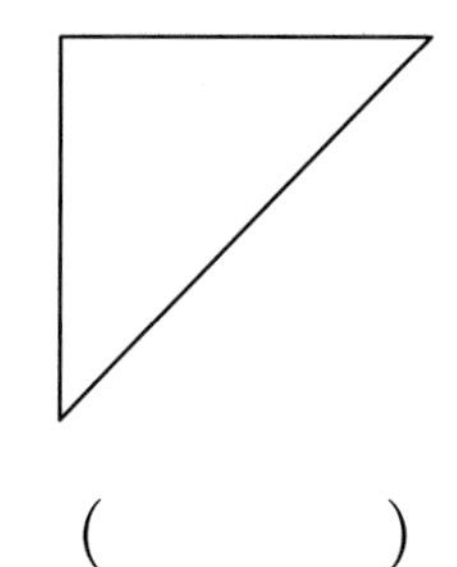

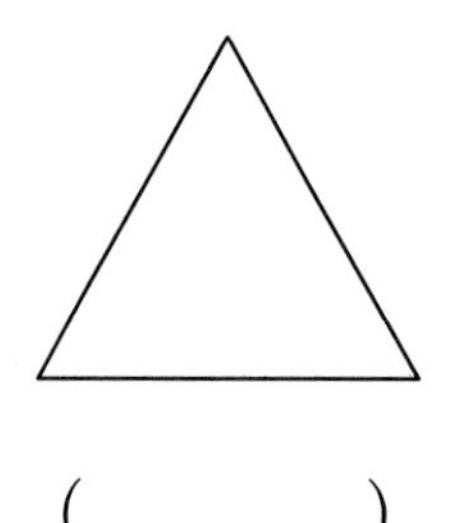

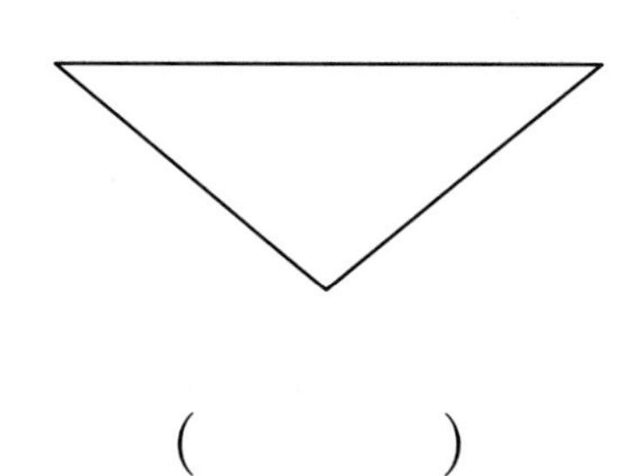

(　　) (　　) (　　)

3 길이가 다음과 같은 수수깡 3개를 변으로 하여 만들 수 있는 삼각형의 이름을 써 보세요.

11 cm
11 cm
5 cm

(　　　　　)

2 단원

4 주어진 선분을 한 변으로 하는 이등변삼각형을 그려 보세요.

(1)

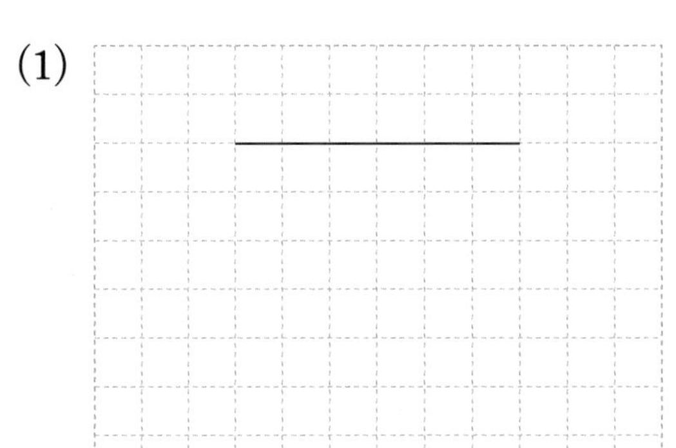

(2)

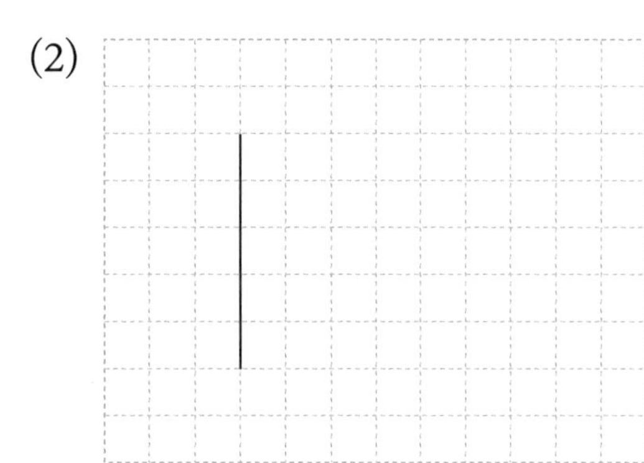

[5~6] 삼각형을 보고 물음에 답하세요.

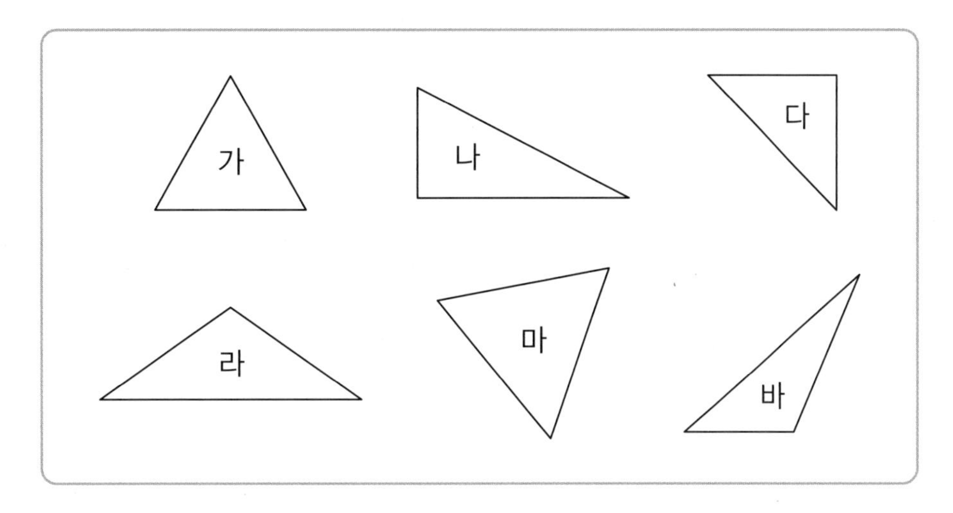

5 이등변삼각형을 모두 찾아 기호를 써 보세요.

(　　　　　　　　　　)

6 정삼각형을 모두 찾아 기호를 써 보세요.

(　　　　　　　　　　)

7 정삼각형입니다. □ 안에 알맞은 수를 써넣으세요.

(1)

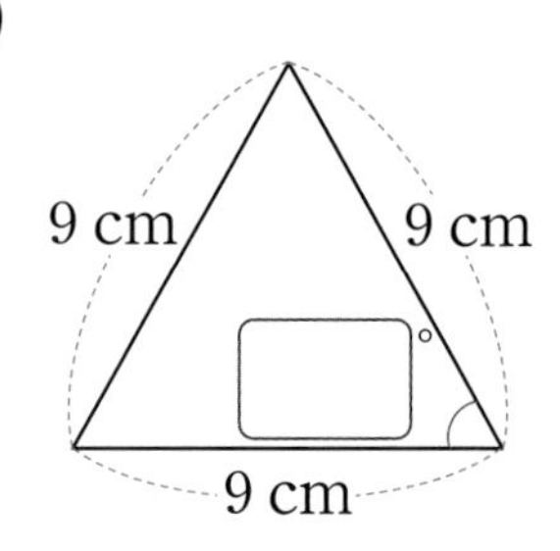

(2)

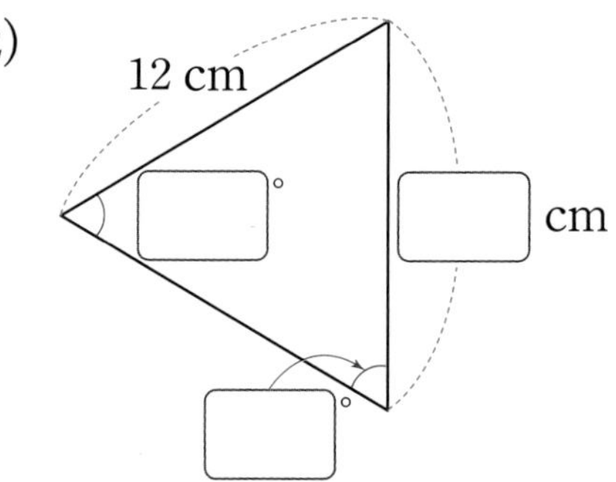

8 다음 설명 중 옳은 것에 ○표, 옳지 않은 것에 ×표 하세요.

(1) 정삼각형은 세 각의 크기가 같습니다. ( )

(2) 이등변삼각형은 정삼각형이라고 할 수 있습니다. ( )

(3) 정삼각형은 이등변삼각형이라고 할 수 있습니다. ( )

9 이등변삼각형의 세 변의 길이의 합은 몇 cm일까요?

(1)

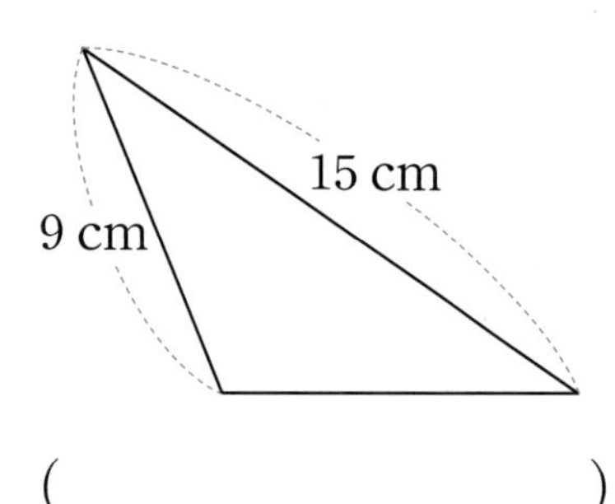

( )

(2)

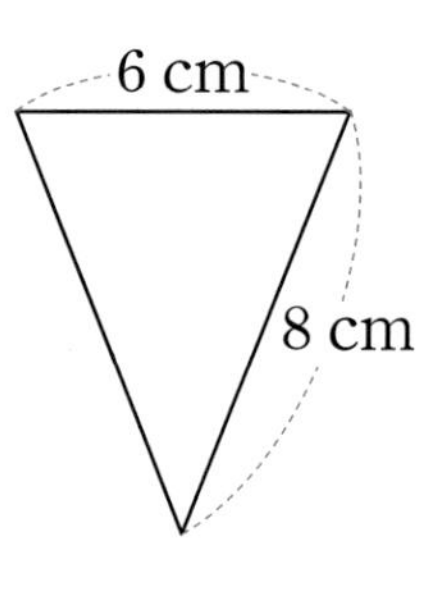

( )

10 오른쪽은 정삼각형입니다. 세 변의 길이의 합은 몇 cm일까요?

8 cm

( )

11 □ 안에 알맞은 수를 써넣으세요.

(1)

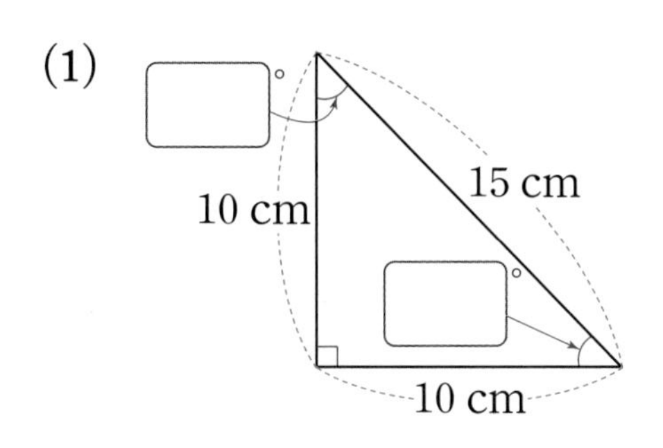

(2)

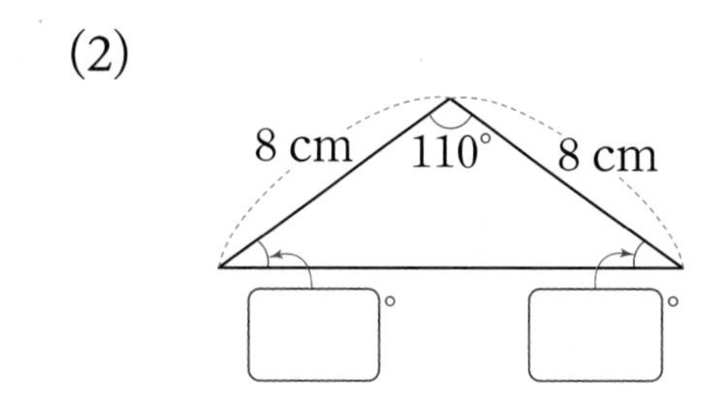

12 세 변의 길이의 합이 30 cm인 정삼각형이 있습니다. 이 정삼각형의 한 변의 길이는 몇 cm일까요?

( )

13 삼각형의 세 각 중 두 각의 크기입니다. 이등변삼각형이 될 수 있는 것을 모두 찾아 기호를 써 보세요.

㉠ 80°, 50° ㉡ 60°, 70° ㉢ 20°, 80°

( )

2 단원

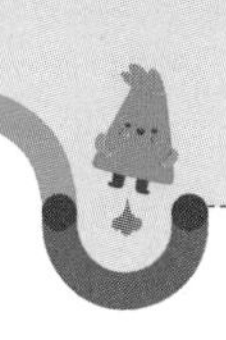

교과서 개념 잡기

개념 4 예각삼각형, 둔각삼각형 알아보기

• 삼각형을 각의 크기에 따라 분류하기

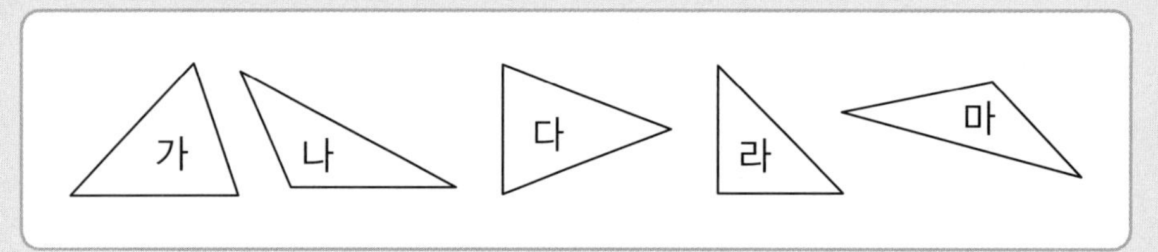

세 각이 모두 예각인 삼각형	가, 다
직각삼각형	라
둔각이 있는 삼각형	나, 마

세 각이 모두 예각인 삼각형을 예각삼각형이라고 합니다.

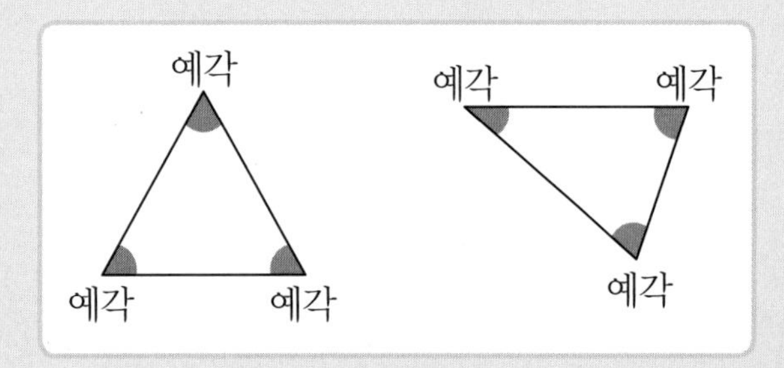

주의 한 각이 예각인 삼각형은 예각삼각형, 직각삼각형, 둔각삼각형이 모두 될 수 있습니다. 세 각이 모두 예각이어야만 예각삼각형입니다.

한 각이 둔각인 삼각형을 둔각삼각형이라고 합니다.

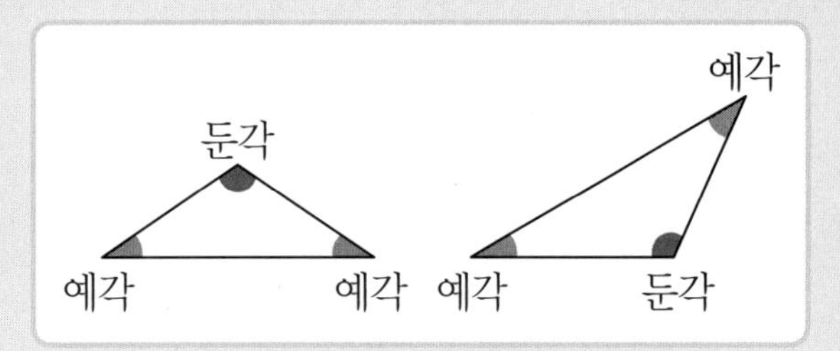

주의 직각삼각형과 둔각삼각형에도 예각이 있으므로 예각이 있다고 하여 무조건 예각삼각형이라고 하면 안 됩니다.

개념 Check

삼각형을 보고 바르게 설명한 것에 ○표, 잘못 설명한 것에 ×표 하세요.

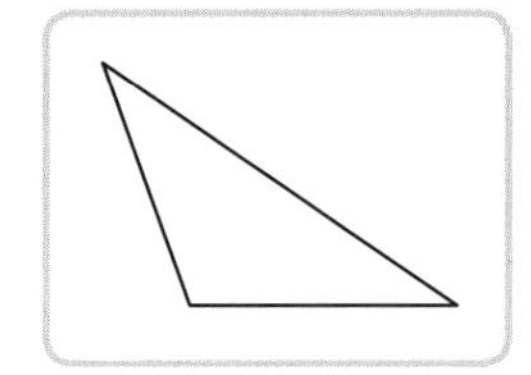

(1) 예각이 있으므로 예각삼각형입니다. (　　　)

(2) 한 각이 둔각이므로 둔각삼각형입니다. (　　　)

1 왼쪽 삼각형을 보고 알맞은 말에 ○표 하고 □ 안에 알맞은 말을 써넣으세요.

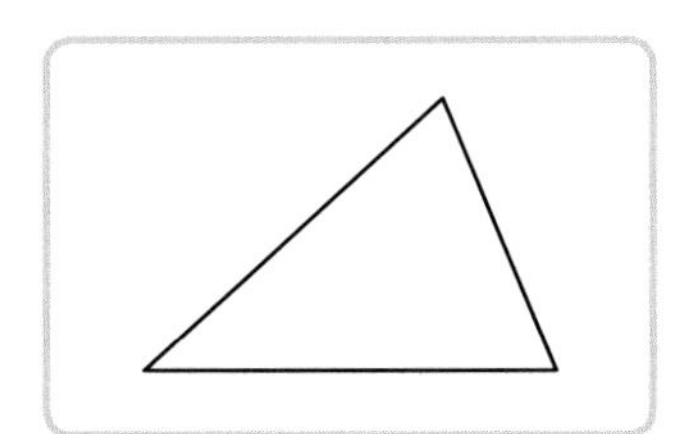

(한 , 두 , 세) 각이 모두 예각인 삼각형이므로

[　　　　] 삼각형입니다.

2 둔각삼각형을 찾아 기호를 써 보세요.

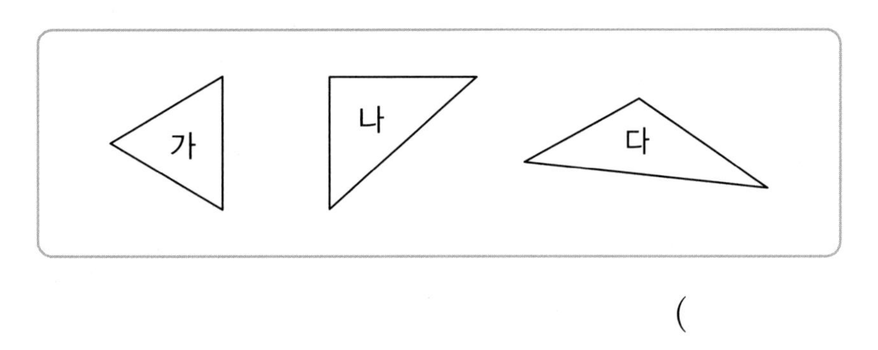

(　　　　　　　)

3 예각삼각형은 '예', 직각삼각형은 '직', 둔각삼각형은 '둔'이라고 써 보세요.

(1)

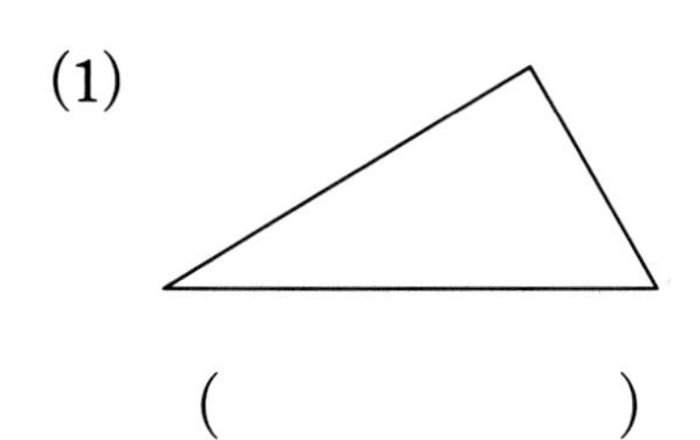

(　　　　)

(2)

(　　　　)

(3)

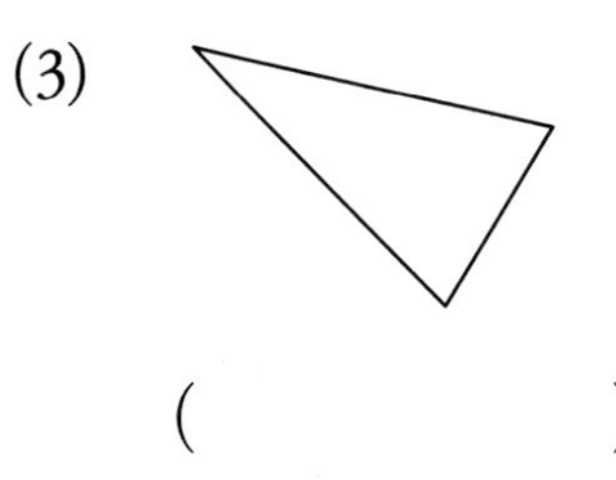

(　　　　)

4 주어진 선분을 한 변으로 하는 삼각형을 그려 보세요.

(1) 예각삼각형

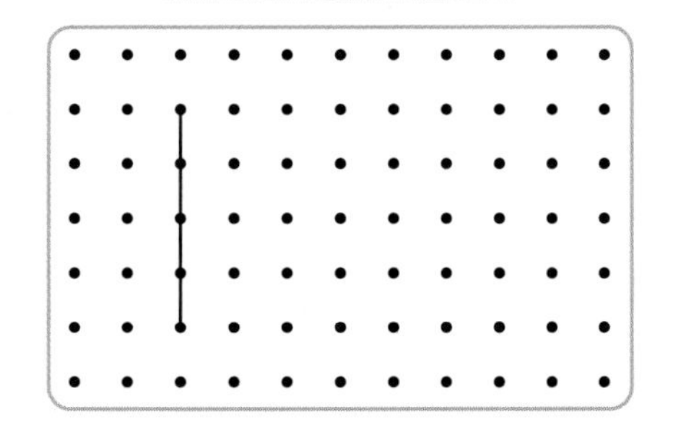

(2) 둔각삼각형

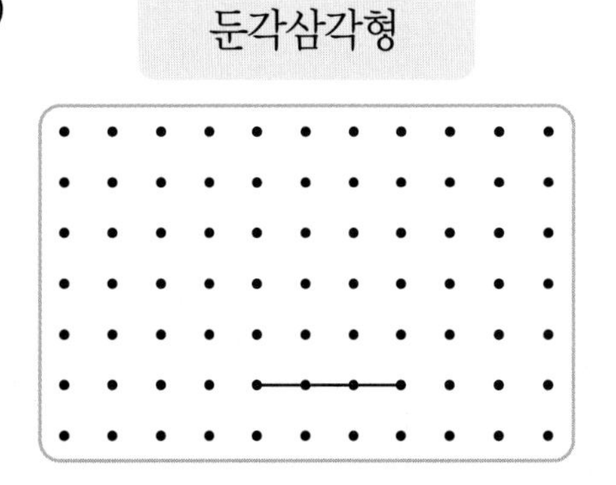

개념 5 삼각형을 두 가지 기준으로 분류하기

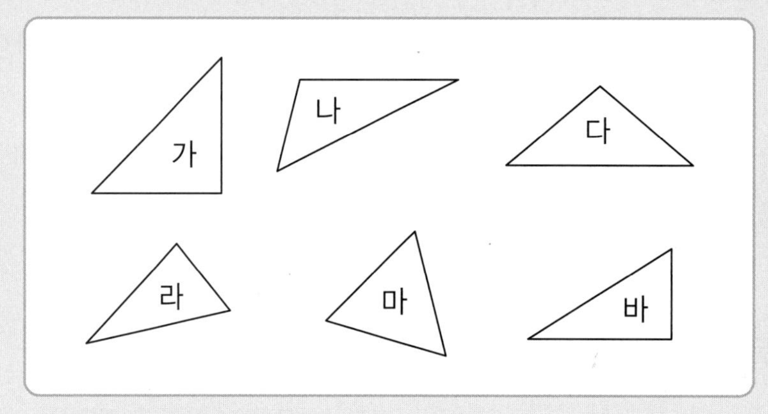

• 변의 길이에 따라 삼각형 분류하기

이등변삼각형	가, 다, 마
세 변의 길이가 모두 다른 삼각형	나, 라, 바

• 각의 크기에 따라 삼각형 분류하기

예각삼각형	직각삼각형	둔각삼각형
라, 마	가, 바	나, 다

변의 길이와 각의 크기에 따라 삼각형 분류하기

	예각삼각형	직각삼각형	둔각삼각형
이등변삼각형	마	가	다
세 변의 길이가 모두 다른 삼각형	라	바	나

정삼각형은 이등변삼각형이면서 예각삼각형입니다.

직각삼각형인 정삼각형과 둔각삼각형인 정삼각형은 없어요.

참고
• 이등변삼각형에는 예각삼각형, 직각삼각형, 둔각삼각형이 있습니다.
• 세 변의 길이가 모두 다른 삼각형에는 예각삼각형, 직각삼각형, 둔각삼각형이 있습니다.
• 정삼각형은 세 각의 크기가 모두 60°이므로 예각삼각형이고, 이등변삼각형이라 할 수 있습니다.

1

오른쪽 삼각형을 두 가지 기준으로 분류하려고 합니다. 물음에 답하세요.

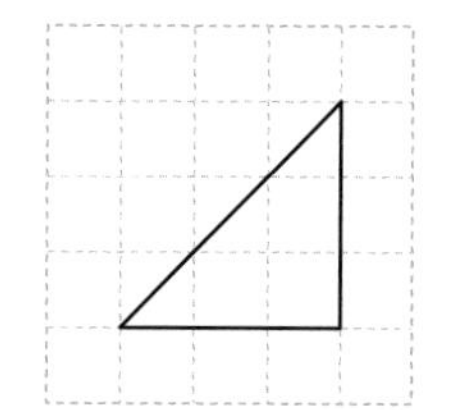

(1) 삼각형을 변의 길이에 따라 분류했을 때 알맞은 것에 ○표 하세요.

이등변삼각형 (　　　) 정삼각형 (　　　)

(2) 삼각형을 각의 크기에 따라 분류했을 때 알맞은 것에 ○표 하세요.

예각삼각형	직각삼각형	둔각삼각형
(　　　)	(　　　)	(　　　)

2

삼각형을 보고 □ 안에 알맞은 말을 보기 에서 찾아 써넣으세요.

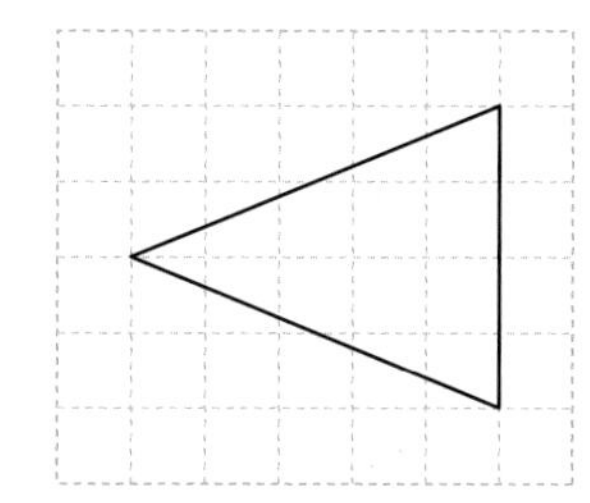

보기
이등변삼각형　정삼각형
예각삼각형　둔각삼각형

(1) 두 변의 길이가 같기 때문에 [　　　　　]입니다.

(2) 두 각의 크기가 같기 때문에 [　　　　　]입니다.

(3) 세 각이 모두 예각이기 때문에 [　　　　　]입니다.

3

둔각삼각형이면서 이등변삼각형인 것을 찾아 기호를 써 보세요.

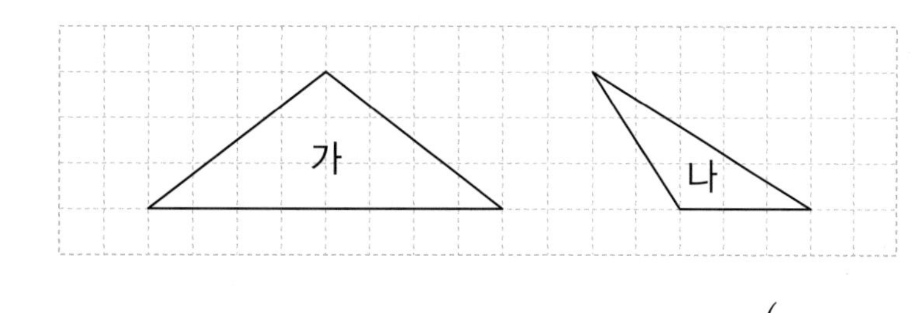

(　　　　　　)

교과서 개념 play 구덩이 덮기

준비물 붙임딱지

사냥꾼이 동물들을 사냥하기 위해 구덩이를 파 놓았습니다. 숲 속 동물들이 구덩이에 빠지지 않도록 구덩이 속 삼각형의 이름이 적힌 흙 붙임딱지를 붙여 구덩이를 덮어 주세요.

집중! 드릴 문제

[1~5] 예각삼각형은 '예', 직각삼각형은 '직', 둔각삼각형은 '둔'이라고 써 보세요.

1

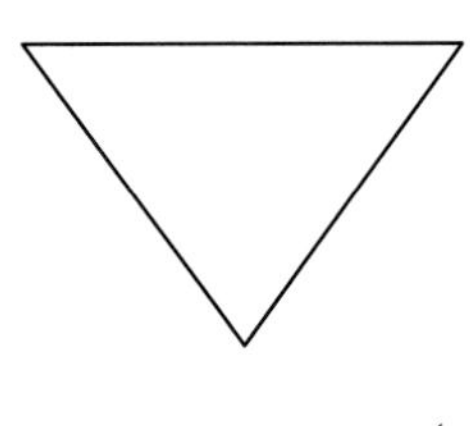

(　　　　　　　　)

2

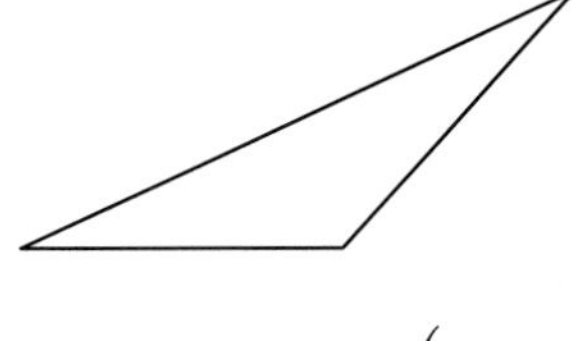

(　　　　　　　　)

3

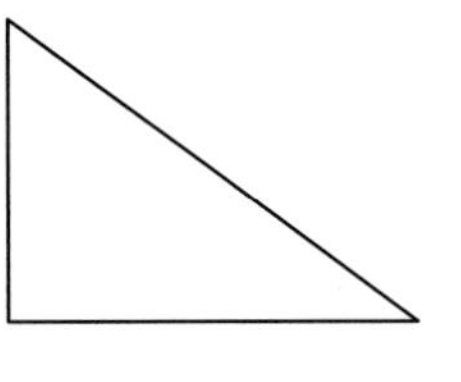

(　　　　　　　　)

4

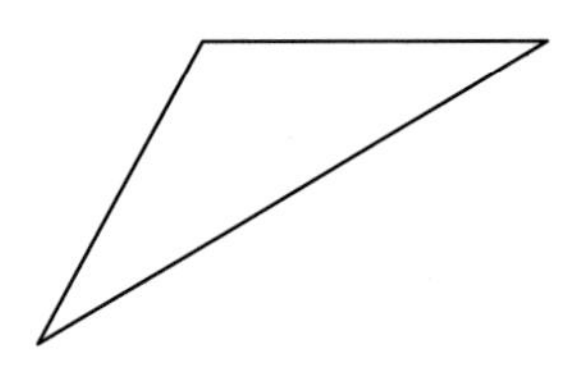

(　　　　　　　　)

5

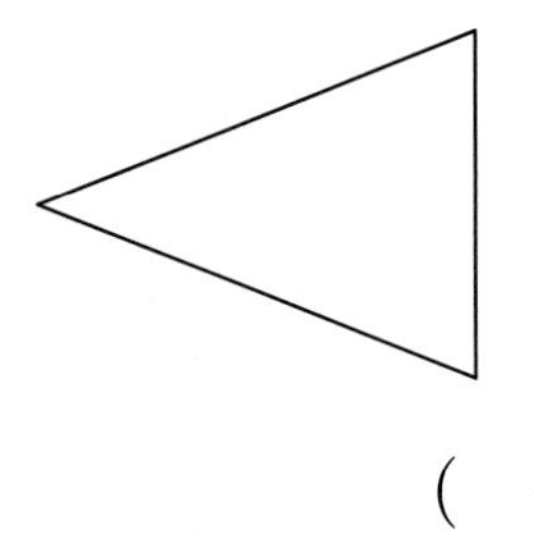

(　　　　　　　　)

[6~7] 삼각형의 세 각이 다음과 같습니다. 예각삼각형 또는 둔각삼각형으로 분류해 보세요.

6

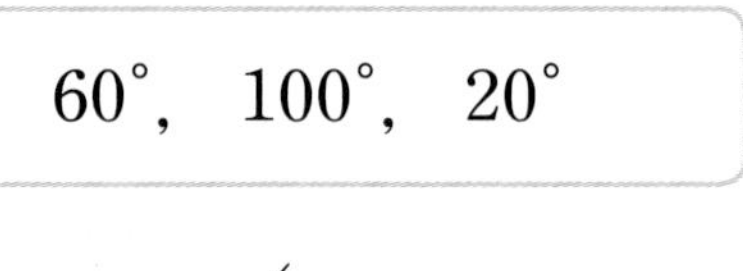

60°, 100°, 20°

(　　　　　　　　)

7

35°, 65°, 80°

(　　　　　　　　)

[8~9] 주어진 선분을 한 변으로 하는 삼각형을 그려 보세요.

8

예각삼각형

9

둔각삼각형

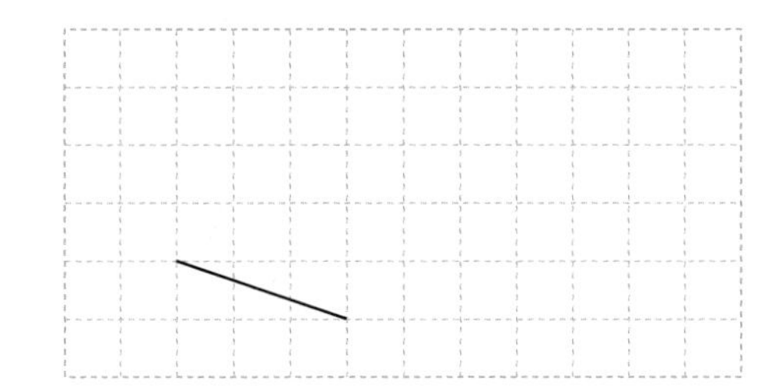

[10~12] 삼각형의 이름이 될 수 있는 것을 모두 찾아 ○표 하세요.

10

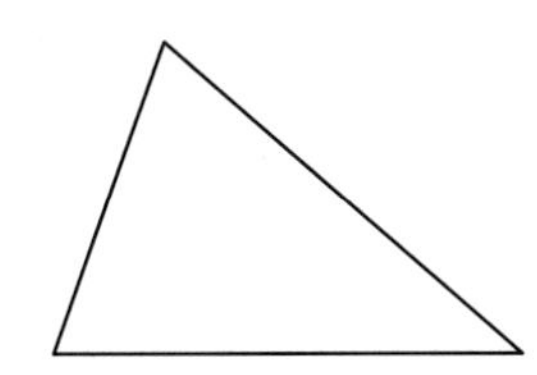

이등변삼각형 정삼각형
예각삼각형 직각삼각형
둔각삼각형

11

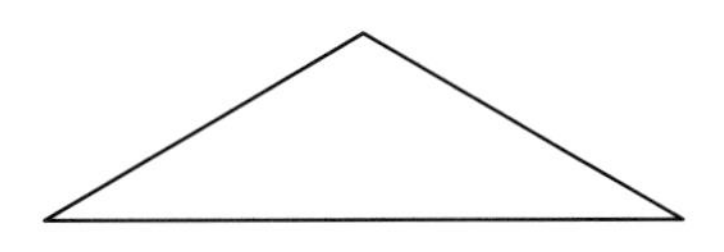

이등변삼각형 정삼각형
예각삼각형 직각삼각형
둔각삼각형

12

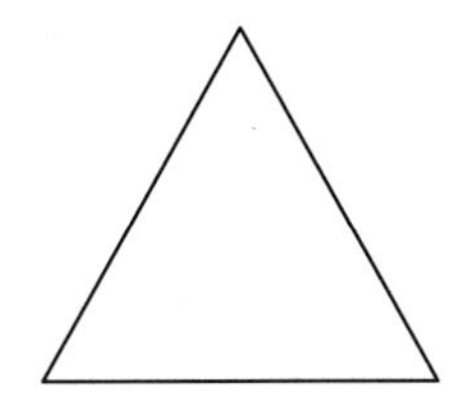

이등변삼각형 정삼각형
예각삼각형 직각삼각형
둔각삼각형

[13~17] 삼각형을 보고 □ 안에 알맞은 기호를 써넣으세요.

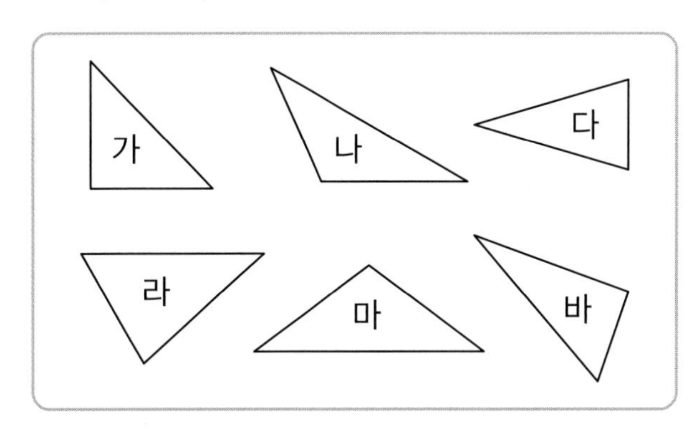

13 이등변삼각형은 □, □, □입니다.

14 예각삼각형은 □, □입니다.

15 둔각삼각형은 □, □입니다.

16 이등변삼각형이면서 예각삼각형인 것은 □입니다.

17 이등변삼각형이면서 둔각삼각형인 것은 □입니다.

교과서 개념 확인 문제

1 삼각형을 보고 알맞은 말에 ○표 하고 □ 안에 알맞은 말을 써넣으세요.

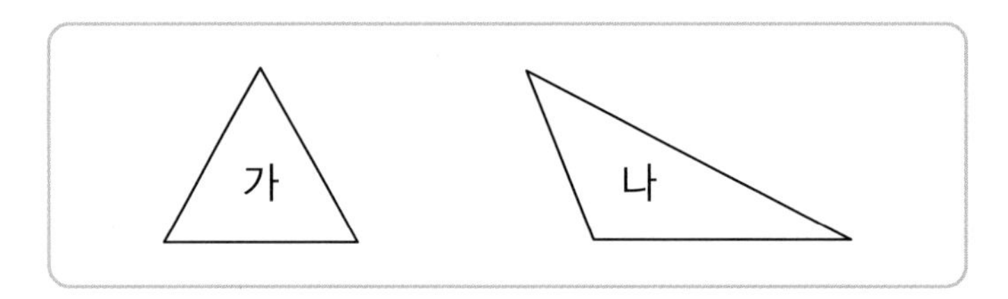

(1) 가는 (두 , 세) 각이 모두 예각인 삼각형이므로 □ 입니다.

(2) 나는 (한 , 두) 각이 둔각이므로 □ 입니다.

2 알맞은 것끼리 이어 보세요.

이등변삼각형　　정삼각형

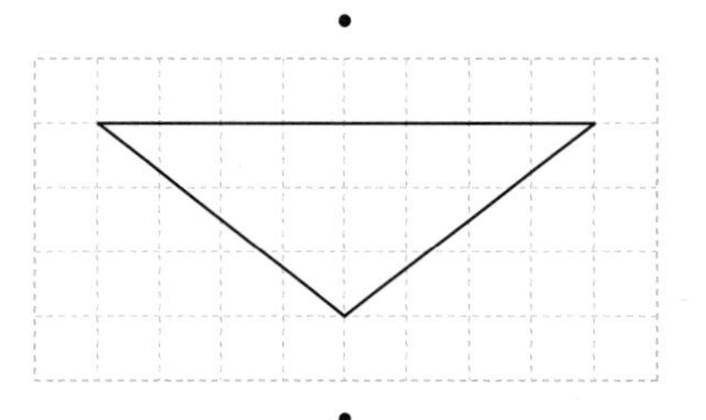

예각삼각형　　둔각삼각형　　직각삼각형

3 □ 안에 알맞은 수나 말을 써넣으세요.

정삼각형은 세 각의 크기가 모두 □°로 같고 이것은 □이므로 예각삼각형입니다.

4 주어진 선분을 한 변으로 하는 삼각형을 그려 보세요.

(1) 예각삼각형

(2) 둔각삼각형

5 예각삼각형은 '예', 직각삼각형은 '직', 둔각삼각형은 '둔'이라고 써 보세요.

(1)

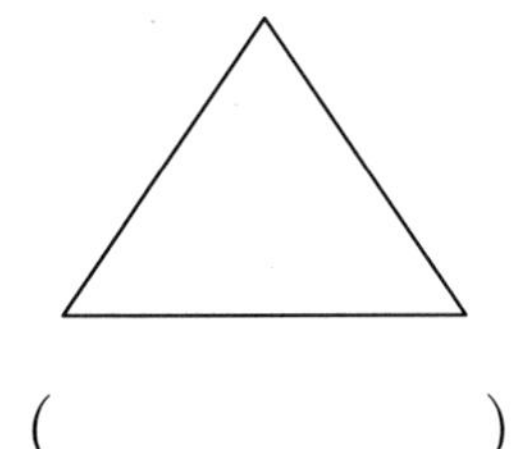

(   )

(2)

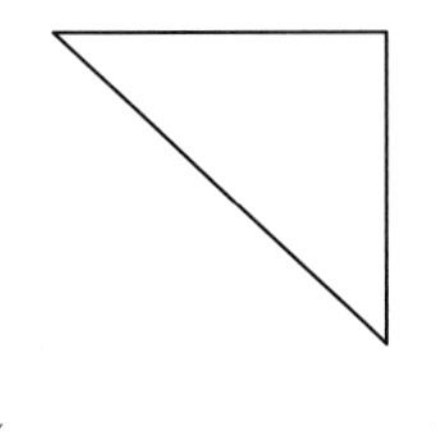

(   )

(3)

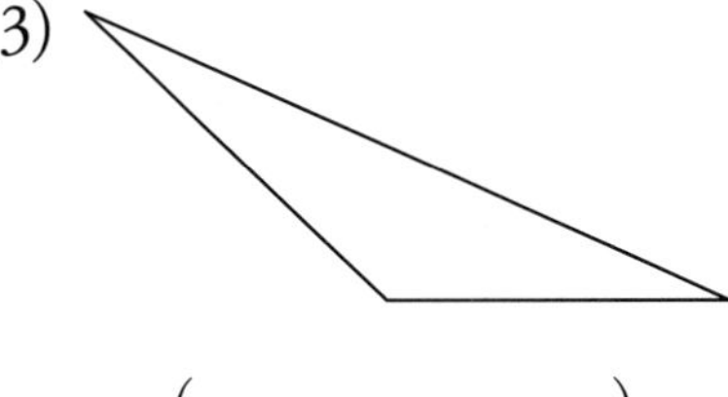

(   )

6 주어진 선분을 한 변으로 하는 둔각삼각형을 그리려고 합니다. 선분의 양 끝 점을 어느 점과 이어야 할까요? ······························ (   )

① ② ③ ④

7 분류 기준에 알맞은 삼각형의 이름을 보기 에서 찾아 빈칸에 써넣으세요.

보기
예각삼각형　이등변삼각형　직각삼각형　정삼각형　둔각삼각형

(1)

삼각형	변의 길이	각의 크기

(2)

삼각형	변의 길이	각의 크기

8 둔각삼각형은 모두 몇 개일까요?

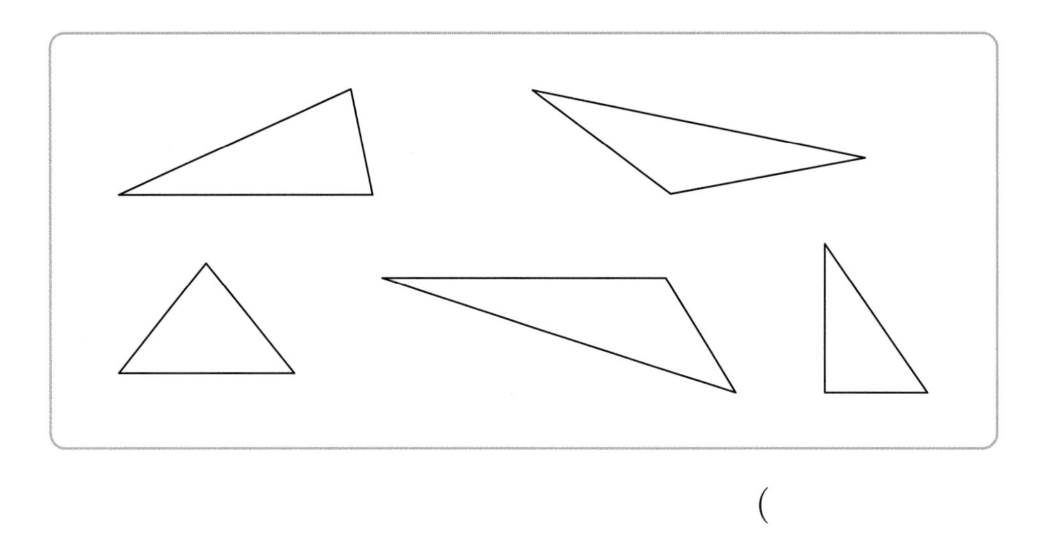

(　　　　　　　　)

9

□ 안에 알맞은 수를 써넣으세요.

(1) 예각삼각형은 예각이 □개 있습니다.

(2) 둔각삼각형은 둔각이 □개 있습니다.

10

설명하는 도형을 그려 보세요.

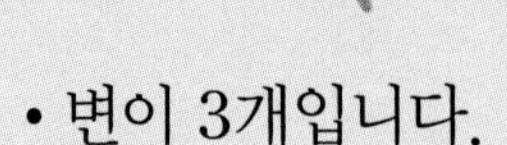

- 변이 3개입니다.
- 두 변의 길이가 같습니다.
- 세 각이 모두 예각입니다.

➜

11

삼각형의 세 각 중에서 두 각의 크기입니다. 예각삼각형을 찾아 ○표 하세요.

60°, 60°	90°, 30°	20°, 50°
(　　　)	(　　　)	(　　　)

12

삼각형의 일부가 지워졌습니다. 이 삼각형의 이름이 될 수 있는 것을 모두 써 보세요.

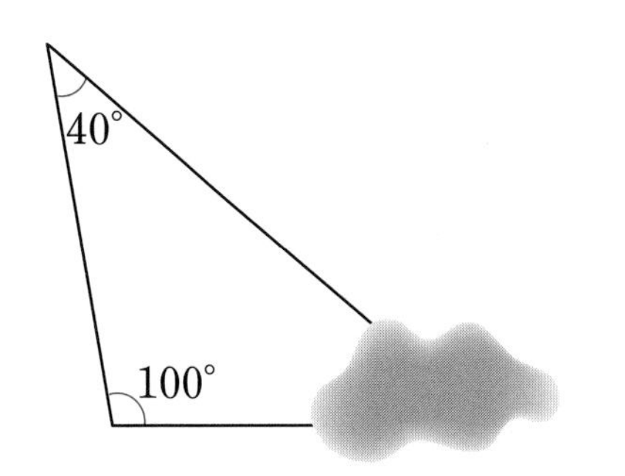

(　　　　　　　　　　　　　　　　)

맞은 개수

1 삼각형을 보고 물음에 답하세요.

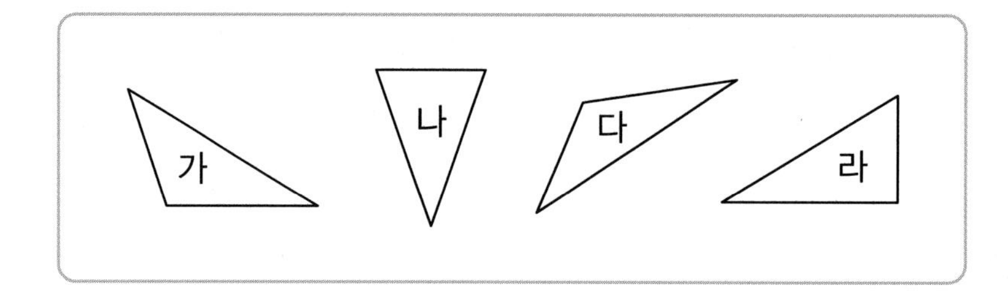

(1) 예각삼각형을 찾아 기호를 써 보세요.

( )

(2) 둔각삼각형을 모두 찾아 기호를 써 보세요.

( )

2 삼각형을 보고 □ 안에 알맞은 수를 써넣으세요.

(1) 이등변삼각형

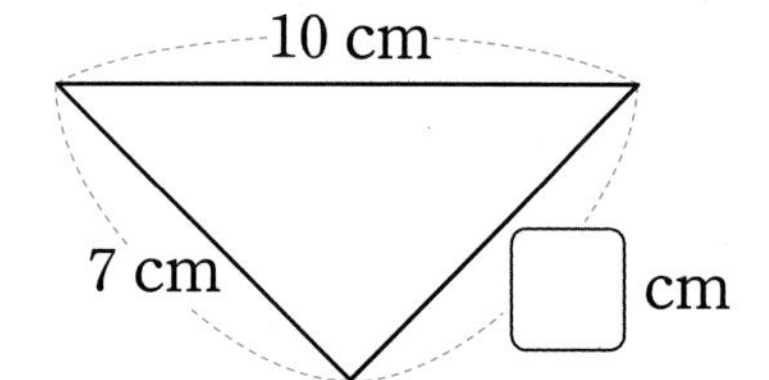

(2) 정삼각형

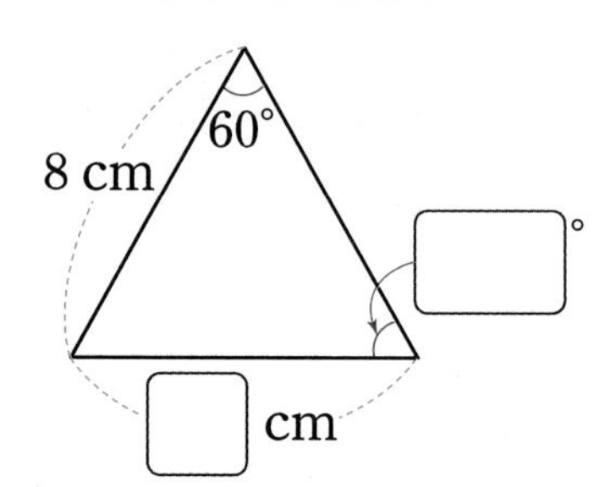

3 도형에서 선분 ㄱㄴ과 한 점을 이어 예각삼각형을 그리려고 합니다. 어느 점을 이어야 하는지 기호를 써 보세요.

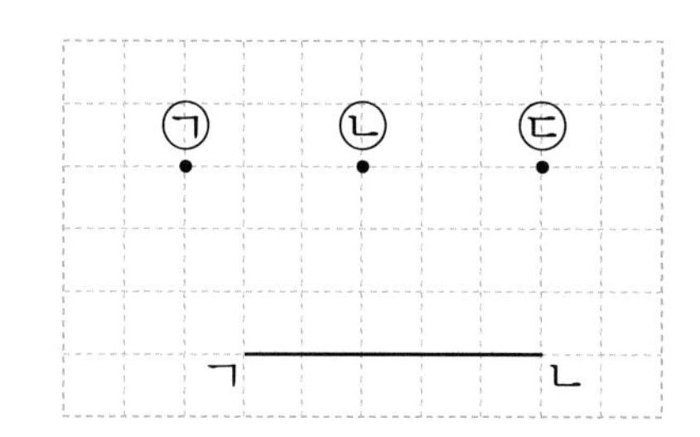

( )

4 삼각형의 이름이 될 수 있는 것을 모두 찾아 ○표 하세요.

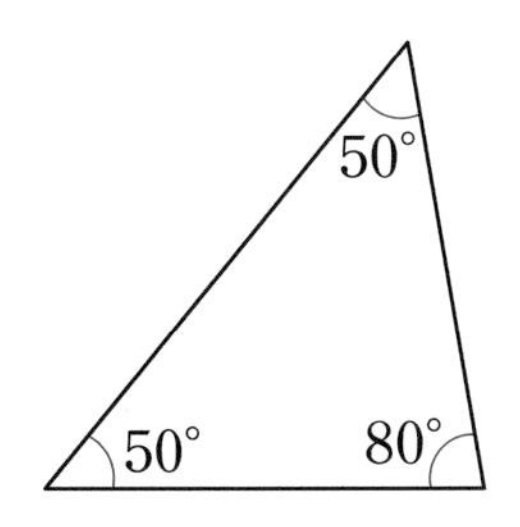

이등변삼각형　　정삼각형

예각삼각형　　직각삼각형　　둔각삼각형

5 보기 에서 설명하는 삼각형을 그려 보세요.

- 두 변의 길이가 같습니다.
- 한 각이 둔각입니다.

6 직사각형 모양의 종이를 점선을 따라 자르려고 합니다. 예각삼각형과 둔각삼각형을 모두 찾아 기호를 써 보세요.

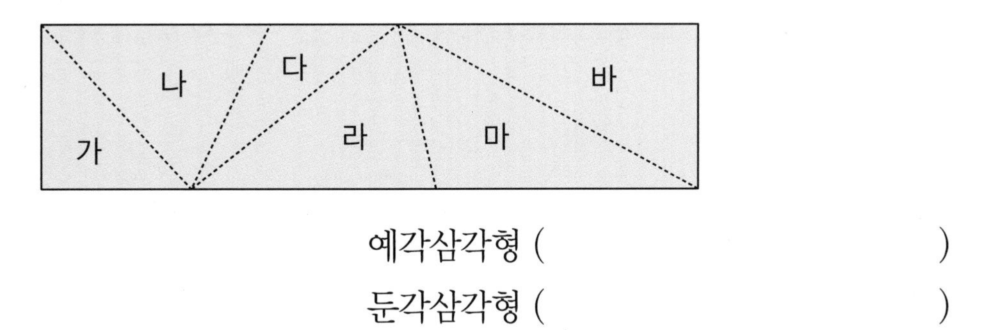

예각삼각형 (　　　　　　　　　　)

둔각삼각형 (　　　　　　　　　　)

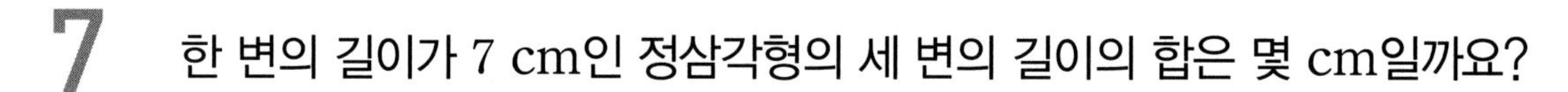

7 한 변의 길이가 7 cm인 정삼각형의 세 변의 길이의 합은 몇 cm일까요?

( )

8 삼각형의 세 각 중에서 두 각의 크기입니다. 둔각삼각형을 찾아 기호를 써 보세요.

㉠ 20°, 70°　　㉡ 40°, 55°　　㉢ 35°, 50°

( )

9 삼각형 ㄱㄴㄷ은 이등변삼각형입니다. 세 변의 길이의 합이 41 cm일 때 변 ㄱㄴ의 길이는 몇 cm인지 구해 보세요.

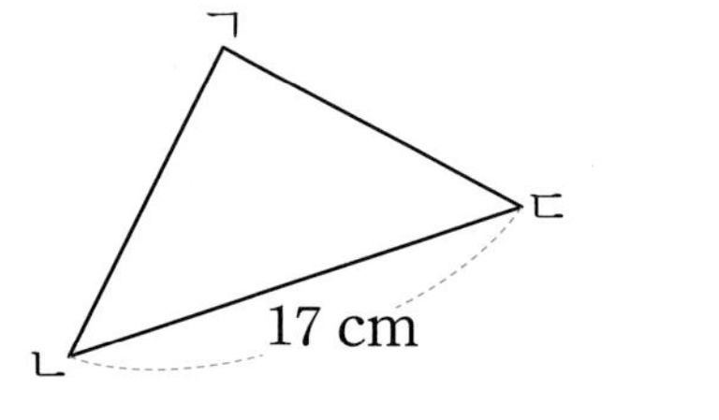

( )

10 삼각형 ㄱㄴㄷ은 정삼각형입니다. 각 ㄱㄷㄹ의 크기를 구해 보세요.

( )

3 소수의 덧셈과 뺄셈

학습 계획표

내용	쪽수	날짜	확인
교과서 개념 잡기	62~65쪽	월 일	
교과서 개념 play / 집중! 드릴 문제	66~69쪽	월 일	
교과서 개념 확인 문제	70~73쪽	월 일	
교과서 개념 잡기	74~77쪽	월 일	
교과서 개념 play / 집중! 드릴 문제	78~81쪽	월 일	
교과서 개념 확인 문제	82~85쪽	월 일	
개념 확인평가	86~88쪽	월 일	

교과서 개념 잡기

개념 1 소수 두 자리 수 알아보기

• 분수 $\frac{1}{100}$은 소수로 0.01이라 쓰고, 영 점 영일이라고 읽습니다.

(소수점 아래는 숫자만 차례로 읽습니다.)

$$\frac{1}{100}=0.01$$

• 분수 $\frac{53}{100}$은 소수로 0.53이라 쓰고, 영 점 오삼이라고 읽습니다.

• 1.48은 일 점 사팔이라고 읽습니다.

일의 자리		소수 첫째 자리	소수 둘째 자리	
1	.			1
0	.	4		0.4
0	.	0	8	0.08

개념 2 소수 세 자리 수 알아보기

• 분수 $\frac{1}{1000}$은 소수로 0.001이라 쓰고, 영 점 영영일이라고 읽습니다.

$$\frac{1}{1000}=0.001$$

• 분수 $\frac{274}{1000}$는 소수로 0.274라 쓰고, 영 점 이칠사라고 읽습니다.

• 1.395는 일 점 삼구오라고 읽습니다.

일의 자리		소수 첫째 자리	소수 둘째 자리	소수 셋째 자리	
1	.				1
0	.	3			0.3
0	.	0	9		0.09
0	.	0	0	5	0.005

1 전체 크기가 1인 모눈종이에 색칠된 부분의 크기를 소수로 나타내어 보세요.

(1)

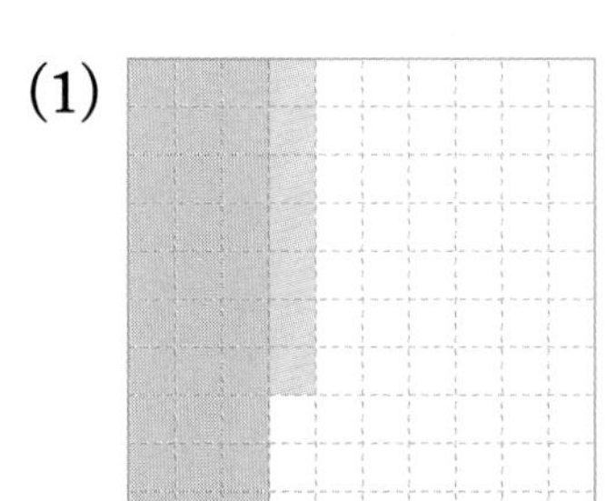

(2)

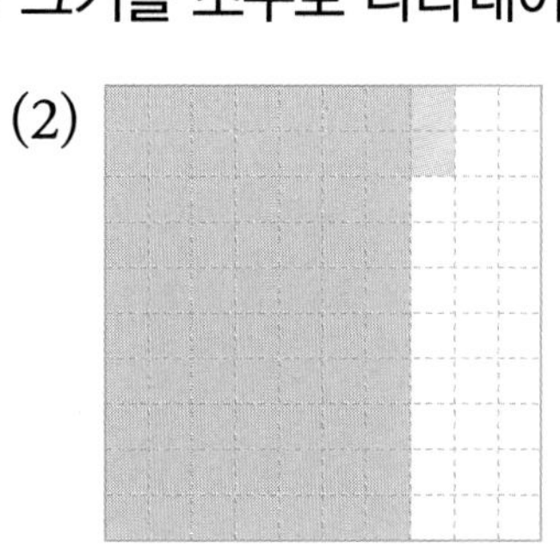

2 소수를 읽어 보세요.

(1) 4.27 → (   )

(2) 3.195 → (   )

3 소수를 보고 빈칸에 각 자리 숫자를 알맞게 써넣으세요.

7.562

일의 자리		소수 첫째 자리	소수 둘째 자리	소수 셋째 자리
7	.			

4 5가 나타내는 수를 써 보세요.

(1) 2.58 → (   )

(2) 8.195 → (   )

개념 3 소수의 크기 비교하기

• 소수의 오른쪽 끝자리 0 알아보기

0.2와 0.20은 같은 수입니다. 필요한 경우 소수의 오른쪽 끝자리에 0을 붙여서 나타낼 수 있습니다.

0.2=0.20

소수의 크기 비교 방법

일의 자리 수를 비교	예 0.7<1.4
소수 첫째 자리 수를 비교	예 0.3>0.29
소수 둘째 자리 수를 비교	예 3.748<3.75
소수 셋째 자리 수를 비교	예 2.536>2.534

개념 4 소수 사이의 관계 알아보기

• 1, 0.1, 0.01, 0.001 사이의 관계

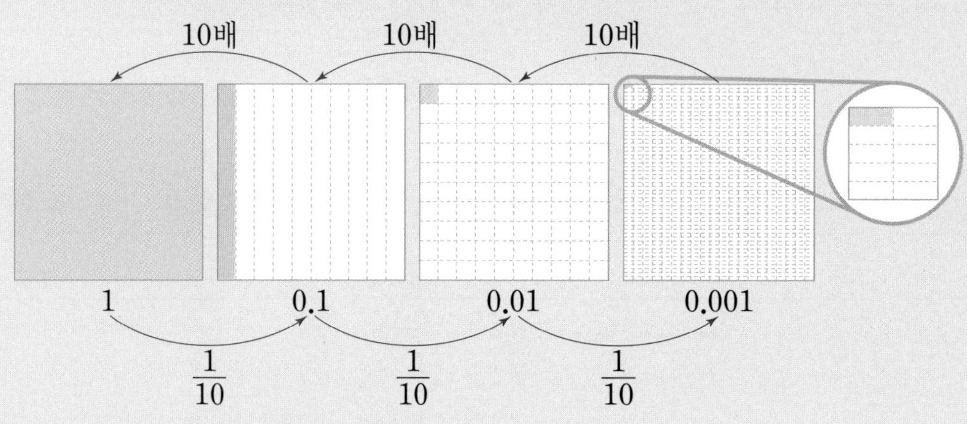

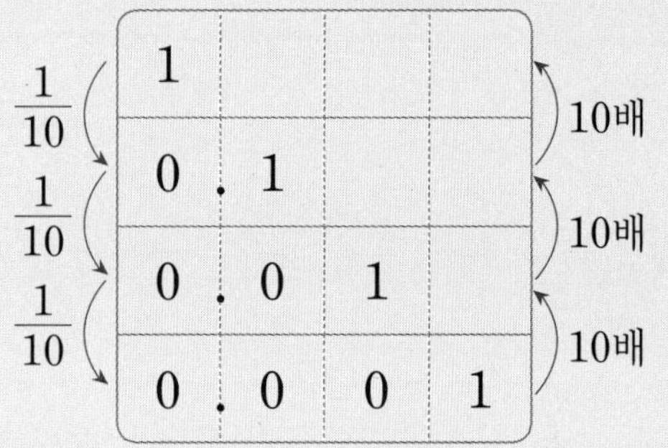

* 소수의 $\frac{1}{10}$을 구하면 소수점을 기준으로 수가 오른쪽으로 한 자리 이동합니다.
* 소수를 10배 하면 소수점을 기준으로 수가 왼쪽으로 한 자리 이동합니다.

1

소수에서 생략할 수 있는 0을 찾아 보기 와 같이 나타내어 보세요.

보기
0.3Ø 2.09Ø

(1) 10.40 (2) 0.700

2

두 수의 크기를 비교하여 ○ 안에 >, =, <를 알맞게 써넣으세요.

(1) 7.4 ○ 7.40 (2) 1.28 ○ 1.3

(3) 6.457 ○ 6.451 (4) 9.56 ○ 9.538

3 단원

3

빈칸에 알맞은 수를 써넣으세요.

(1)

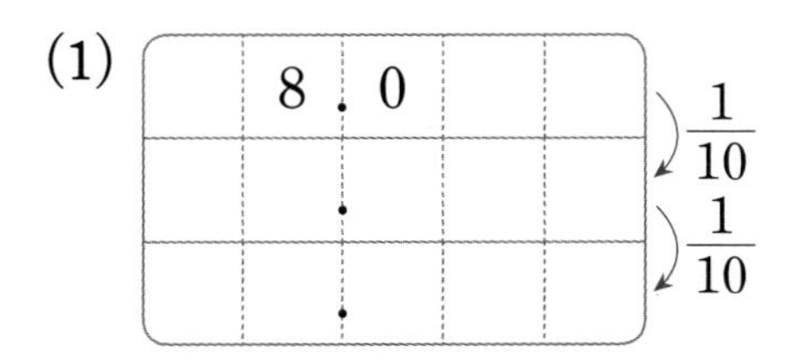

(2)

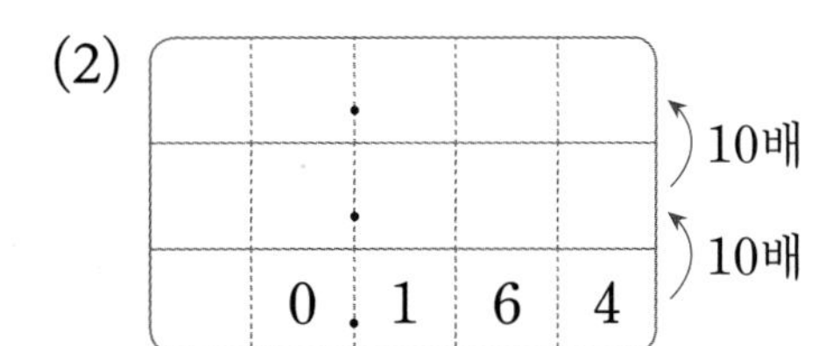

4

□ 안에 알맞은 수를 써넣으세요.

(1) 0.052의 10배는 □이고, 100배는 □입니다.

(2) 2.7의 $\frac{1}{10}$은 □이고, $\frac{1}{100}$은 □입니다.

쥐덫 놓기

준비물 붙임딱지

쥐가 화살표 방향으로 움직입니다. 쥐가 움직이는 곳에 쥐덫을 놓아 쥐를 잡으려고 합니다. 쥐의 몸에 적힌 수를 보고 알맞은 쥐덫 붙임딱지를 붙여 보세요.

3
단원

집중! 드릴 문제

[1~2] 전체 크기가 1인 모눈종이에 색칠된 부분의 크기를 소수로 나타내어 보세요.

1

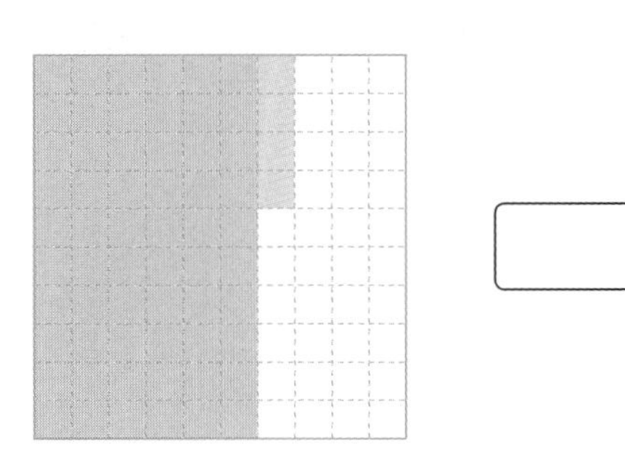

2

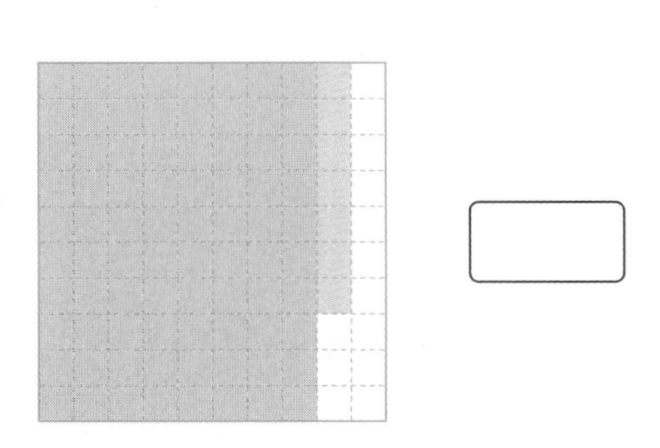

[3~4] □ 안에 알맞은 소수를 써넣으세요.

3

2.4 　　　　　　　　　　　 2.5

4

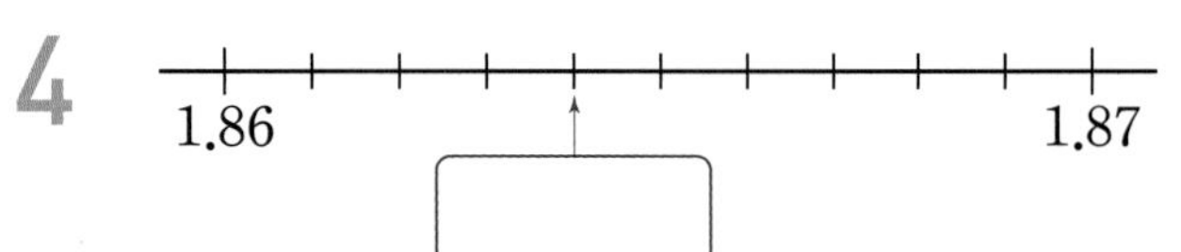

[5~8] 밑줄 친 숫자가 나타내는 수를 써 보세요.

5

$0.7\underline{2}$

(　　　　　　　)

6

$8.\underline{6}4$

(　　　　　　　)

7

$4.3\underline{5}1$

(　　　　　　　)

8

$10.47\underline{3}$

(　　　　　　　)

[9~13] **두 수의 크기를 비교하여 ○ 안에 >, =, <를 알맞게 써넣으세요.**

9 1.5 ○ 1.50

10 0.23 ○ 0.32

11 4.95 ○ 4.97

12 5.64 ○ 5.634

13 8.325 ○ 8.341

[14~18] **□ 안에 알맞은 수를 써넣으세요.**

14 0.07의 10배는 □입니다.

15 8.1의 $\frac{1}{100}$은 □입니다.

16 0.4의 1000배는 □입니다.

17 0.375는 3.75의 $\frac{1}{\square}$입니다.

18 9.14는 0.914의 □배입니다.

3 단원

교과서 개념 확인 문제

1 전체 크기가 1인 모눈종이에 색칠된 부분의 크기를 분수와 소수로 각각 나타내어 보세요.

분수	소수

2 소수를 읽어 보세요.

(1) 0.87 ➔ (   )

(2) 3.42 ➔ (   )

3 소수를 써 보세요.

(1) 일 점 구오 ➔ (   )

(2) 영 점 일이칠 ➔ (   )

4 빈칸에 알맞은 수를 써넣으세요.

소수	일의 자리		소수 첫째 자리	소수 둘째 자리	소수 셋째 자리
0.682		.			
2.315		.			
5.904		.			

정답과 풀이 p.18

5

전체 크기가 1인 모눈종이에 0.4와 0.35만큼 각각 색칠하고, 두 수의 크기를 비교하여 ◯ 안에 $>$, $=$, $<$를 알맞게 써넣으세요.

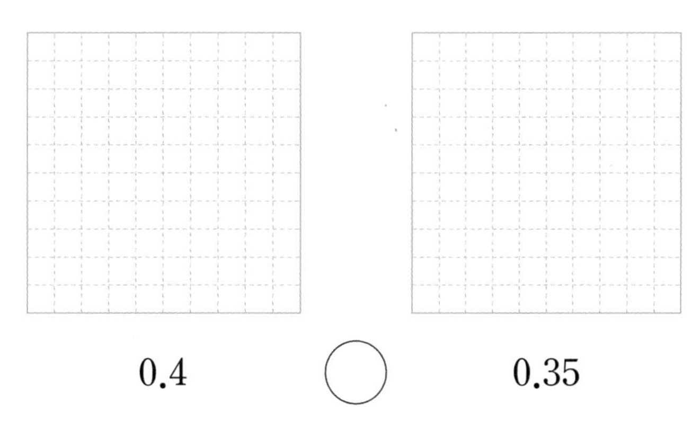

0.4 ◯ 0.35

6

소수에서 생략할 수 있는 0을 모두 찾아 /로 그어 보세요.

0.400　　0.07　　2.170　　15.20

7

☐ 안에 알맞은 수나 말을 써넣으세요.

3.749에서 9는 소수 ☐ 자리 숫자이고 ☐ 을/를 나타냅니다.

8

☐ 안에 알맞은 수를 써넣으세요.

(1) 0.01이 58개인 수는 ☐ 입니다.

(2) 0.01이 326개인 수는 ☐ 입니다.

(3) 0.75는 0.01이 ☐ 개인 수입니다.

9 두 수의 크기를 비교하여 ◯ 안에 >, =, <를 알맞게 써넣으세요.

(1) 0.92 ◯ 0.8　　(2) 0.35 ◯ 0.350

(3) 5.726 ◯ 5.709　　(4) 0.132 ◯ 0.137

10 빈칸에 알맞은 수를 써넣으세요.

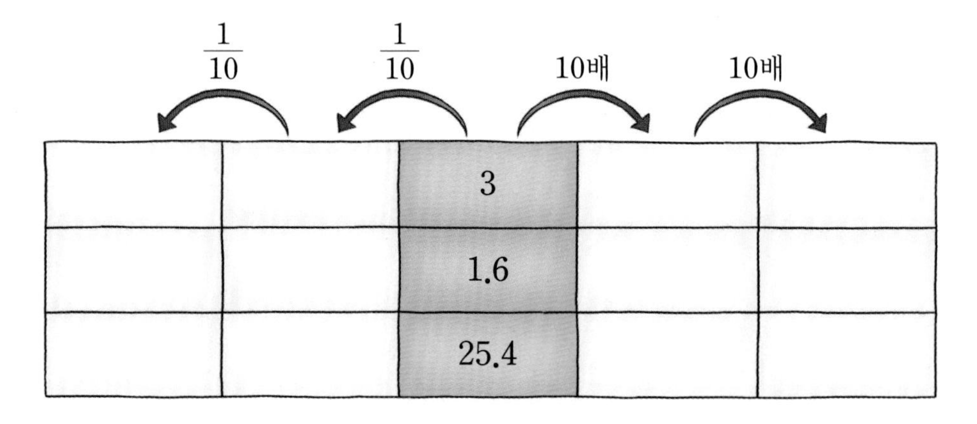

11 □ 안에 알맞은 수를 써넣으세요.

(1) 1.5의 10배는 □이고, 100배는 □입니다.

(2) 42의 $\frac{1}{10}$은 □이고, $\frac{1}{100}$은 □입니다.

12 □ 안에 알맞은 수를 써넣으세요.

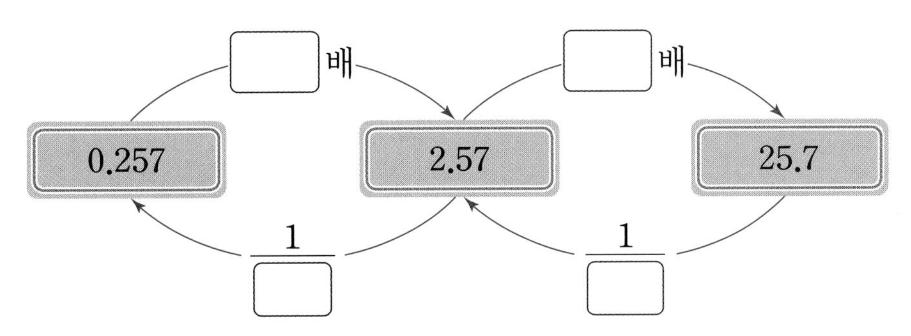

13 3.8과 같은 수를 찾아 기호를 써 보세요.

㉠ 0.038의 100배　　㉡ 38의 $\frac{1}{100}$

(　　　　　　)

14 숫자 5가 나타내는 수가 가장 작은 수는 어느 것일까요? ········· (　　)

① 2.754　② 5.81　③ 4.59　④ 7.025　⑤ 6.538

15 ㉠이 나타내는 수는 ㉡이 나타내는 수의 몇 배인지 구해 보세요.

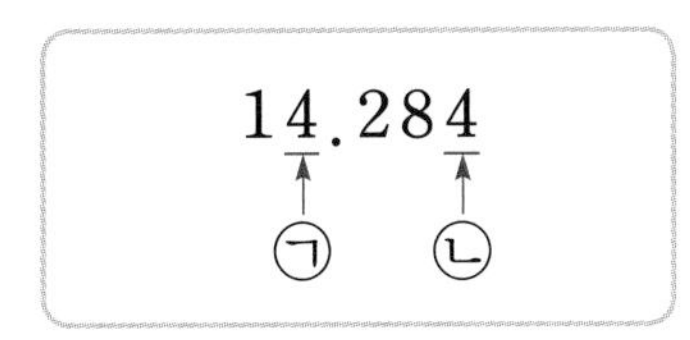

(　　　　　　)

3
단원

개념 5 소수 한 자리 수의 덧셈

• 0.8+1.6을 여러 가지 방법으로 계산하기

방법1 모눈종이에 나타내어 알아보기

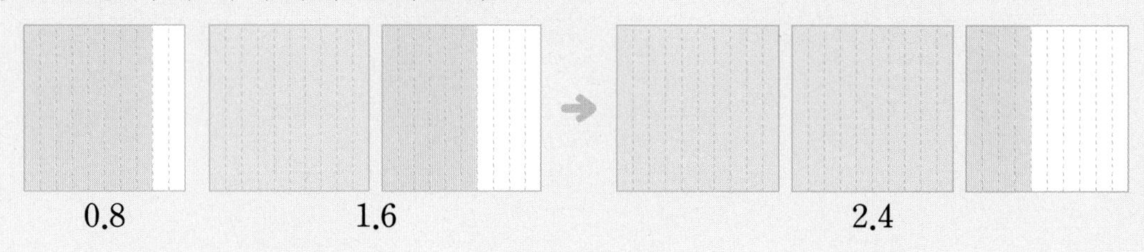

0.8+1.6=2.4

방법2 0.1이 몇 개인지로 알아보기

0.8은 0.1이 8개입니다.

1.6은 0.1이 16개입니다.

➔ 0.8+1.6은 **0.1**이 모두 **24**개 이므로 **2.4**입니다.

방법3 세로로 계산하기

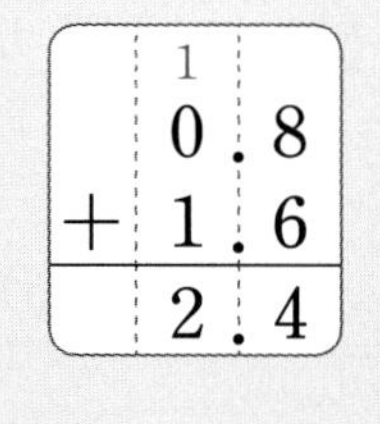

자연수의 덧셈처럼 소수의 덧셈에서도 받아올림을 해요.

개념 6 소수 한 자리 수의 뺄셈

• 3.7−1.9를 여러 가지 방법으로 계산하기

방법1 수직선에 나타내어 알아보기

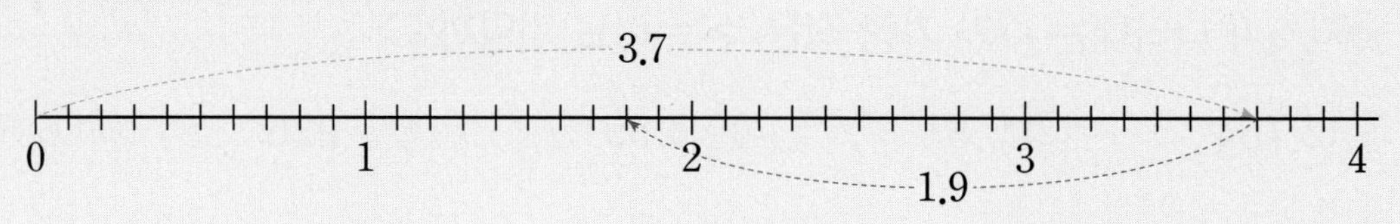

3.7−1.9=1.8

방법2 0.1이 몇 개인지로 알아보기

3.7은 0.1이 37개입니다.

1.9는 0.1이 19개입니다.

➔ 3.7−1.9는 **0.1**이 모두 **18**개 이므로 **1.8**입니다.

방법3 세로로 계산하기

$$\begin{array}{r} \overset{2}{3}\,.\,\overset{10}{7} \\ -\ 1\,.\,9 \\ \hline 1\,.\,8 \end{array}$$

자연수의 뺄셈처럼 소수의 뺄셈에서도 받아내림을 해요.

1 수직선을 보고 □ 안에 알맞은 수를 써넣으세요.

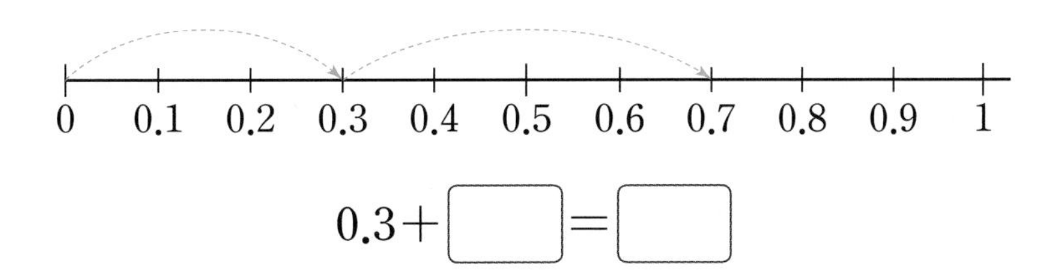

$0.3+\square=\square$

2 $1.5-0.6$을 계산하려고 합니다. □ 안에 알맞은 수를 써넣으세요.

1.5는 0.1이 □개이고, 0.6은 0.1이 □개입니다.
1.5−0.6은 0.1이 모두 □개이므로 □입니다.

3 □ 안에 알맞은 수를 써넣으세요.

(1)
```
      □
    2 . 4
  + 1 . 8
  -------
    □ . □
```

(2)
```
    □ □
    6 . 2
  - 3 . 7
  -------
    □ . □
```

4 빈칸에 알맞은 수를 써넣으세요.

(1)

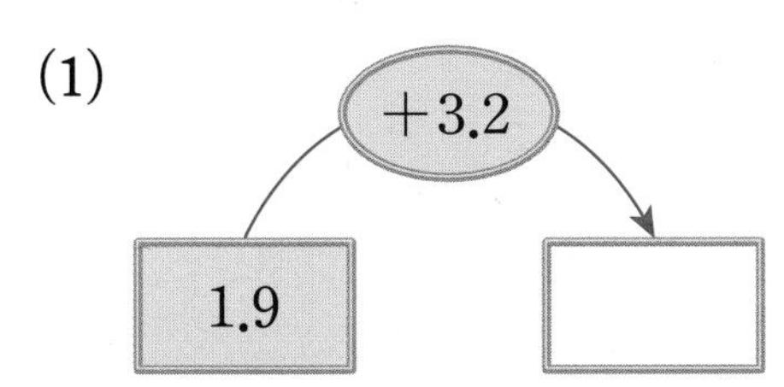

(2)

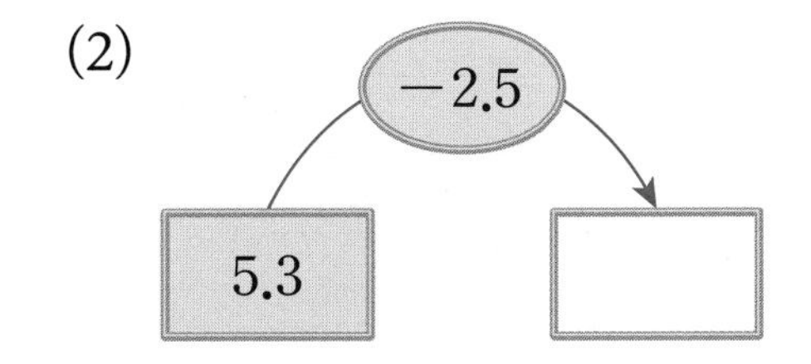

개념 7 소수 두 자리 수의 덧셈

• 0.38+0.27의 계산

소수 둘째 자리

소수 첫째 자리

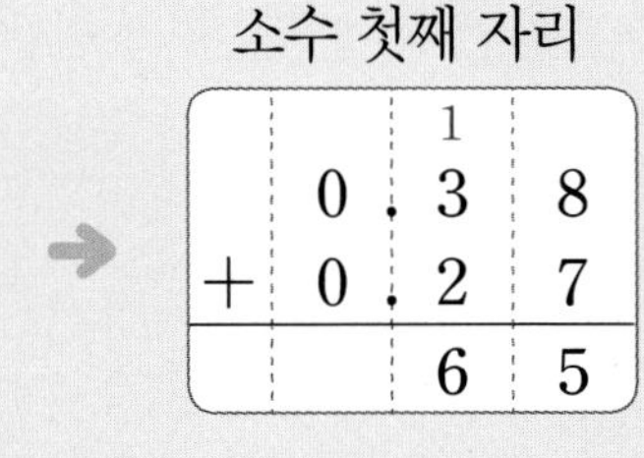

일의 자리

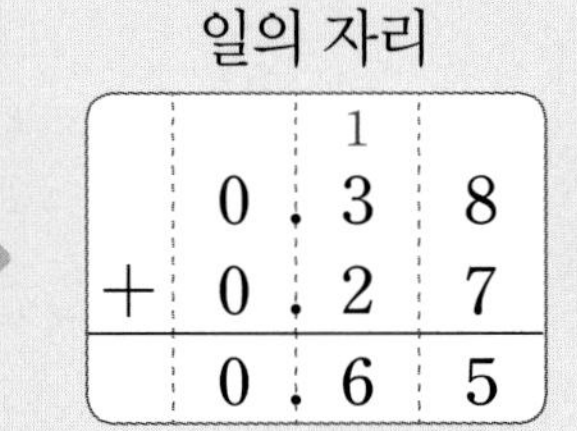

• 0.74+0.6의 계산

	1		
	0	. 7	4
+	0	. 6	0
	1	. 3	4

0.6과 0.60은 같은 수임을 이용합니다.

소수점끼리 맞추어 세로로 쓰고 같은 자리 수끼리 더합니다.

개념 8 소수 두 자리 수의 뺄셈

• 1.64−0.29의 계산

소수 둘째 자리

소수 첫째 자리

일의 자리

• 3.2−1.45의 계산

	2	11	10
	3	. 2	0
−	1	. 4	5
	1	. 7	5

3.2와 3.20은 같은 수임을 이용합니다.

소수점끼리 맞추어 세로로 쓰고 같은 자리 수끼리 뺍니다.

개념 Check

0.7+1.54를 바르게 계산한 것에 ○표 하세요.

```
    1
   0.7
+ 1.5 4
  1.6 1
```

```
  1
 0.7
+1.5 4
 2.2 4
```

정답과 풀이 p.19

3
단원

1 전체 크기가 1인 모눈종이에 색칠된 그림을 보고 □ 안에 알맞은 수를 써넣으세요.

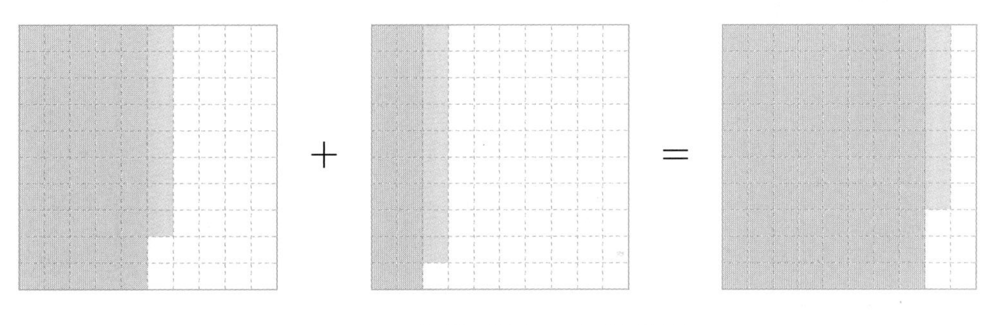

$0.58+\square=\square$

2 □ 안에 알맞은 수를 써넣으세요.

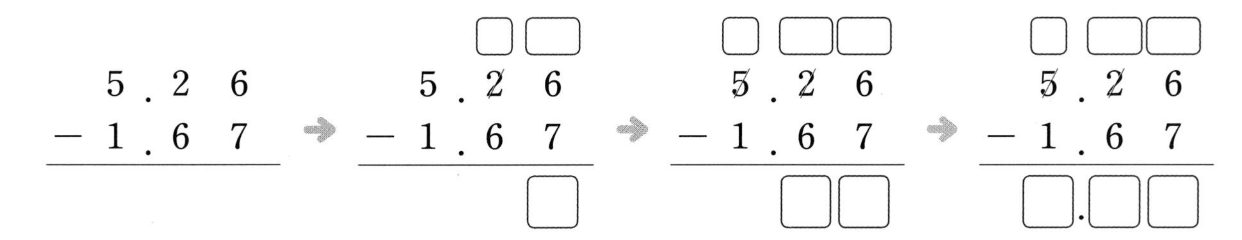

3 계산해 보세요.

(1)
$$\begin{array}{r} 1.58 \\ +\ 4.63 \\ \hline \end{array}$$

(2)
$$\begin{array}{r} 5.71 \\ -\ 2.54 \\ \hline \end{array}$$

4 빈칸에 알맞은 수를 써넣으세요.

(1)

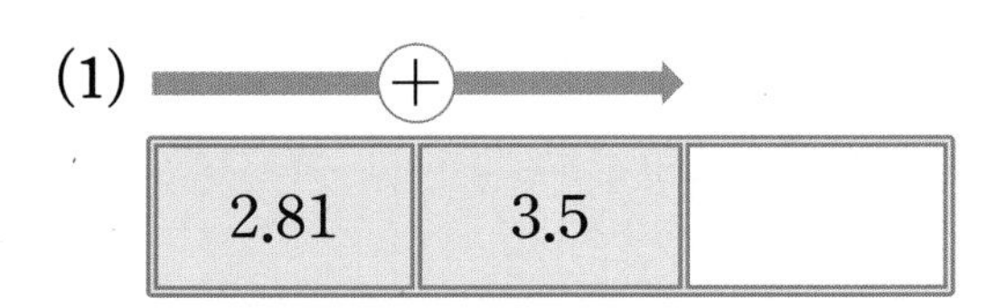

(2)

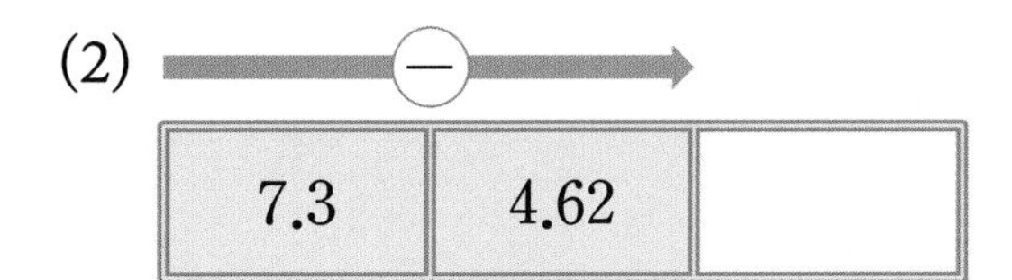

교과서 개념  치즈 만들기

준비물 붙임딱지

쥐에게서 지켜낸 치즈를 만들려고 합니다.
치즈에 적혀 있는 식을 계산하여 알맞은 계산 결과가 적힌 치즈 붙임딱지를 붙여 보세요.

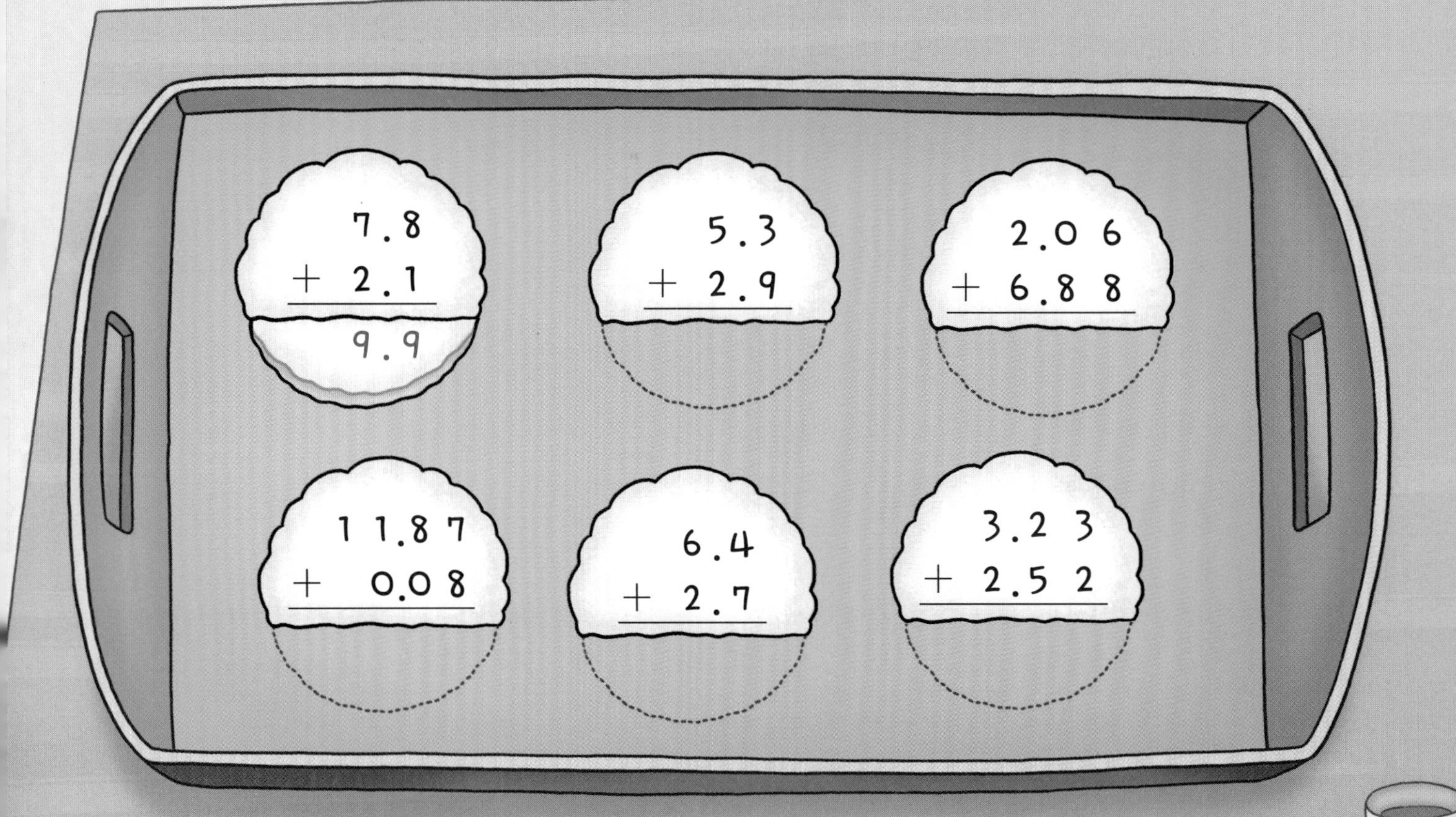

잼
3.8
− 1.5
5.1
− 1.3
7.1 4
− 5.6 5
4.6 7
− 3.0 5
2 5.5 5
− 1 1.1 2
5.6
− 1.2 3
14.36−7.52
5.62−1.3
8.5−2.17
8.79−7.8
6.27−5.8
6.3−2.61
3
단원

집중! 드릴 문제

[1~4] 덧셈을 계산해 보세요.

1
$$\begin{array}{r} 0.5 \\ +\ 1.7 \\ \hline \end{array}$$

2
$$\begin{array}{r} 2.6 \\ +\ 2.7 \\ \hline \end{array}$$

3
$$\begin{array}{r} 2.58 \\ +\ 3.34 \\ \hline \end{array}$$

4
$$\begin{array}{r} 3.5 \\ +\ 4.89 \\ \hline \end{array}$$

[5~8] 뺄셈을 계산해 보세요.

5
$$\begin{array}{r} 5.1 \\ -\ 3.3 \\ \hline \end{array}$$

6
$$\begin{array}{r} 6.2 \\ -\ 3.5 \\ \hline \end{array}$$

7
$$\begin{array}{r} 6.62 \\ -\ 2.53 \\ \hline \end{array}$$

8
$$\begin{array}{r} 8.5 \\ -\ 2.82 \\ \hline \end{array}$$

[9~12] 설명하는 수가 얼마인지 구해 보세요.

9 2.5보다 1.6만큼 큰 수

( )

10 3.82보다 2.65만큼 큰 수

( )

11 8.1보다 5.7만큼 작은 수

( )

12 6.31보다 3.94만큼 작은 수

( )

[13~16] 계산 결과를 비교하여 ○ 안에 >, =, <를 알맞게 써넣으세요.

13 $2.5+4.6$ ○ $1.7+5.8$

14 $7.2-3.4$ ○ $5.4-1.9$

15 $2.87+3.61$ ○ $1.57+5.7$

16 $8.12-3.85$ ○ $9.4-5.13$

3 단원

교과서 개념 확인 문제

1 □ 안에 알맞은 수를 써넣으세요.

0.8은 0.1이 □개			0 . 8
− 0.2는 0.1이 □개	➜		− 0 . 2
0.1이 □개			□

2 수직선을 보고 □ 안에 알맞은 수를 써넣으세요.

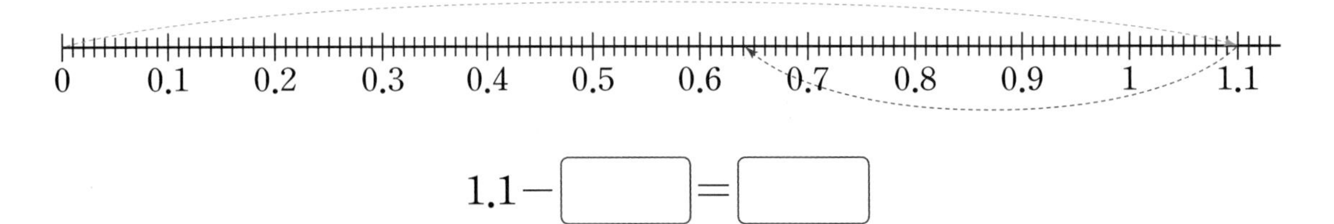

1.1 − □ = □

3 □ 안에 알맞은 수를 써넣으세요.

(1)

```
      □
   0 . 2  8
 + 0 . 5  4
 ──────────
   □ . □  □
```

(2)

```
     □  □
   3 . 9  3
 − 1 . 6  8
 ──────────
   □ . □  □
```

4 빈칸에 알맞은 수를 써넣으세요.

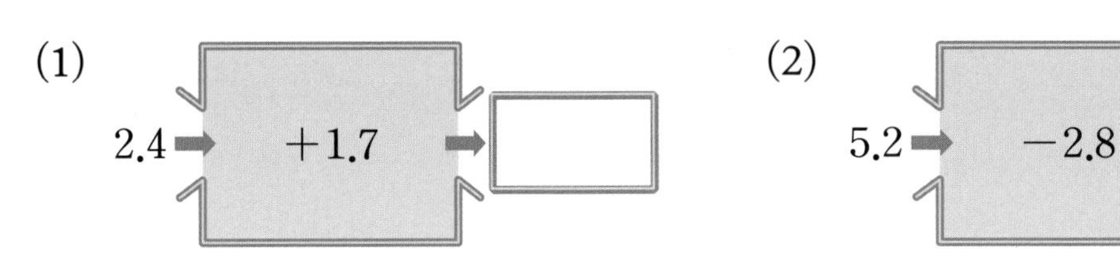

5 계산해 보세요.

(1)
$$\begin{array}{r} 0.8 \\ +\ 1.9 \\ \hline \end{array}$$

(2)
$$\begin{array}{r} 8.7 \\ -\ 4.8 \\ \hline \end{array}$$

6 계산 결과를 찾아 선으로 이어 보세요.

2.7+1.4 •	• 5.1
1.6+2.3 •	• 4.1
3.3+1.8 •	• 3.9

7 잘못 계산한 곳을 찾아 바르게 계산해 보세요.

$$\begin{array}{r} 2.6 \\ +\ 3.7 \\ \hline 5.3 \end{array} \rightarrow \boxed{}$$

8 빈칸에 알맞은 수를 써넣으세요.

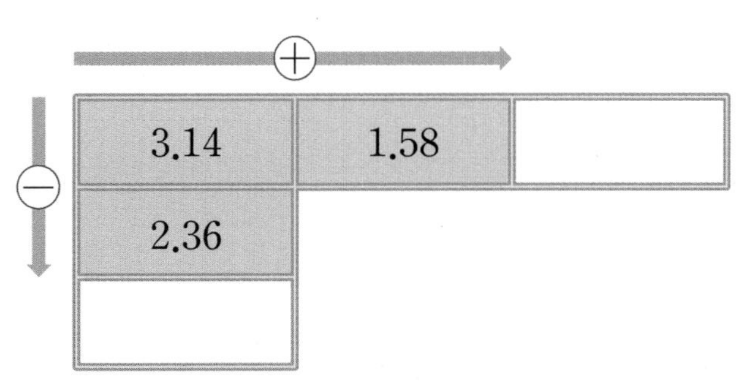

9 빈칸에 두 수의 합을 써넣으세요.

(1)

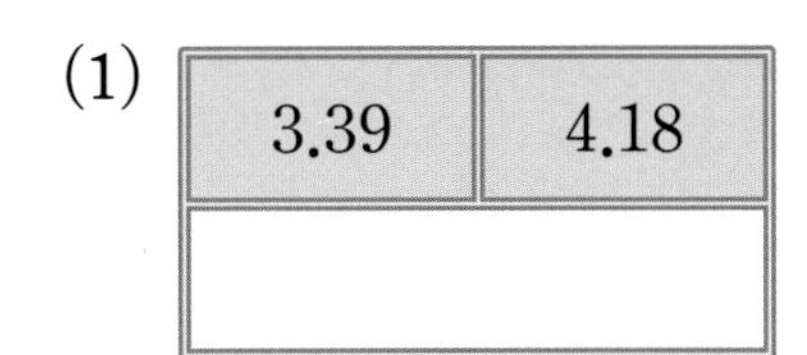

(2)

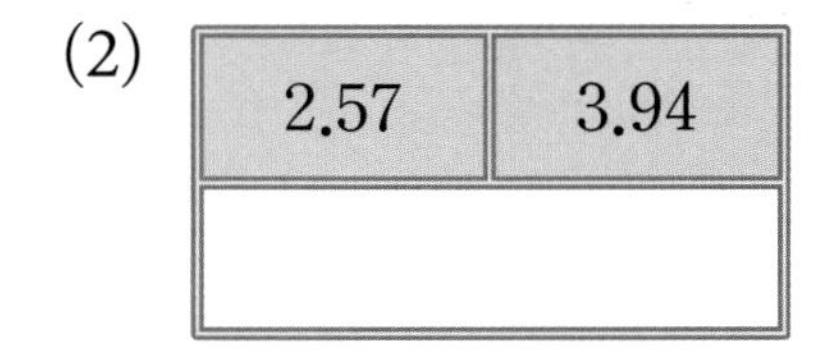

10 계산 결과가 같은 것끼리 선으로 이어 보세요.

$6.3-2.9$ •	• $1.2+1.7$
$3.7-0.8$ •	• $2.7+0.7$
$5.2-1.5$ •	• $1.9+1.8$

11 설명하는 수가 얼마인지 구해 보세요.

18.2보다 5.19만큼 작은 수

( )

12 계산 결과를 비교하여 ○ 안에 >, =, <를 알맞게 써넣으세요.

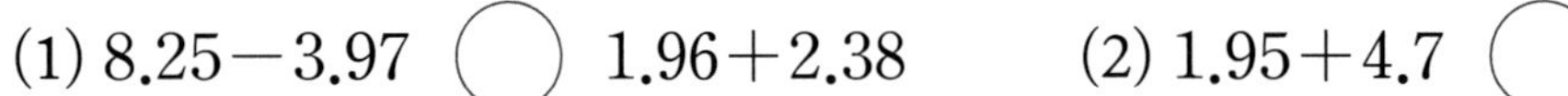

(1) $8.25-3.97$ 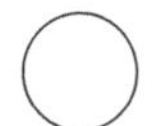 $1.96+2.38$ (2) $1.95+4.7$ 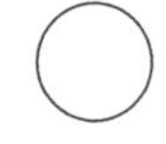 $9.3-2.86$

13 가장 큰 수와 가장 작은 수의 차를 구해 보세요.

5.97	2.3	1.84	6.2

( )

14 빈 곳에 알맞은 수를 써넣으세요.

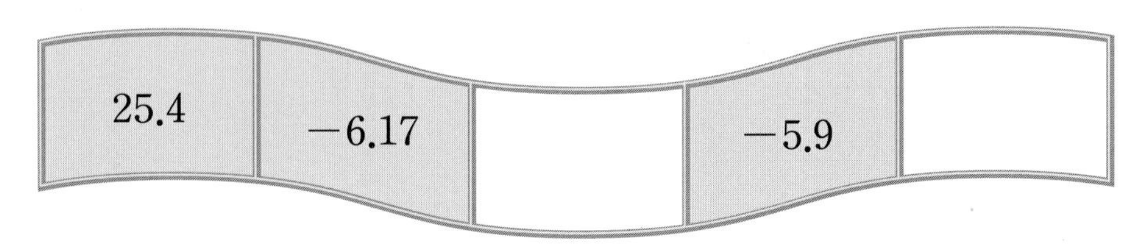

15 공원에서 경찰서를 거쳐 우체국까지의 거리는 몇 km일까요?

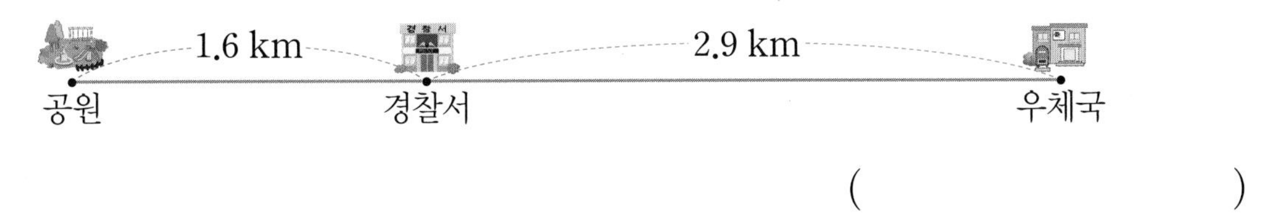

( )

16 가은이는 색 테이프를 3.2 m 가지고 있습니다. 선물을 포장하는 데 1.65 m를 사용했다면 남은 색 테이프는 몇 m인지 구해 보세요.

식 ______________________

답 ______________

3 단원

개념 확인평가

3. 소수의 덧셈과 뺄셈

맞은 개수

1 소수를 읽어 보세요.

(1) 2.18 → (　　　　　　　　)

(2) 5.307 → (　　　　　　　　)

2 계산해 보세요.

(1)
$$\begin{array}{r} 3.64 \\ +\ 5.89 \\ \hline \end{array}$$

(2)
$$\begin{array}{r} 6.42 \\ -\ 3.58 \\ \hline \end{array}$$

3 □ 안에 알맞은 소수를 써넣으세요.

(1) 1이 3개, 0.1이 2개, 0.01이 8개인 수는 □입니다.

(2) 1이 5개, 0.1이 7개, 0.001이 4개인 수는 □입니다.

4 두 수의 크기를 비교하여 ○ 안에 >, =, <를 알맞게 써넣으세요.

(1) 4.5 ○ 4.37

(2) 8.074 ○ 8.076

(3) 0.925 ○ 0.93

(4) 5.738 ○ 5.734

5 빈칸에 알맞은 수를 써넣으세요.

$\frac{1}{10}$ $\frac{1}{10}$ 10배 10배

	0.1	1	10	
		13.4		

6 잘못 계산한 곳을 찾아 바르게 계산해 보세요.

$$\begin{array}{r} 1.7\ 5 \\ +\ \ \ 3.6 \\ \hline 2.1\ 1 \end{array}$$ →

7 다음 소수에서 생략할 수 있는 0은 모두 몇 개일까요?

3.04 0.800 20.01 10.50 0.009

( )

8 숫자 3이 나타내는 수가 가장 큰 수는 어느 것일까요? ( )

① 6.39 ② 5.103 ③ 3.051 ④ 8.637 ⑤ 0.365

9 나타내는 수가 더 작은 것의 기호를 써 보세요.

㉠ 3.05보다 1.68만큼 큰 수
㉡ 9.24보다 4.57만큼 작은 수

( )

10 현우는 물을 0.37 L 마셨고, 민지는 현우보다 0.18 L 더 많이 마셨습니다. 민지가 마신 물은 몇 L인지 식을 쓰고 답을 구해 보세요.

식 ______________________

답 ______________________

11 ㉠이 나타내는 수는 ㉡이 나타내는 수의 몇 배일까요?

12.529
(㉠: 일의 자리 숫자 2, ㉡: 소수 둘째 자리 숫자 2)

( )

12 지호와 하명이가 생각하는 소수의 차를 구해 보세요.

( )

4 사각형

학습 계획표

내용	쪽수	날짜	확인
교과서 개념 잡기	90~93쪽	월 일	
교과서 개념 play / 집중! 드릴 문제	94~97쪽	월 일	
교과서 개념 확인 문제	98~101쪽	월 일	
교과서 개념 잡기	102~105쪽	월 일	
교과서 개념 play / 집중! 드릴 문제	106~109쪽	월 일	
교과서 개념 확인 문제	110~113쪽	월 일	
개념 확인평가	114~116쪽	월 일	

교과서 개념 잡기

개념 1 수직 알아보기

두 직선이 만나서 이루는 각이 **직각**일 때, 두 직선은 서로 수직이라고 합니다.

두 직선이 서로 **수직**으로 만났을 때, 한 직선을 다른 직선에 대한 수선이라고 합니다.

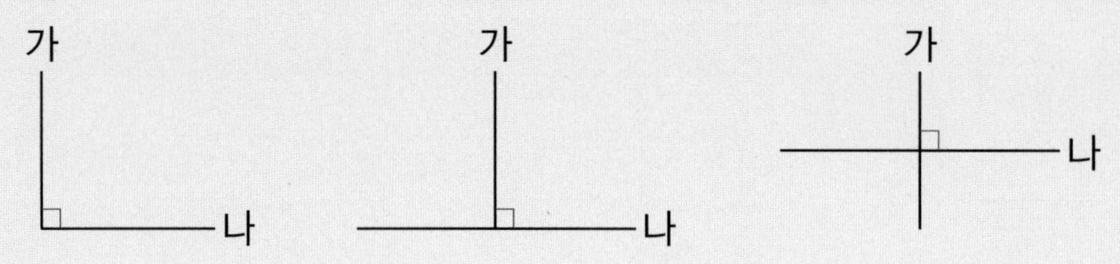

직선 가와 직선 나는 서로 수직으로 만납니다. 직선 가는 직선 나에 대한 수선입니다.

개념 2 수선 긋기

방법1 삼각자를 사용하여 주어진 직선에 대한 수선 긋기

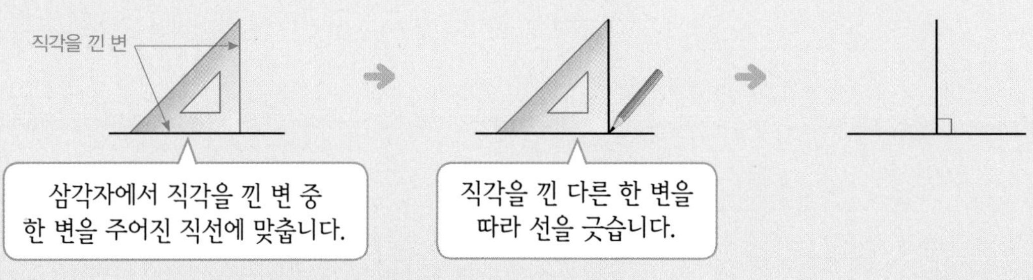

방법2 각도기를 사용하여 주어진 직선에 대한 수선 긋기

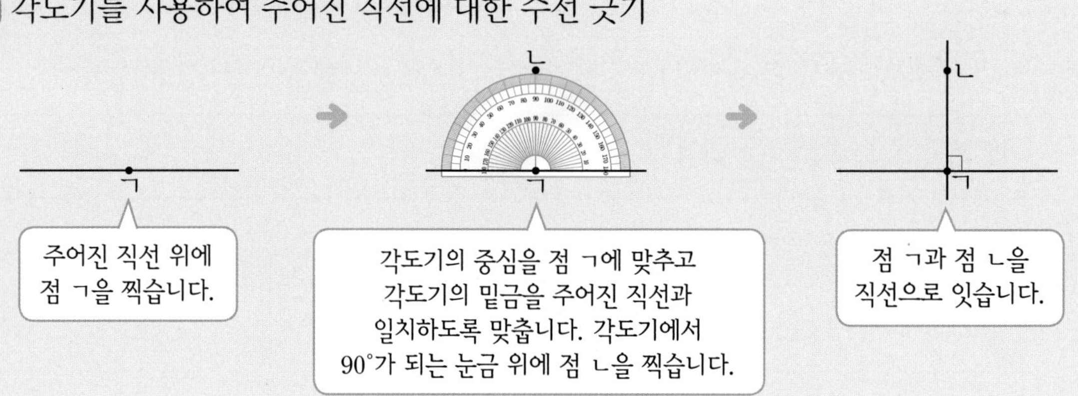

개념 Check

두 직선이 서로 수직이면 ○표, 수직이 아니면 ×표 하세요.

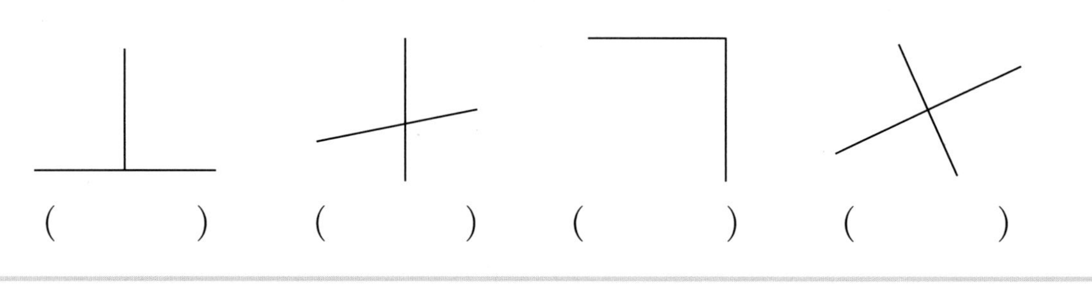

(　　　) (　　　) (　　　) (　　　)

1 직선 가에 대한 수선을 찾아 기호를 써 보세요.

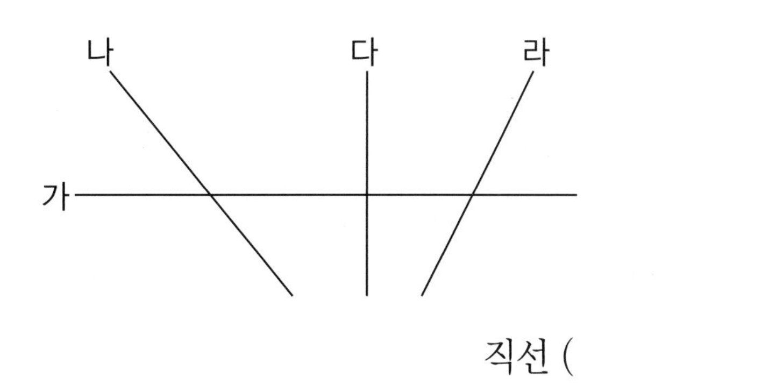

직선 (   )

2 그림을 보고 □ 안에 알맞은 말을 써넣으세요.

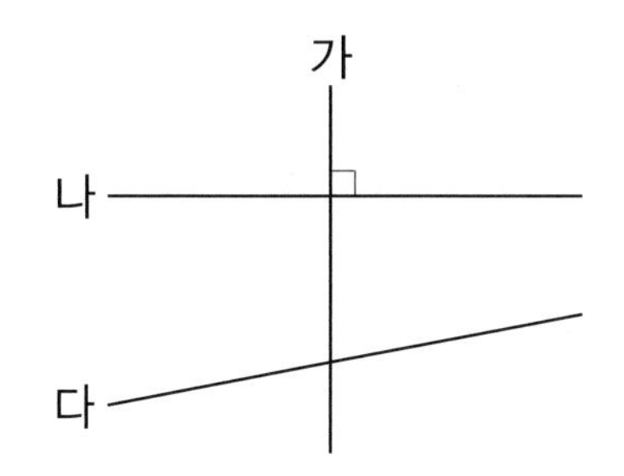

직선 가에 □인 직선은 직선 나입니다.

직선 나는 직선 가에 대한 □입니다.

3 삼각자를 사용하여 직선 가에 대한 수선을 바르게 그은 것에 ○표 하세요.

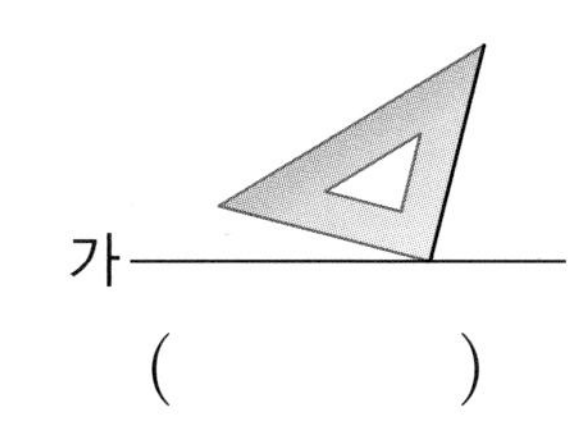

(   )

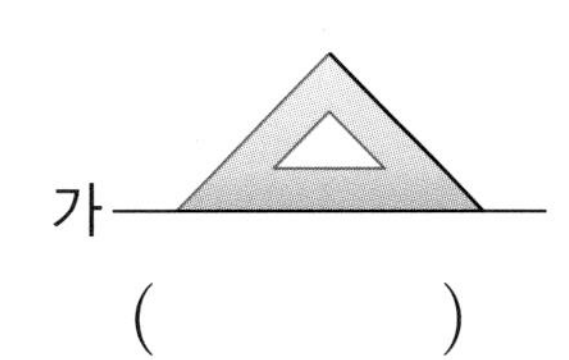

(   )

(   )

4 각도기를 사용하여 직선 가에 대한 수선을 바르게 그은 것을 찾아 기호를 써 보세요.

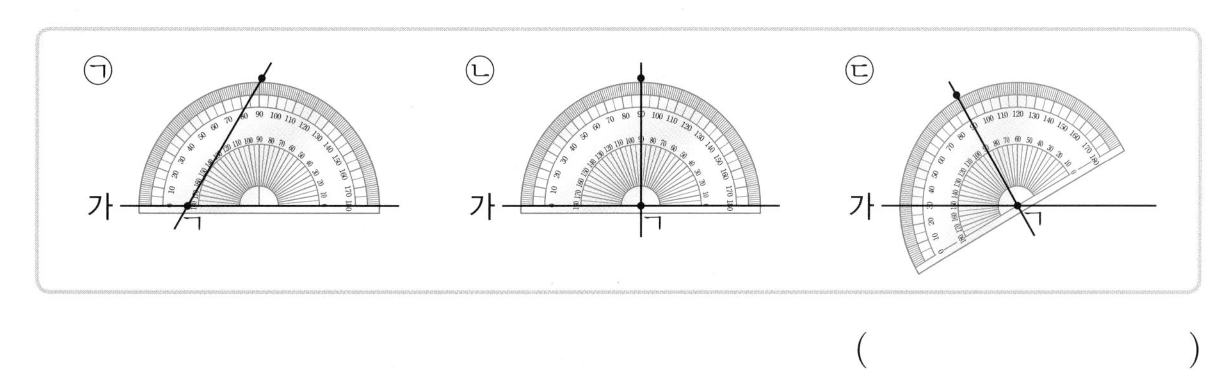

(   )

개념 3 평행 알아보기

한 직선에 수직인 두 직선을 그었을 때, 그 두 직선은 서로 만나지 않습니다. 이와 같이 서로 만나지 않는 두 직선을 평행하다고 합니다.
이때 평행한 두 직선을 평행선이라고 합니다.

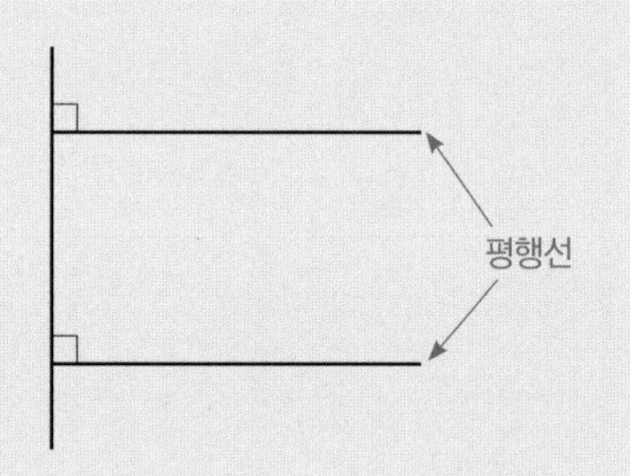

삼각자를 사용하여 평행선 긋기

방법1 주어진 직선과 평행한 직선 긋기

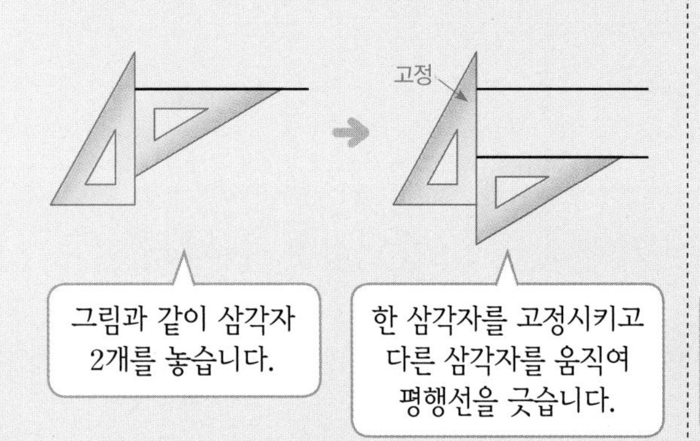

방법2 점 ㄱ을 지나고 주어진 직선과 평행한 직선 긋기

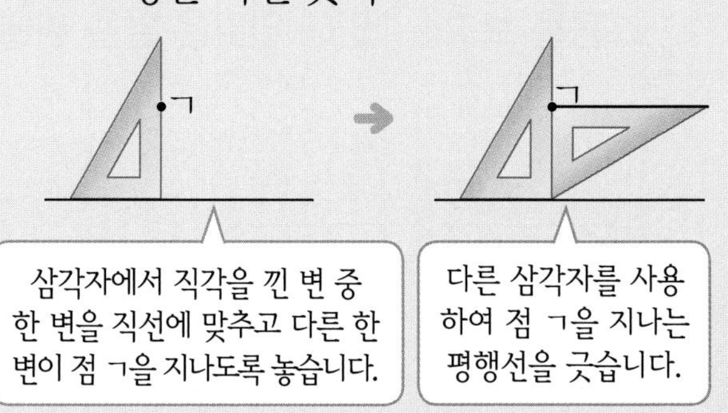

개념 4 평행선 사이의 거리 알아보기

평행선의 한 직선에서 다른 직선에 수선을 그었을 때 이 수선의 길이를 평행선 사이의 거리라고 합니다.
→ 평행선 사이에 그은 선분 중 가장 짧은 선분의 길이

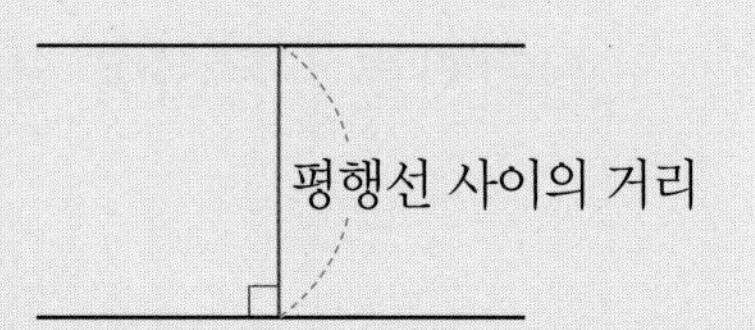

• 평행선 사이의 거리 재기

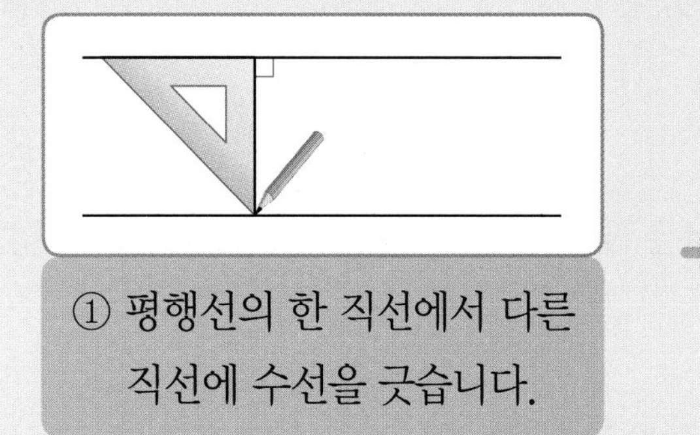

① 평행선의 한 직선에서 다른 직선에 수선을 긋습니다.

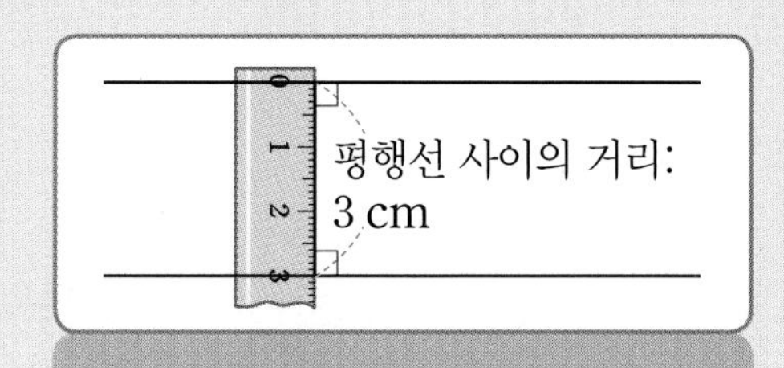

② 수선의 길이를 잽니다.

참고 평행선 사이의 거리는 어디에서 재어도 모두 같습니다.

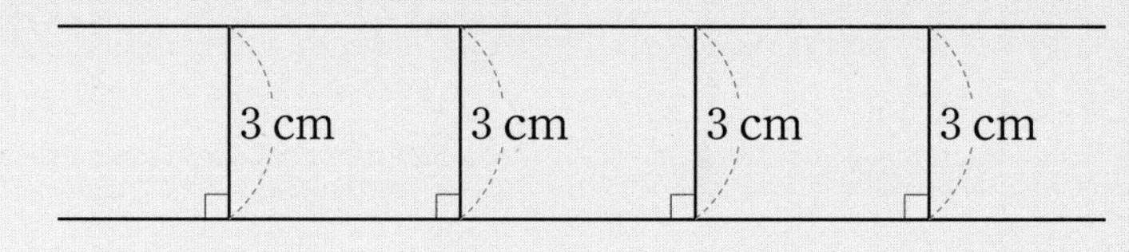

1 평행선을 찾아 기호를 써 보세요.

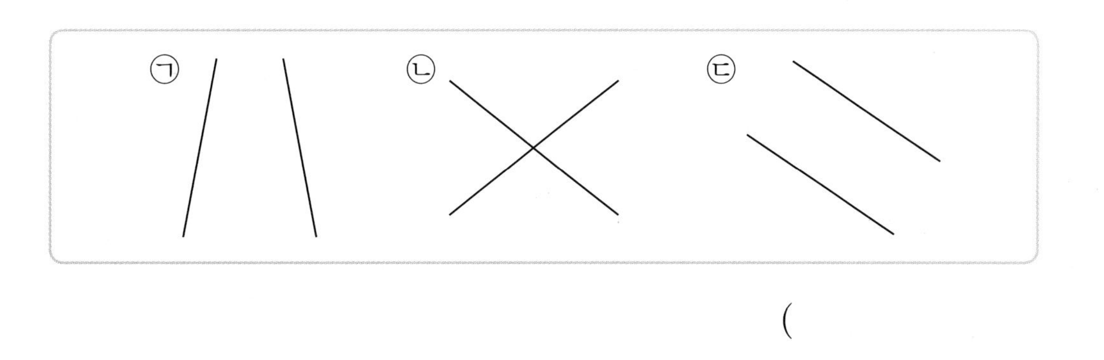

( )

2 그림을 보고 □ 안에 알맞은 기호를 써넣으세요.

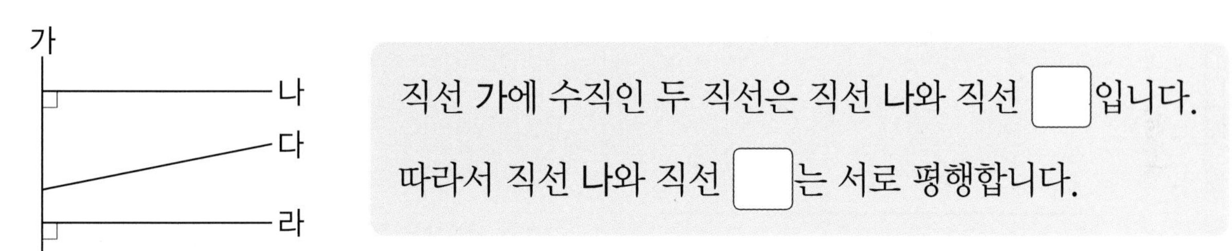

3 왼쪽 삼각자를 고정시키고 오른쪽 삼각자를 움직여서 직선 가와 평행한 직선을 그으려고 합니다. 직선 가와 평행한 직선을 그어 보세요.

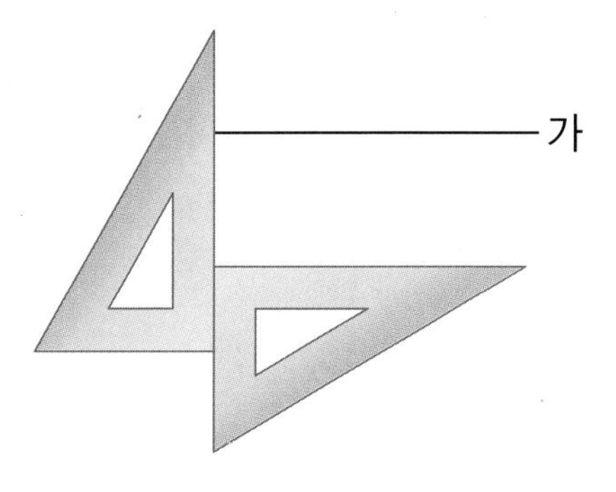

4 직선 가와 직선 나는 서로 평행합니다. 평행선 사이의 거리를 나타내는 선분을 찾아 기호를 써 보세요.

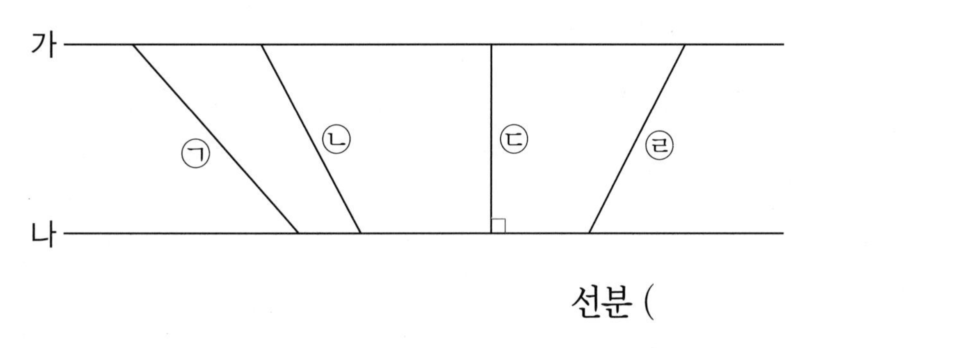

선분 ( )

여러 가지 직선 긋기

준비물 붙임딱지

삼각자 붙임딱지를 붙여서 주어진 직선에 수직인 직선과 평행한 직선을 각각 그어 보세요.

주어진 직선에 수직인 직선 긋기

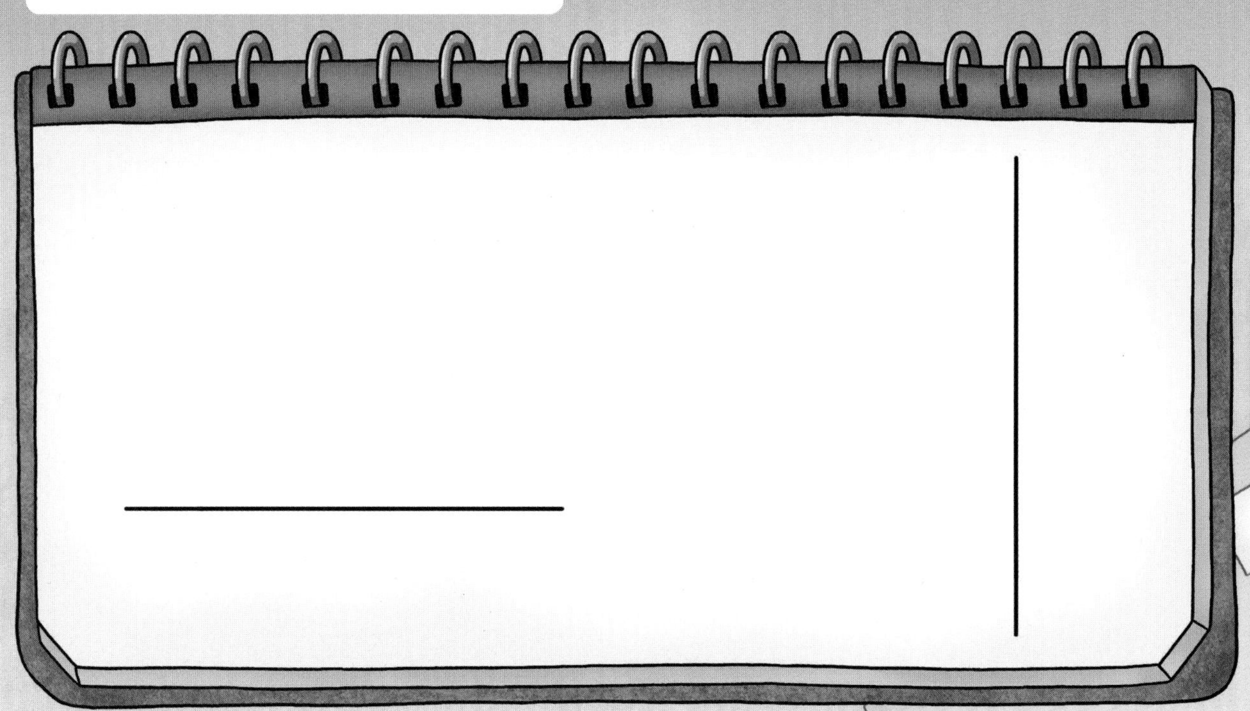

점 ㄱ을 지나고 주어진 직선에 수직인 직선 긋기

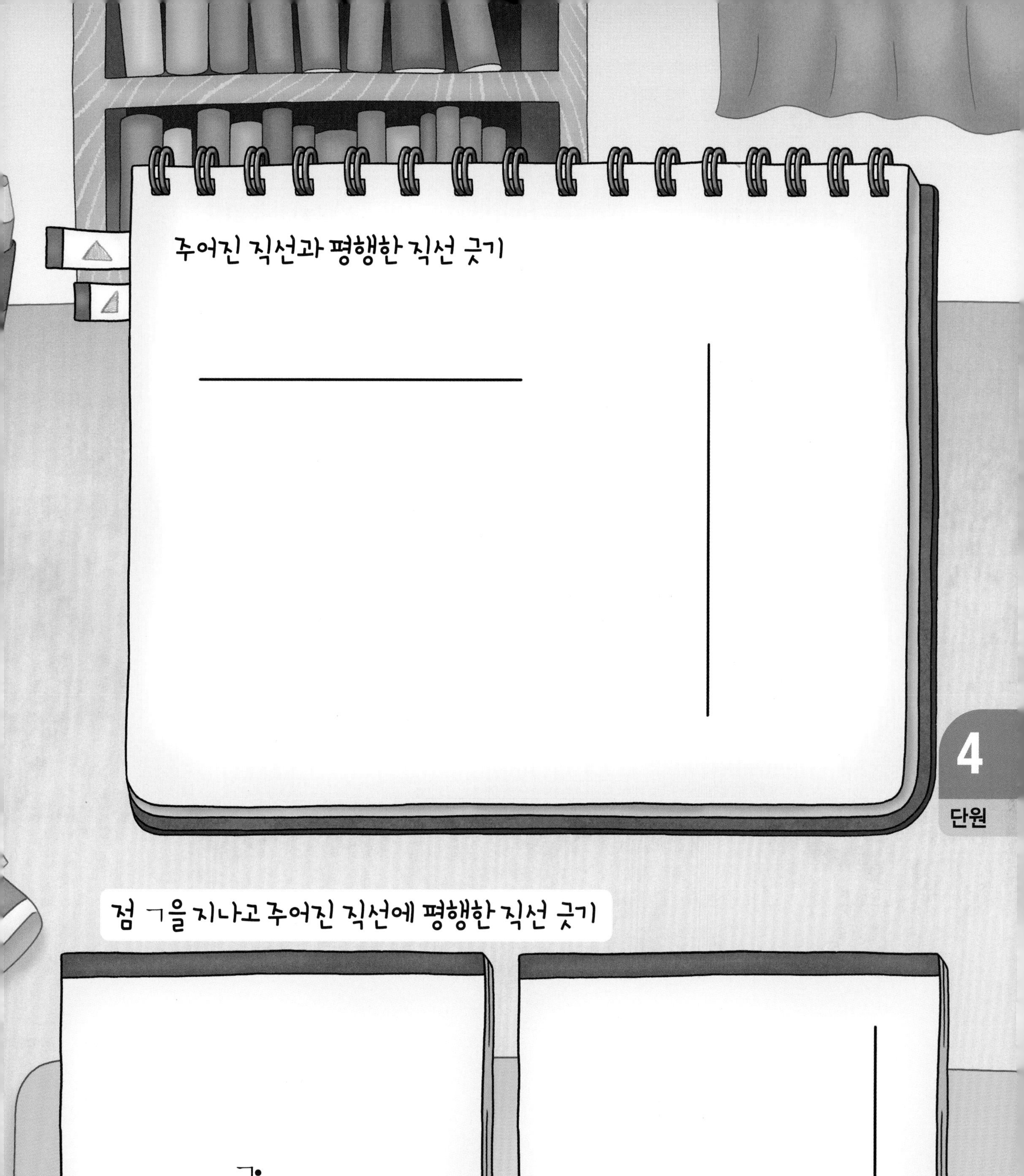

점 ㄱ을 지나고 주어진 직선에 평행한 직선 긋기

ㄱ•

ㄱ•

집중! 드릴 문제

[1~4] 서로 수직인 변이 있는 도형이면 ○표, 아니면 ×표 하세요.

1

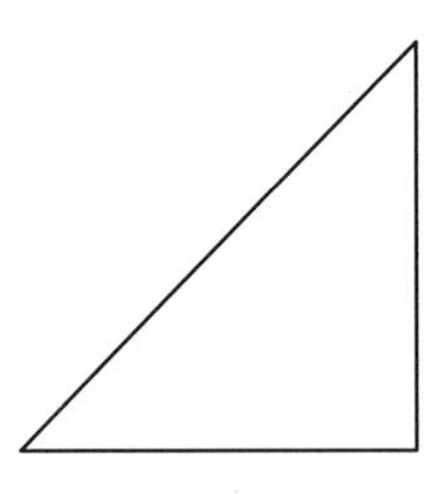

(　　　　)

2

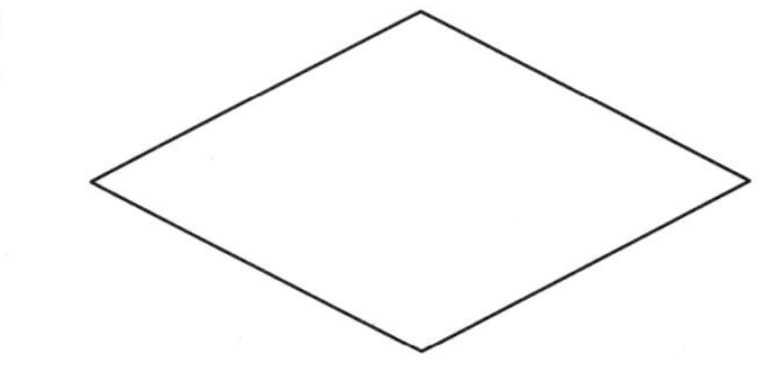

(　　　　)

3

(　　　　)

4

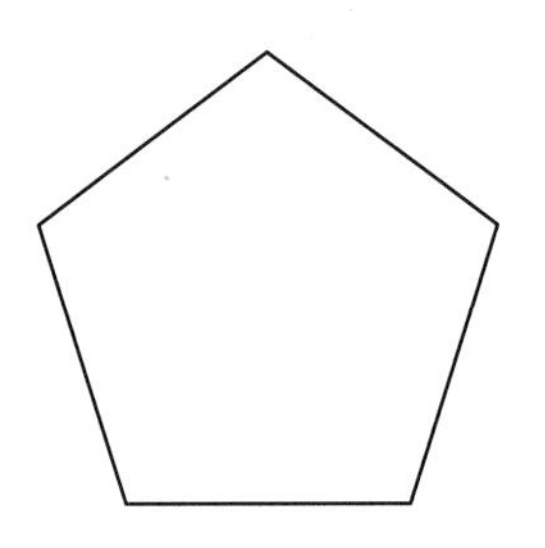

(　　　　)

[5~8] 각도기와 삼각자를 사용하여 주어진 직선에 대한 수선을 그어 보세요.

5

6

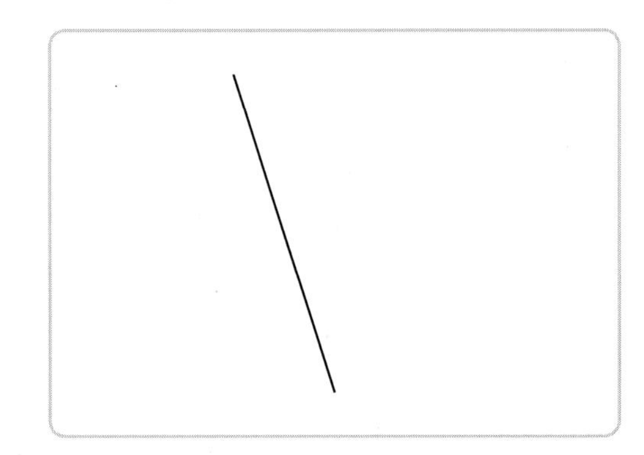

7

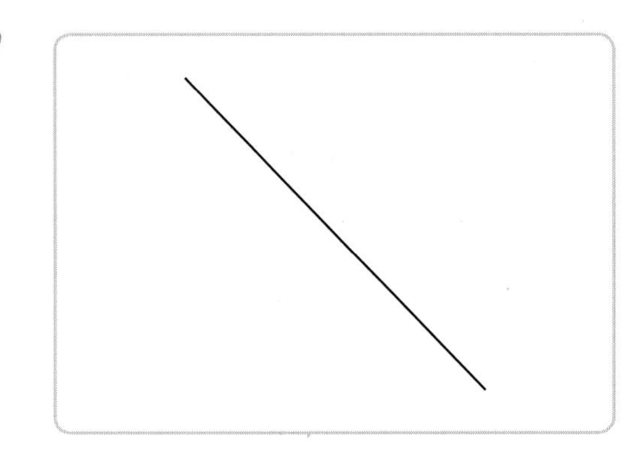

8

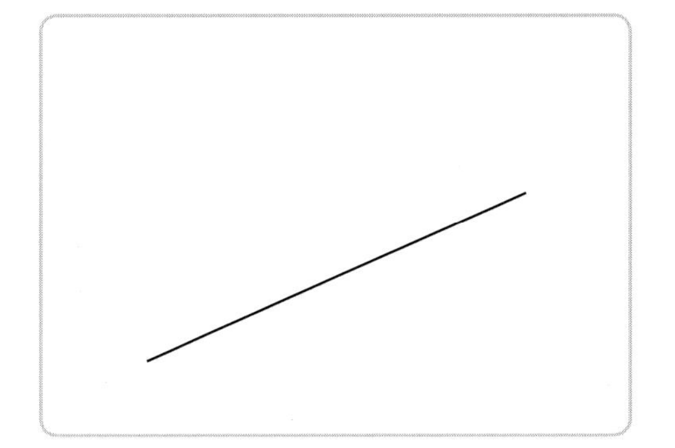

[9~12] 두 직선이 서로 평행하면 ○표, 평행하지 않으면 ×표 하세요.

9

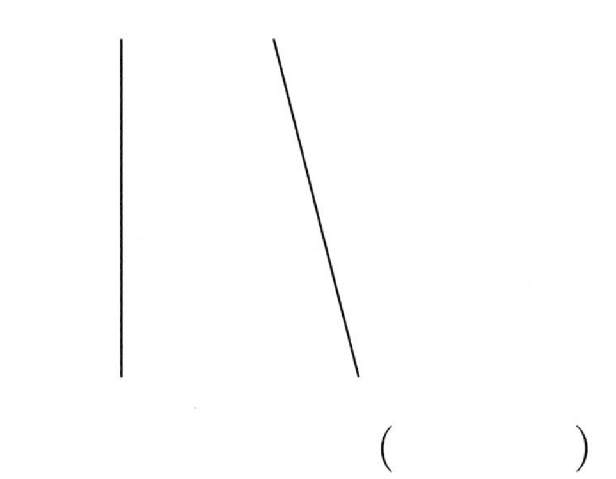

(　　　　)

10

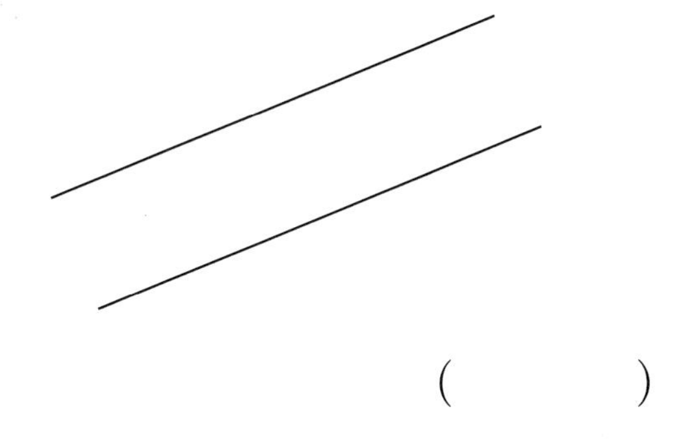

(　　　　)

11

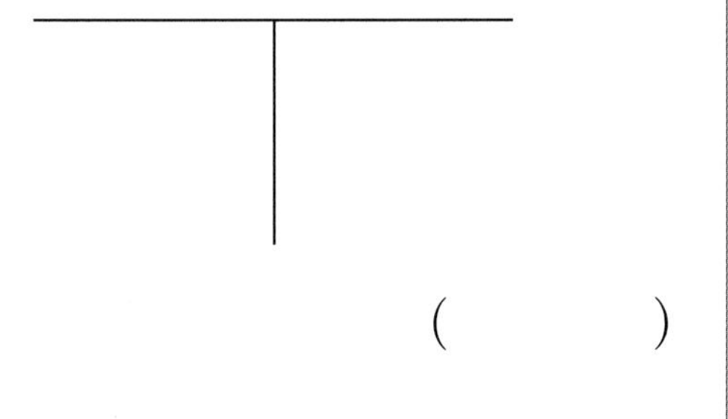

(　　　　)

12

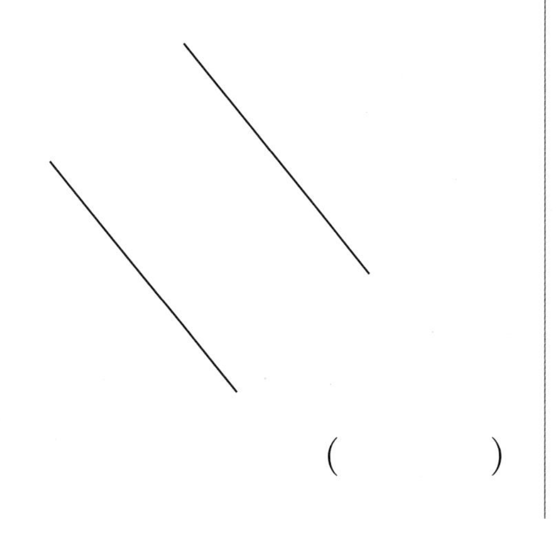

(　　　　)

[13~16] 평행선 사이의 거리를 재어 보세요.

13

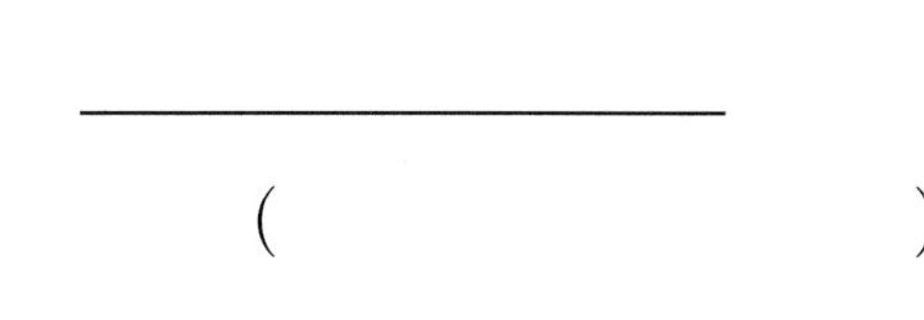

(　　　　)

14

(　　　　)

15

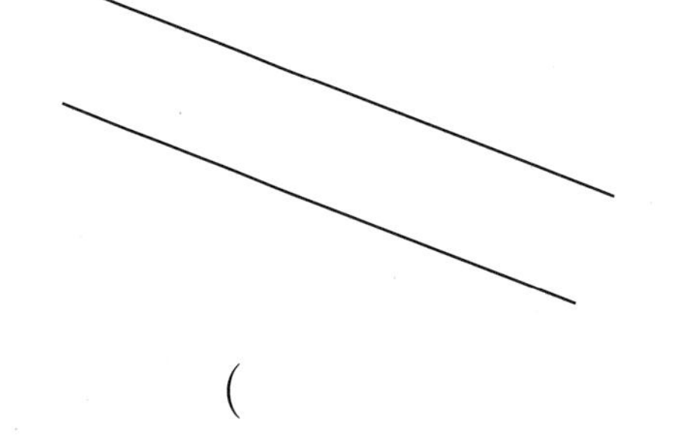

(　　　　)

16

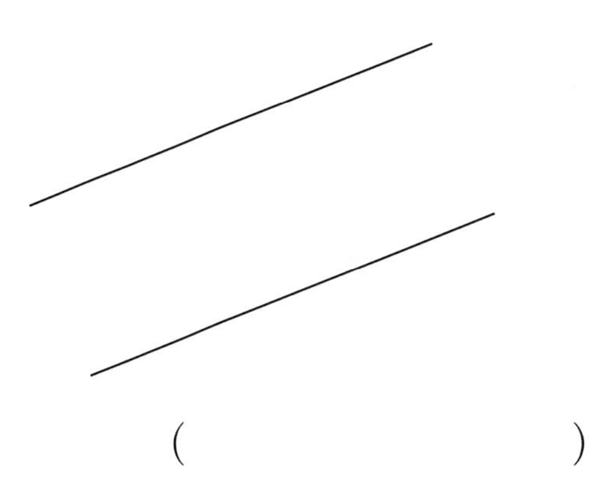

(　　　　)

교과서 개념 확인 문제

1 그림을 보고 □ 안에 알맞은 기호를 써넣으세요.

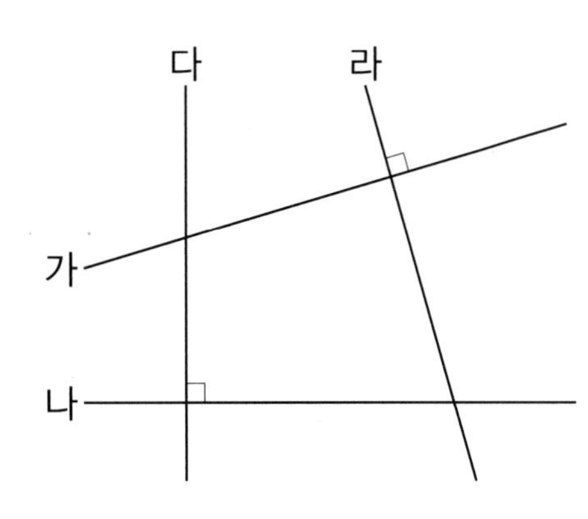

직선 가와 직선 □는 서로 수직으로 만납니다.

또, 직선 나는 직선 □에 대한 수선입니다.

2 서로 수직인 변이 있는 도형을 찾아 ○표 하세요.

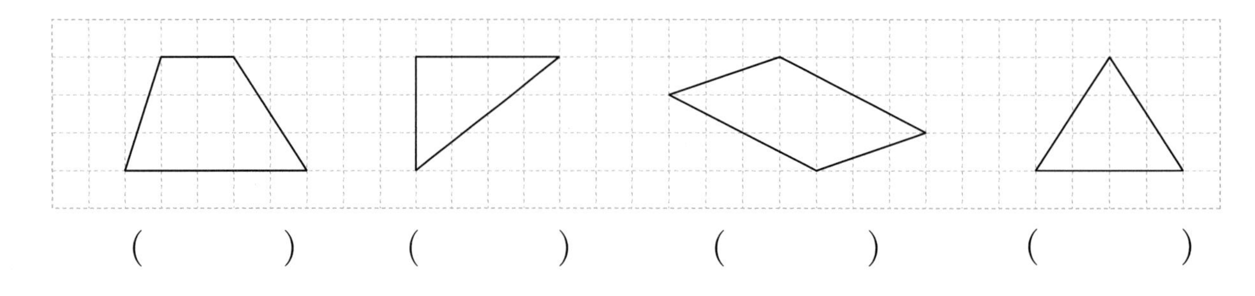

(　　) (　　) (　　) (　　)

3 서로 평행한 두 직선을 찾아 □ 안에 알맞은 기호를 써넣으세요.

(1)

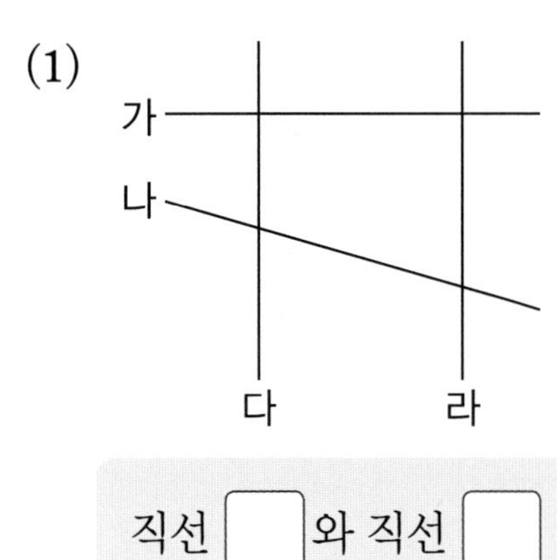

직선 □와 직선 □

(2)

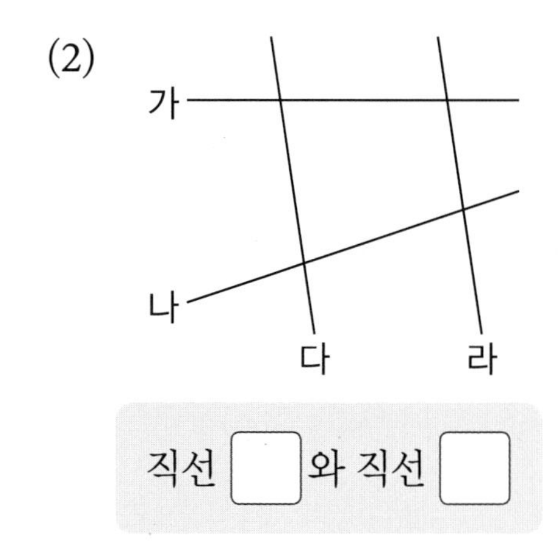

직선 □와 직선 □

4 도형에서 서로 평행한 두 변을 찾아 두 변 사이의 거리를 재어 보세요.

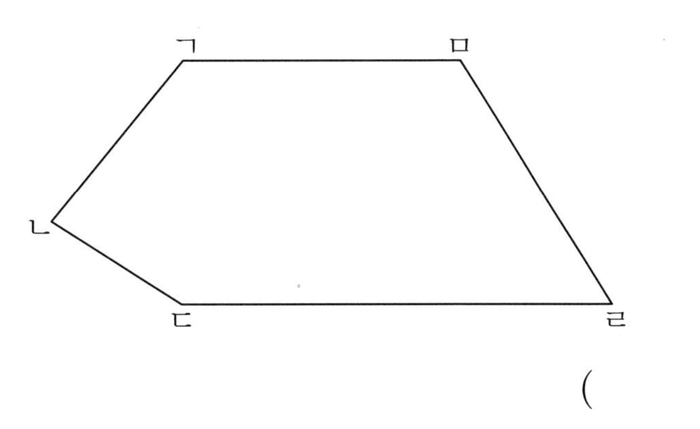

( )

5 평행선 사이의 거리가 8 cm가 되도록 주어진 직선과 평행한 직선을 그어 보세요.

6 도형에서 서로 평행한 변은 모두 몇 쌍인지 써 보세요.

(1)

( )

(2)

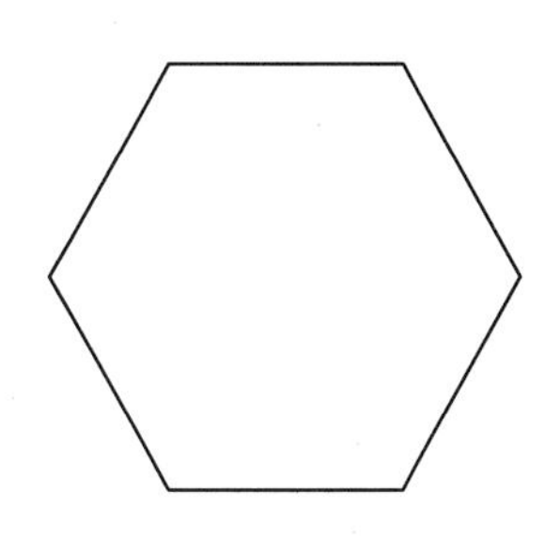

( )

4 단원

7 점 ㄱ을 지나고 직선 가와 평행한 직선을 바르게 그은 것을 찾아 기호를 써 보세요.

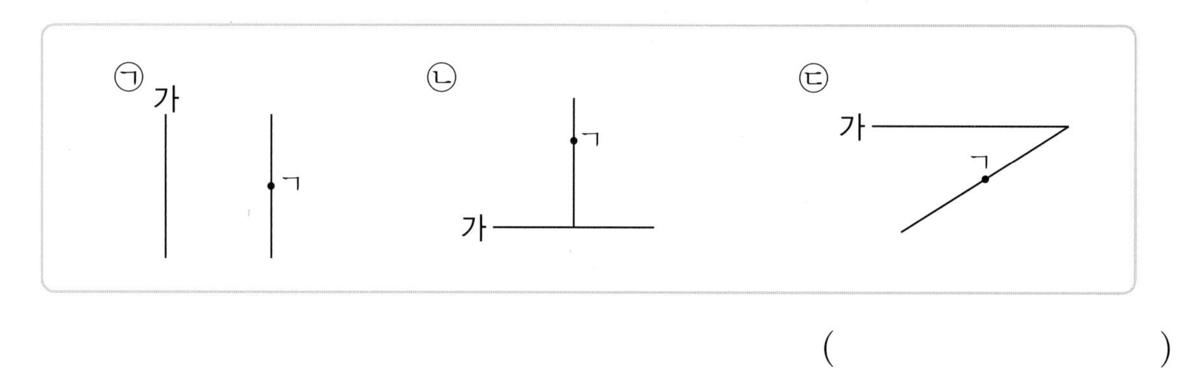

( )

8 빨간색 변과 서로 수직인 변은 모두 몇 개일까요?

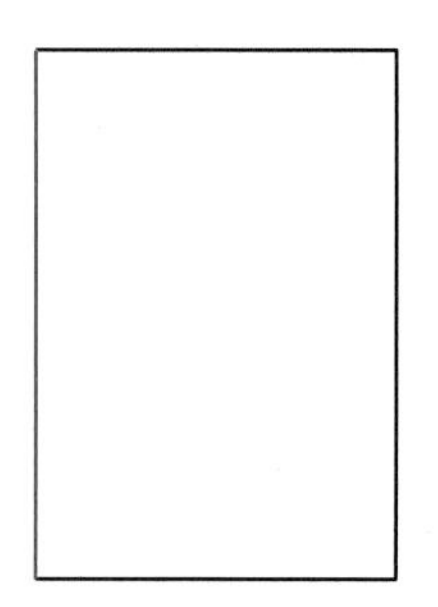

( )

9 삼각자를 사용하여 주어진 직선에 대한 수선을 그어 보세요.

10 평행선 사이의 거리를 나타내는 선분을 모두 찾아 기호를 써 보세요.

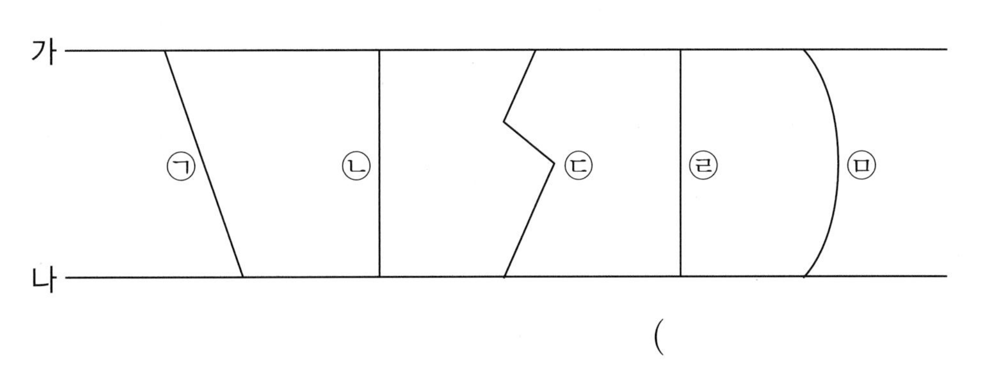

(   )

11 삼각자를 사용하여 점 ㄱ을 지나고 직선 ㉮와 평행한 직선을 그어 보세요.

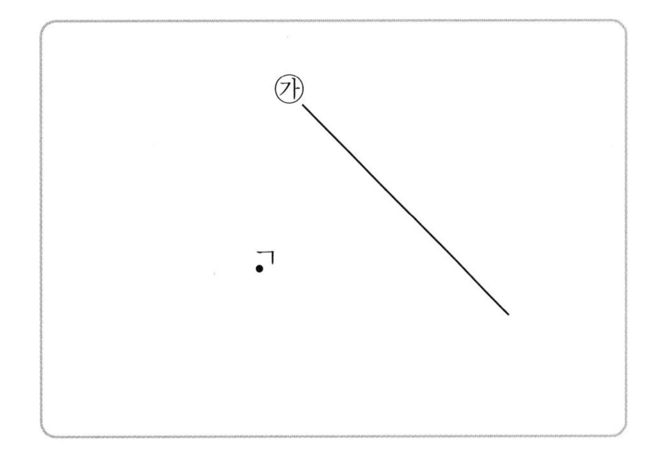

12 평행선에 대한 설명 중 옳은 것을 모두 찾아 기호를 써 보세요.

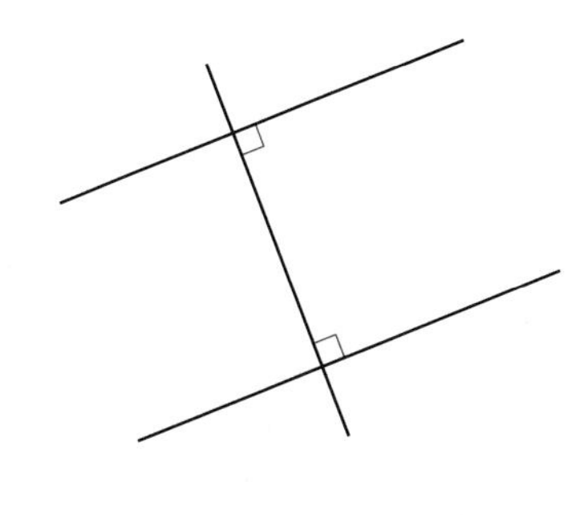

㉠ 한 직선에 수직인 두 직선은 서로 평행합니다.
㉡ 평행한 두 직선이 이루는 각은 직각입니다.
㉢ 평행한 두 직선을 평행선이라고 합니다.
㉣ 평행한 두 직선은 서로 만납니다.

(   )

교과서 개념 잡기

개념 5 사다리꼴 알아보기

평행한 변이 한 쌍이라도 있는 사각형을 사다리꼴이라고 합니다.

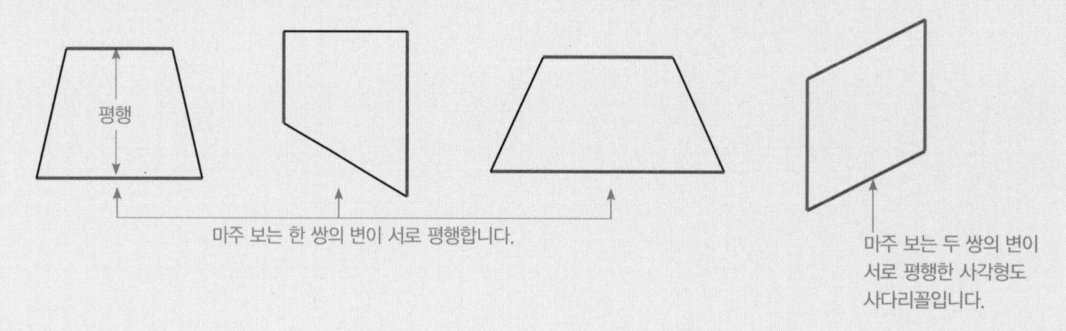

개념 6 평행사변형 알아보기

마주 보는 두 쌍의 변이 서로 평행한 사각형을 평행사변형이라고 합니다.

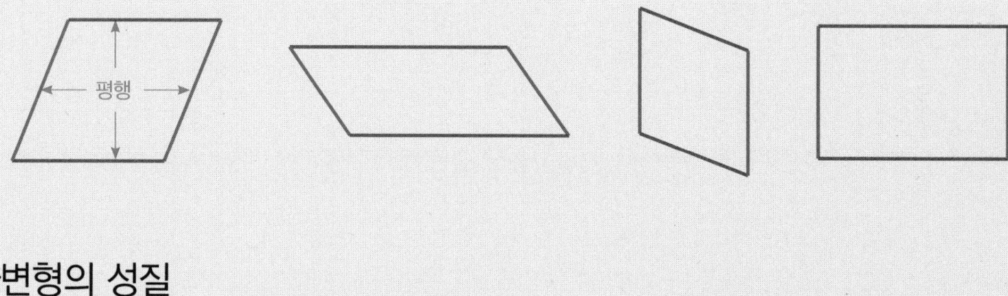

평행사변형의 성질

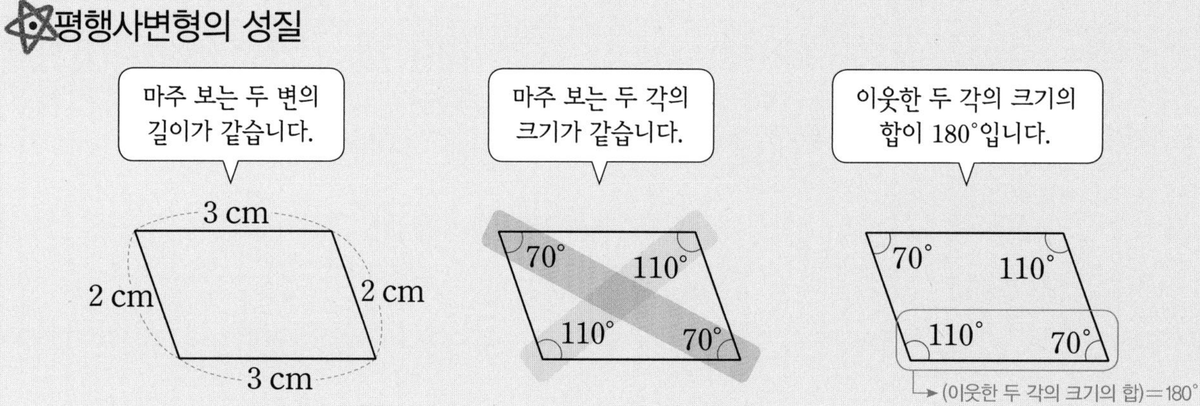

개념 Check

평행사변형에 모두 ○표 하세요.

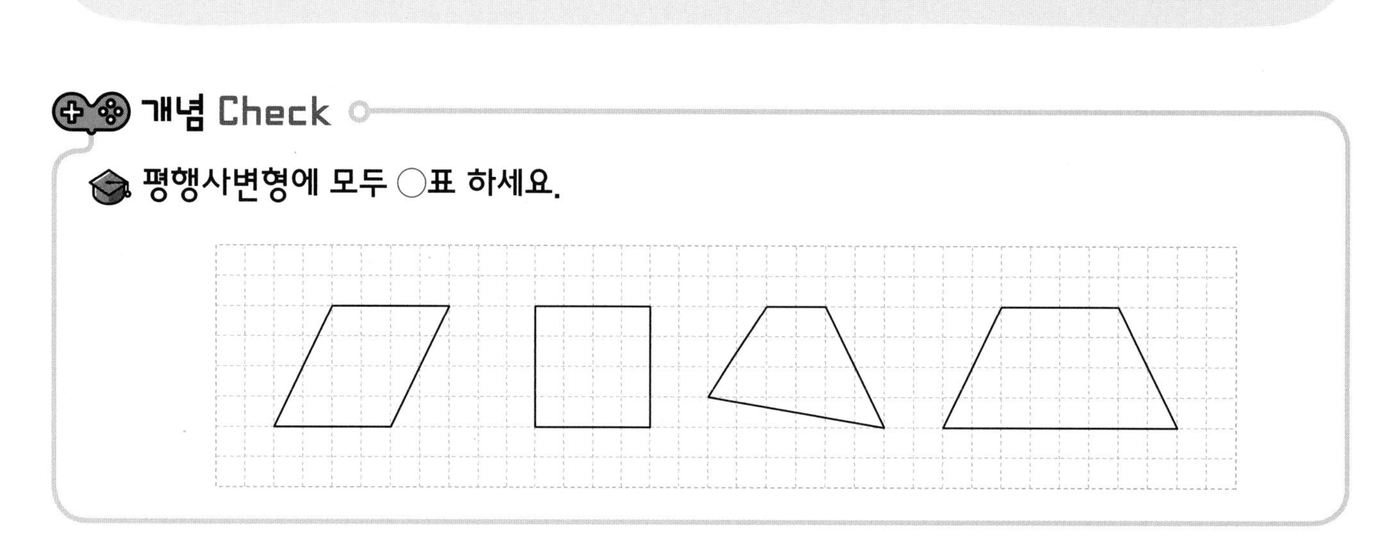

1

다음 사다리꼴에서 서로 평행한 변을 찾아 ○표 하세요.

(1)

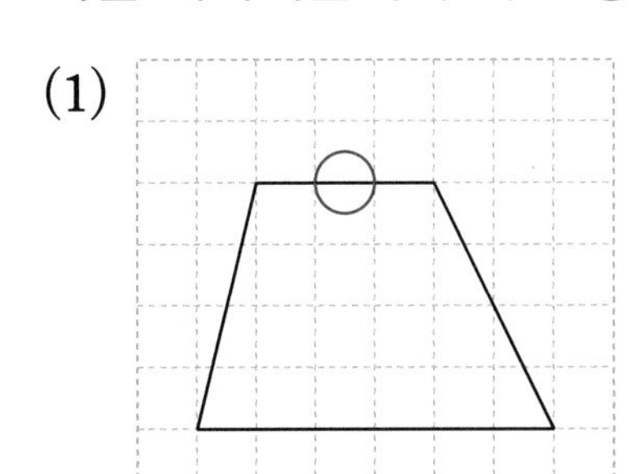

(2)

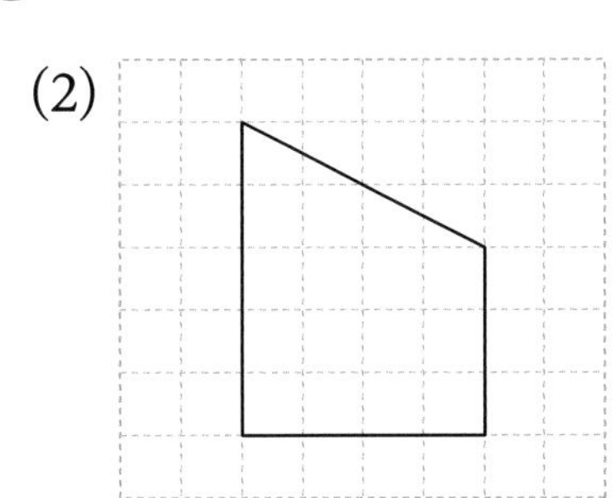

(3)

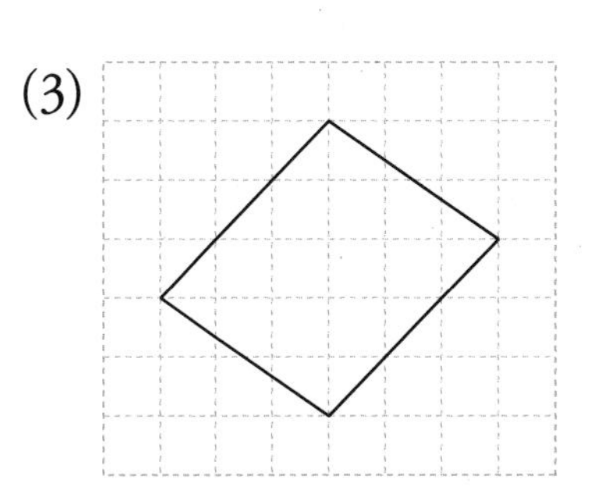

2

사다리꼴에 모두 ○표 하세요.

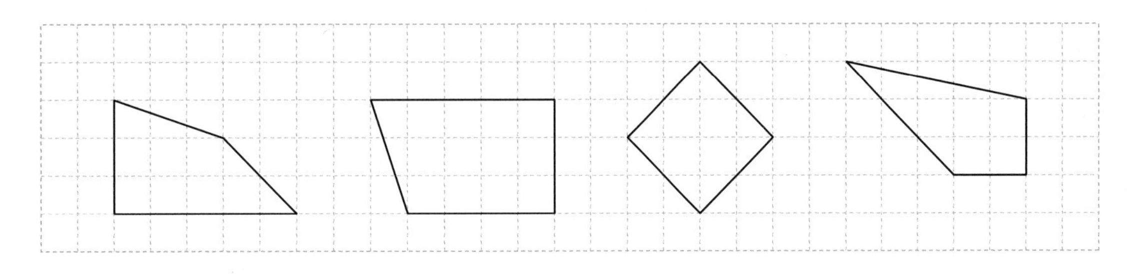

3

평행사변형이 아닌 사각형에 모두 ×표 하세요.

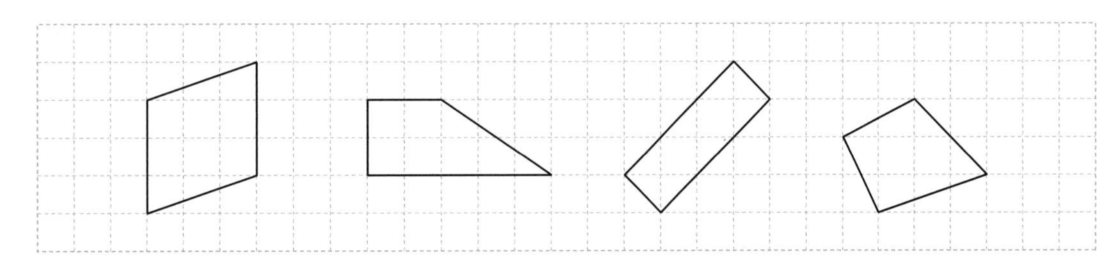

4

평행사변형을 보고 □ 안에 알맞은 수를 써넣으세요.

(1)

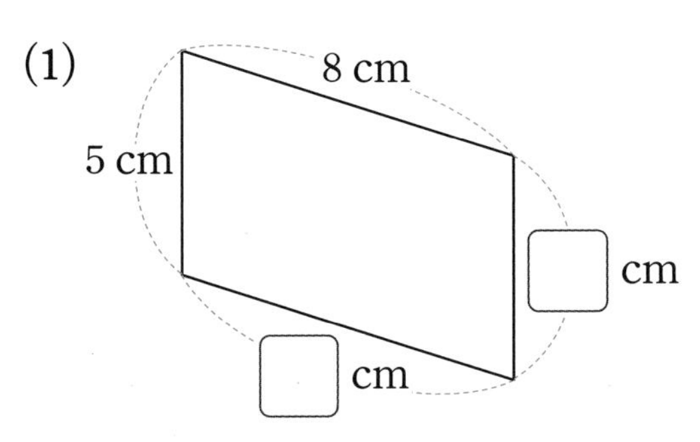

(2)

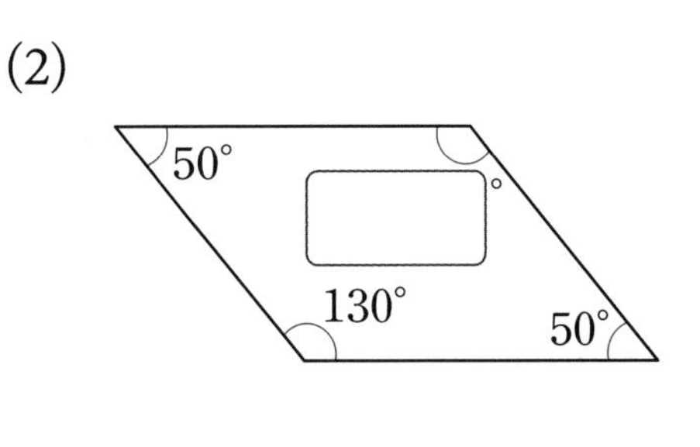

개념 7 마름모 알아보기

네 변의 길이가 모두 같은 사각형을 마름모라고 합니다.

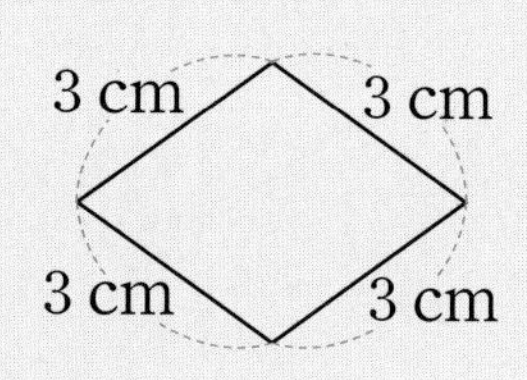

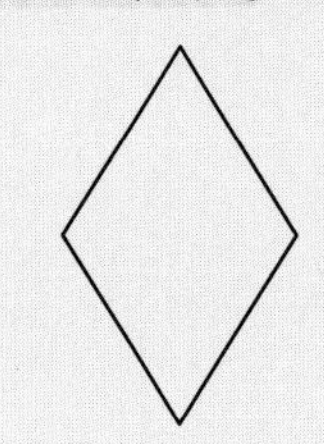

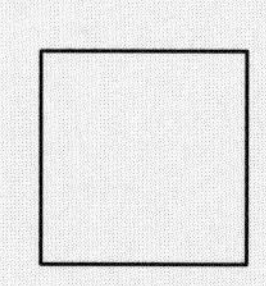

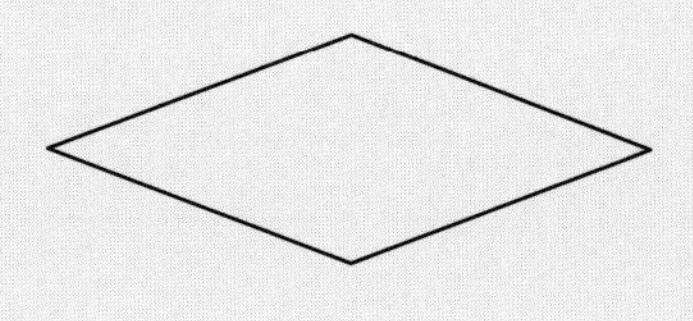

마름모의 성질

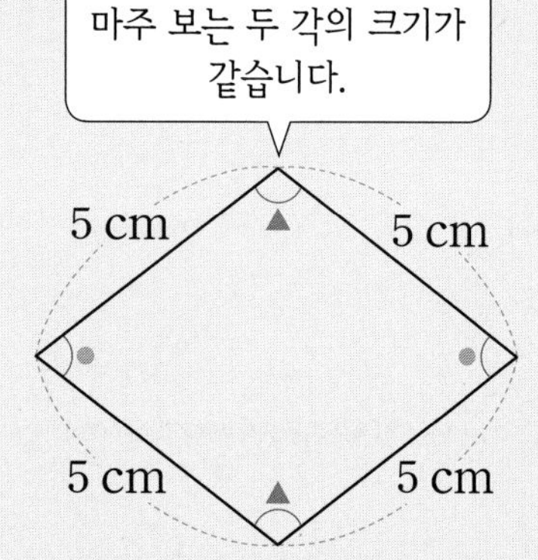

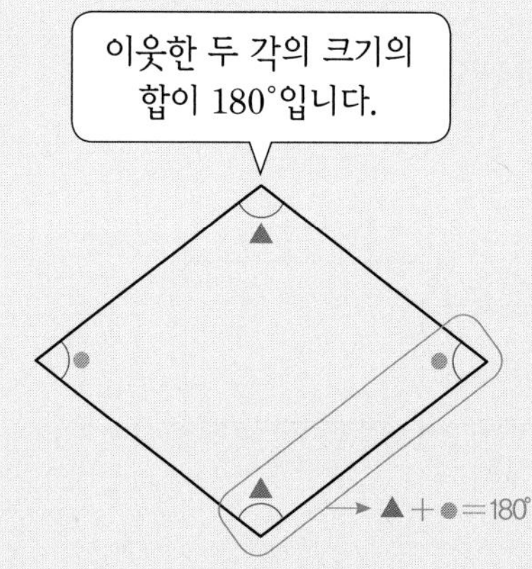

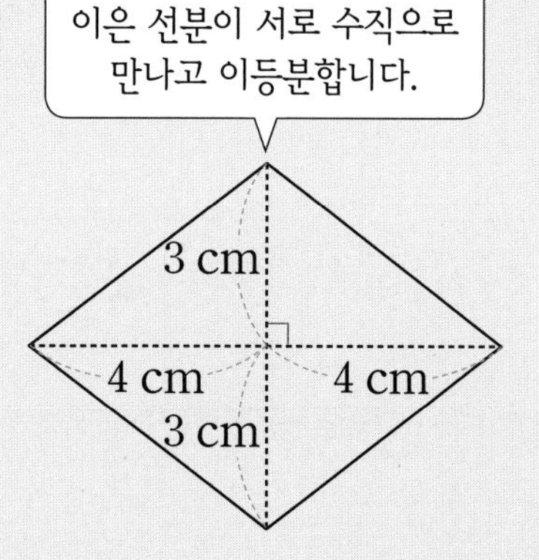

개념 8 여러 가지 사각형 알아보기

• 직사각형과 정사각형의 성질

직사각형	정사각형
• 마주 보는 변의 길이가 같습니다. • 네 각이 모두 직각입니다.	• 네 변의 길이가 모두 같습니다. • 네 각이 모두 직각입니다.

여러 가지 사각형의 관계

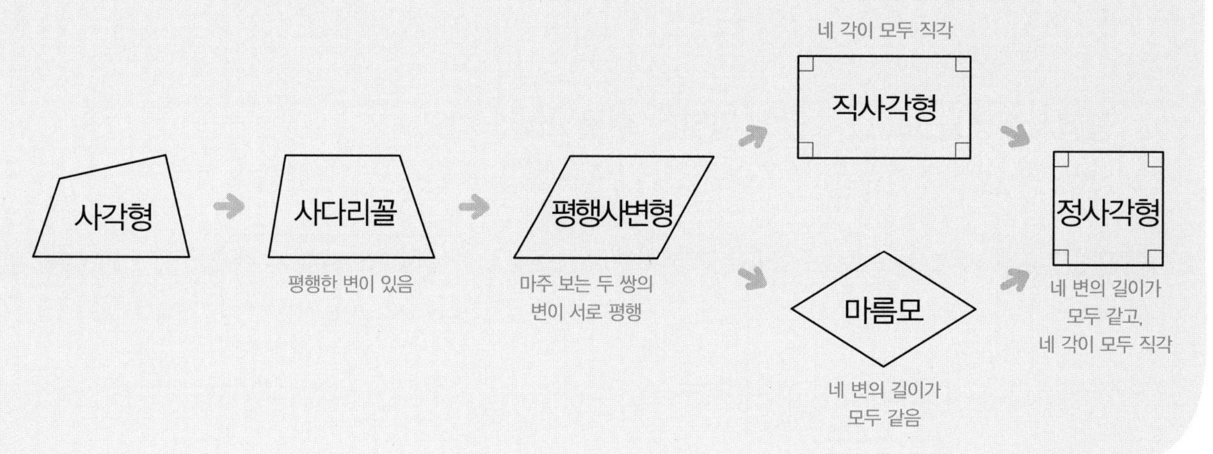

1 사각형을 변의 길이에 따라 분류하여 표를 완성해 보세요.

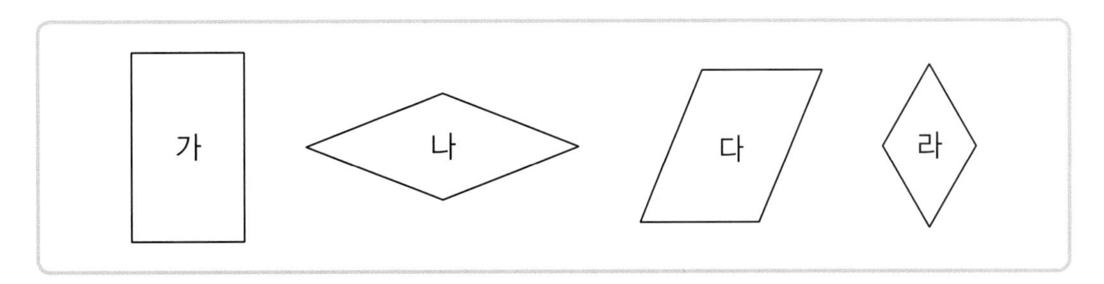

네 변의 길이가 모두 같습니다.	네 변의 길이가 모두 같은 것은 아닙니다.

2 마름모를 보고 □ 안에 알맞은 수를 써넣으세요.

(1)

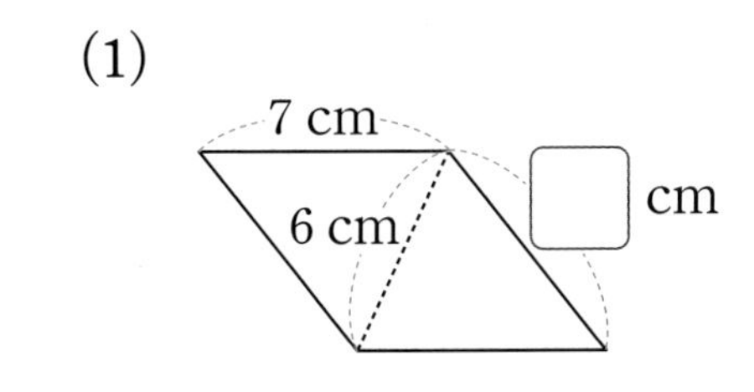

(2)

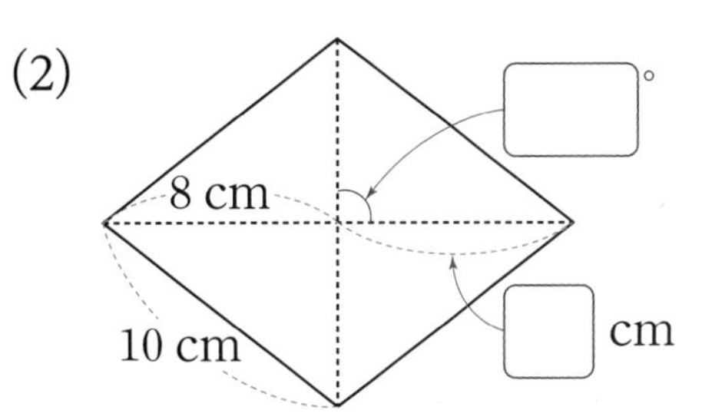

3 정사각형의 성질을 설명한 것입니다. 알맞은 말에 ○표 하세요.

네 변의 길이가 모두 (같고 , 다르고)
네 각이 모두 (예각 , 직각 , 둔각)입니다.

4 사각형 중에서 마름모와 직사각형을 모두 찾아 표를 완성해 보세요.

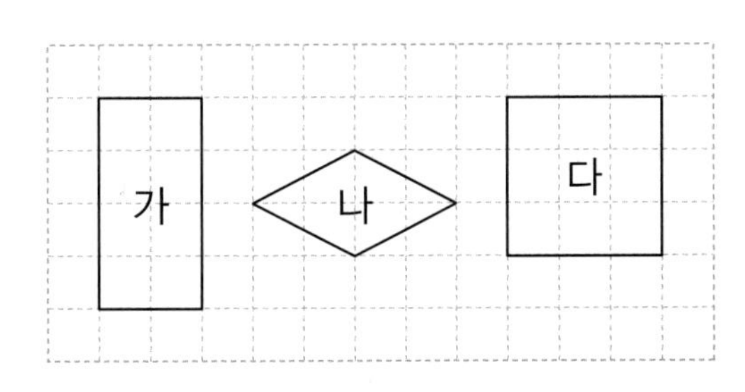

마름모	직사각형

교과서 개념 play 사각형 번호판 전용 주차장

준비물 붙임딱지

사각형 번호판을 단 자동차만 주차할 수 있는 지하 주차장이 있습니다. 번호판의 모양에 따라 주차할 수 있는 층이 정해져 있을 때, 빈 자리가 없도록 알맞은 번호판을 가진 자동차 붙임딱지를 붙여 보세요.

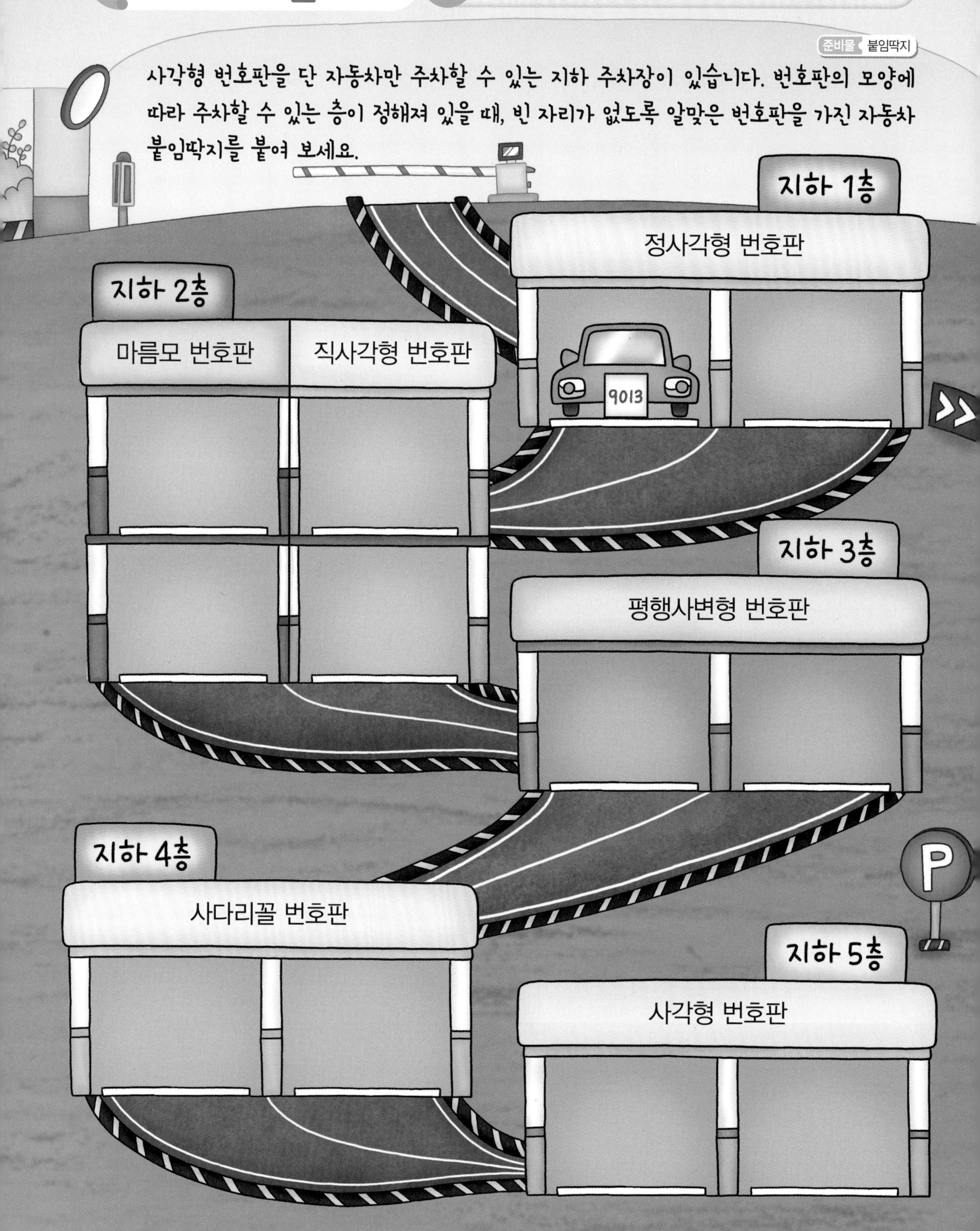

다음은 사각형의 포함 관계를 나타낸 것입니다. 번호판 붙임딱지를 알맞은 곳에 붙여 보세요.

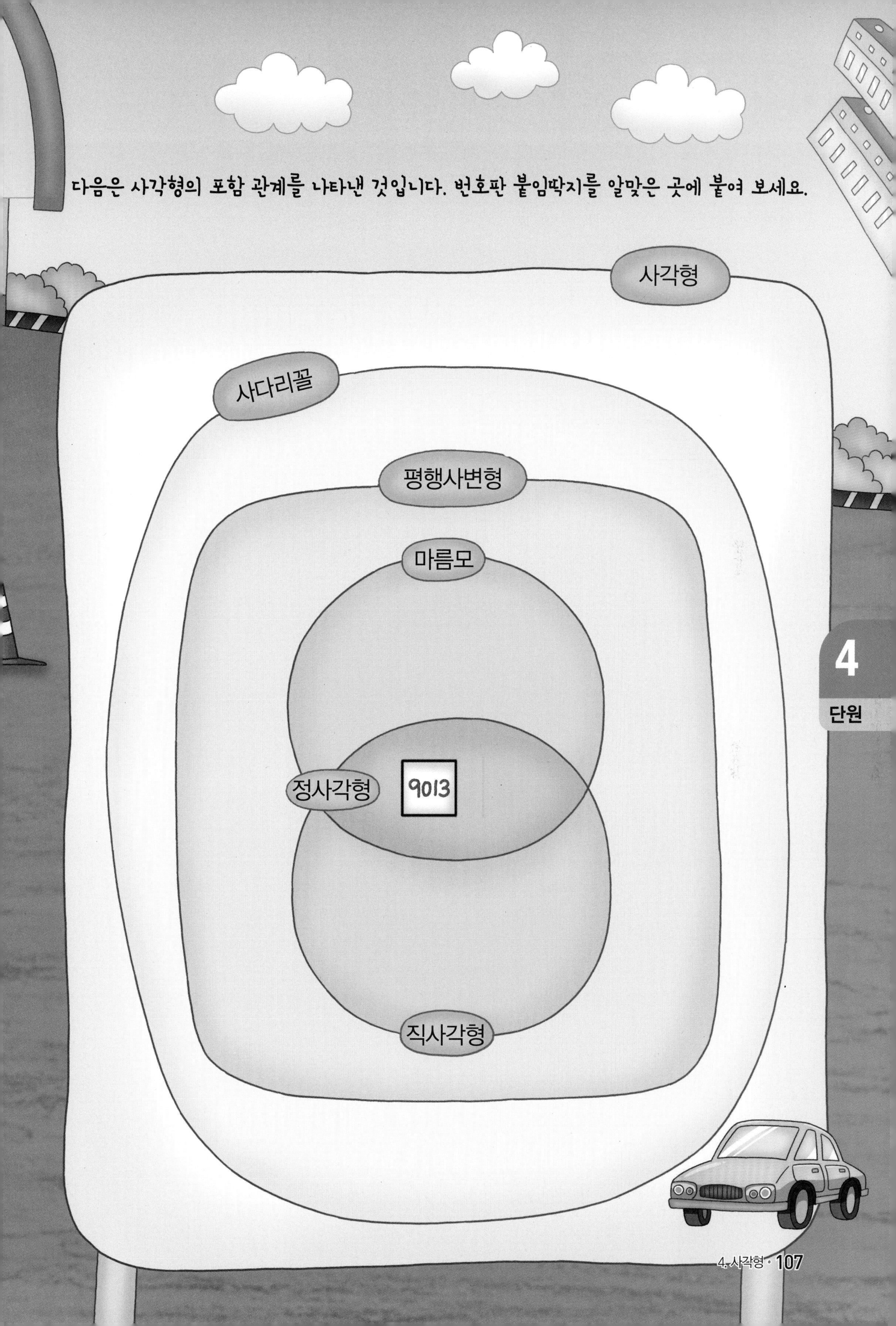

집중! 드릴 문제

[1~5] 주어진 선분을 이용하여 사다리꼴을 완성해 보세요.

1

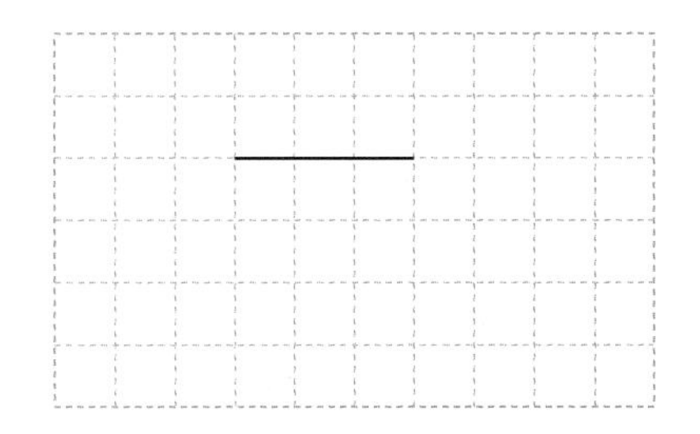

2

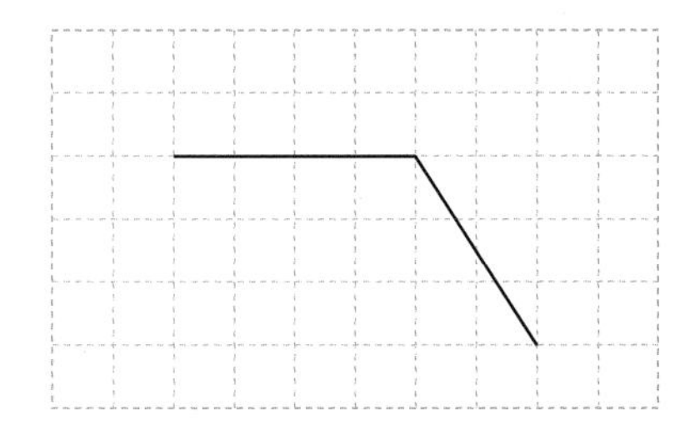

3

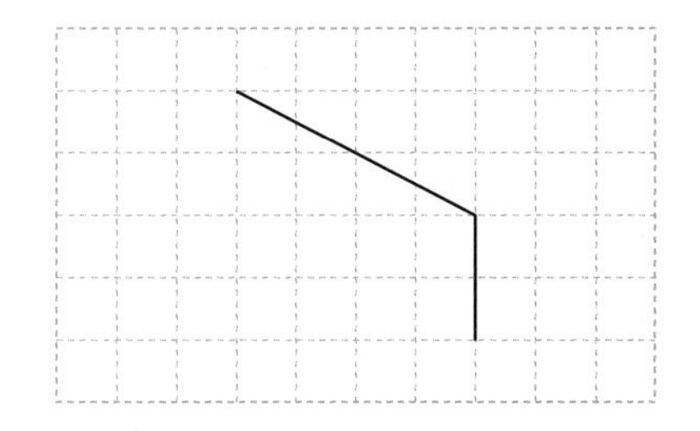

4

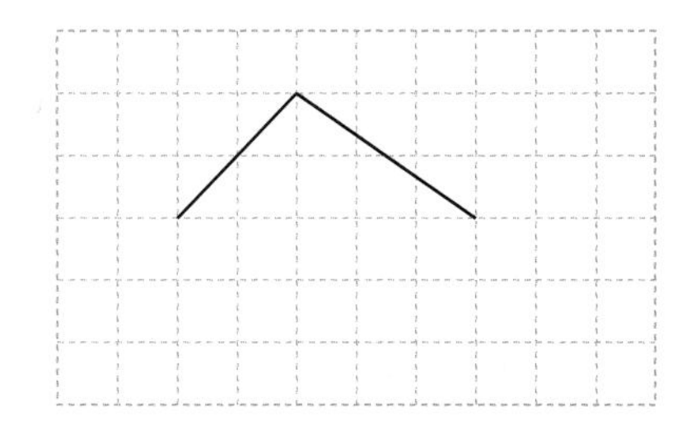

5

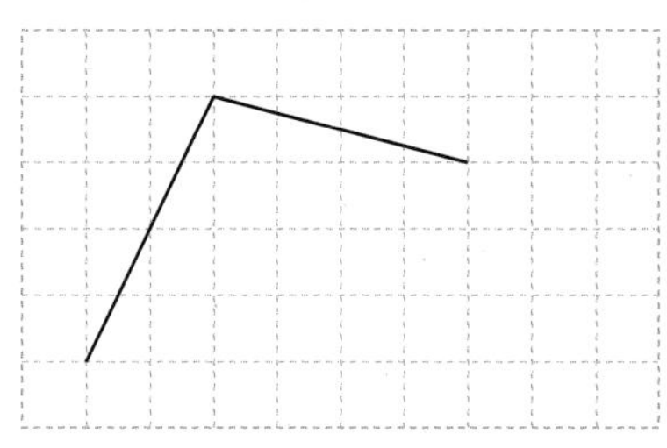

[6~10] 주어진 선분을 이용하여 평행사변형을 완성해 보세요.

6

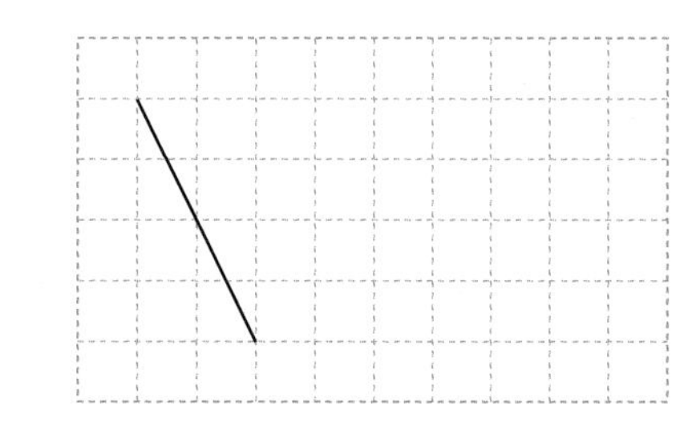

7

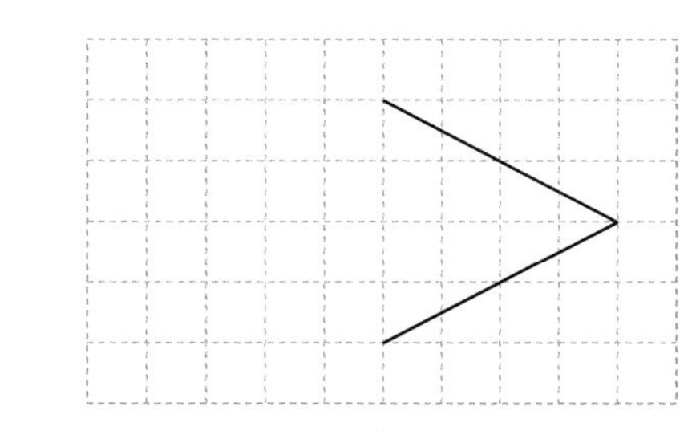

8

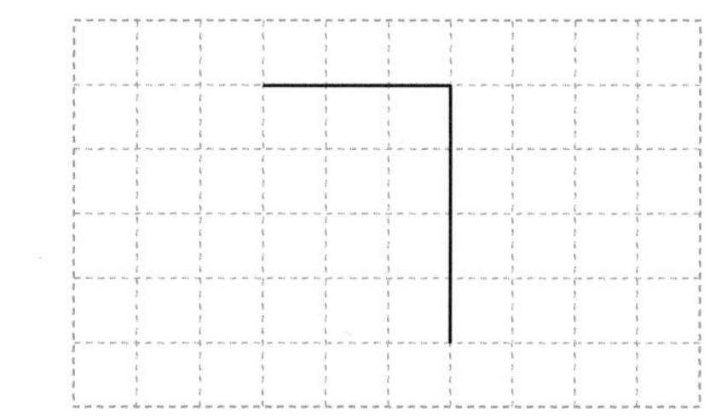

9

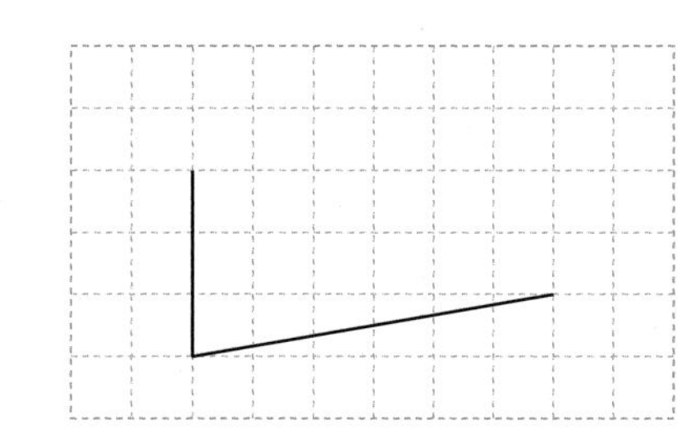

10

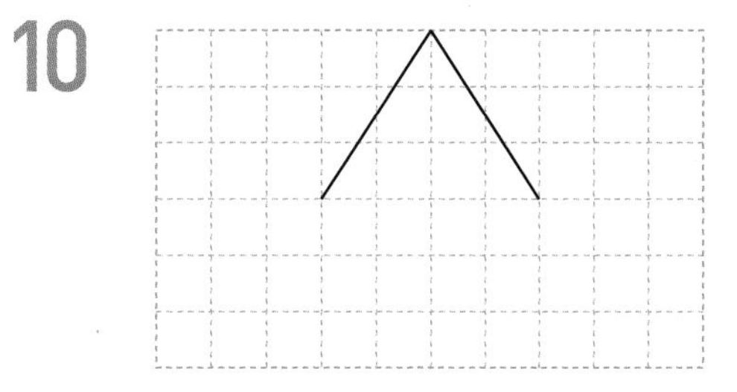

[11~14] 마름모를 보고 □ 안에 알맞은 수를 써넣으세요.

11

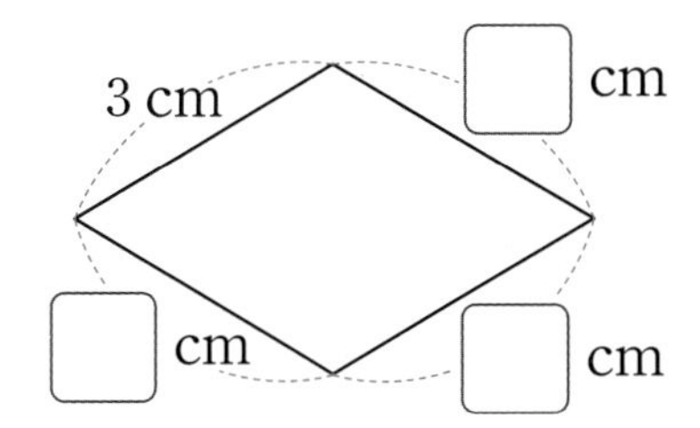

12

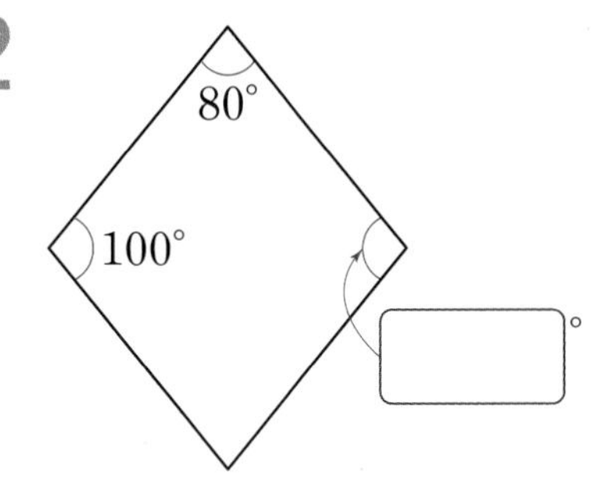

13

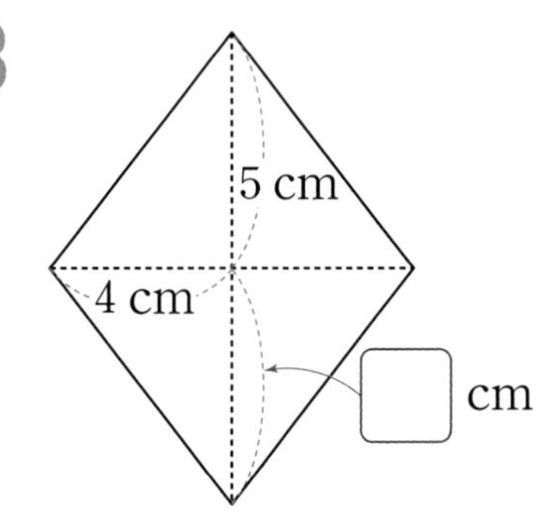

14

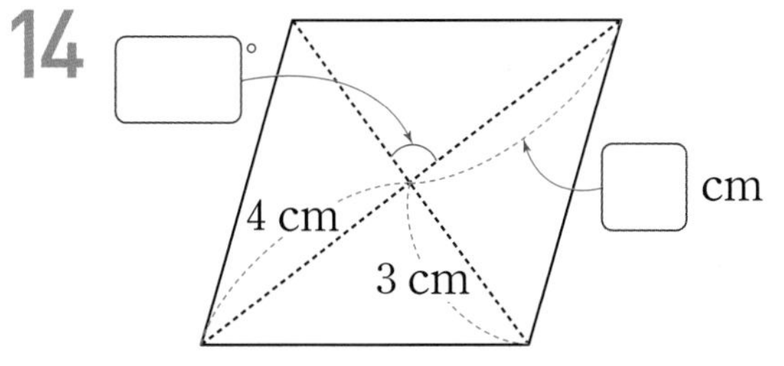

[15~19] 사각형을 보고 물음에 답하세요.

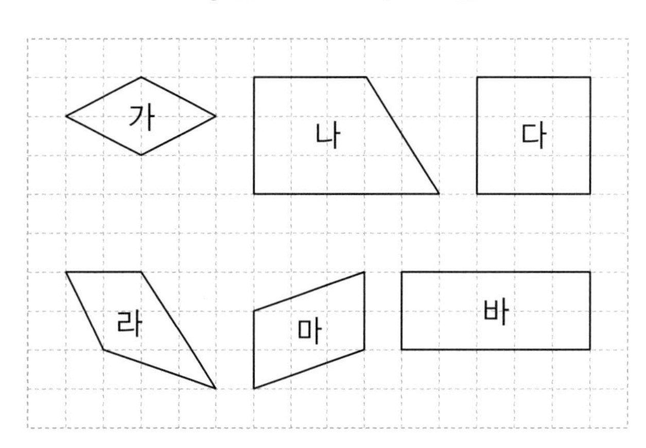

15 사다리꼴을 모두 찾아 기호를 써 보세요.

( )

16 평행사변형을 모두 찾아 기호를 써 보세요.

( )

17 마름모를 모두 찾아 기호를 써 보세요.

( )

18 직사각형을 모두 찾아 기호를 써 보세요.

( )

19 정사각형을 찾아 기호를 써 보세요.

( )

4 단원

교과서 개념 확인 문제

[1~3] 사각형을 보고 물음에 답하세요.

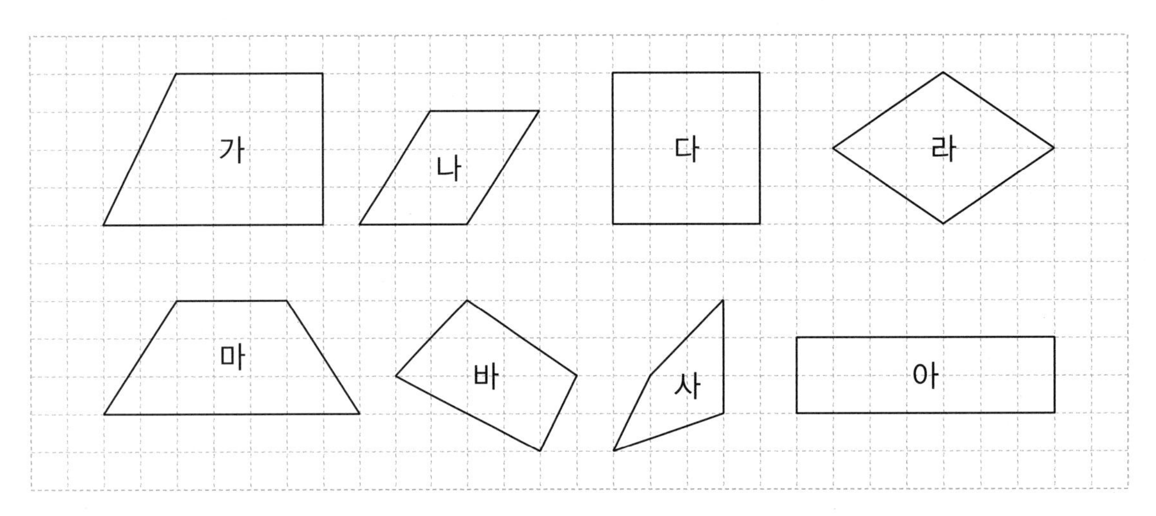

1 사다리꼴을 모두 찾아 기호를 써 보세요.

(　　　　　　　　　　　　)

2 평행사변형을 모두 찾아 기호를 써 보세요.

(　　　　　　　　　　　　)

3 마름모와 직사각형을 모두 찾아 기호를 써 보세요.

마름모 (　　　　　　　　), 직사각형 (　　　　　　　　)

4 평행사변형을 보고 □ 안에 알맞은 수를 써넣으세요.

(1)

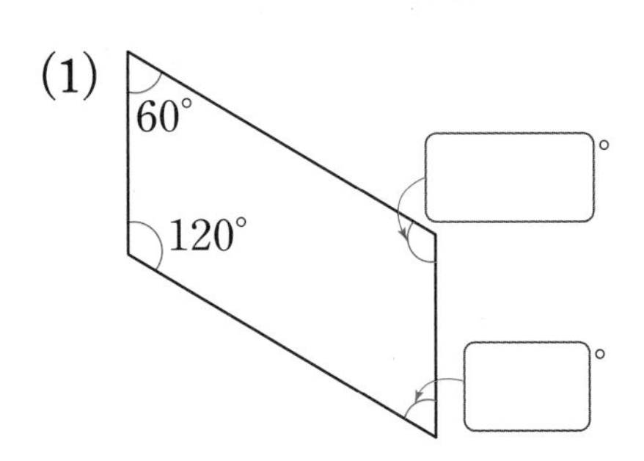

(2)

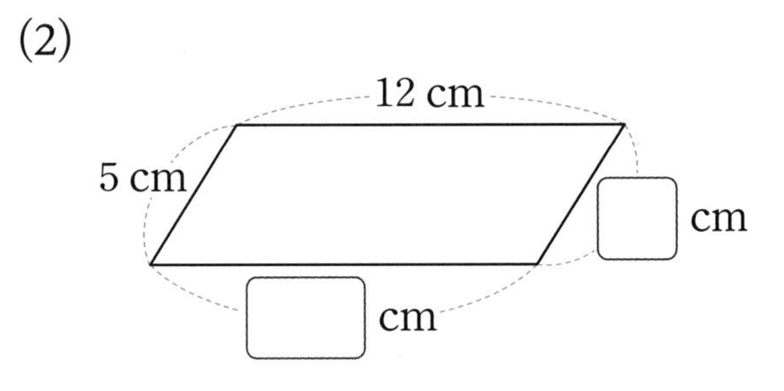

5 정사각형을 완성해 보세요.

(1)

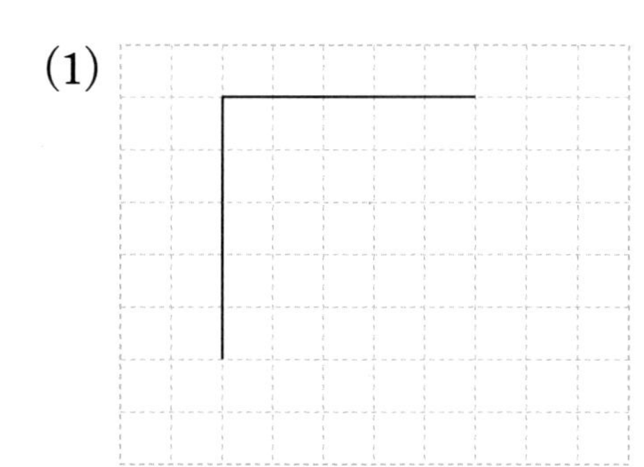

(2)

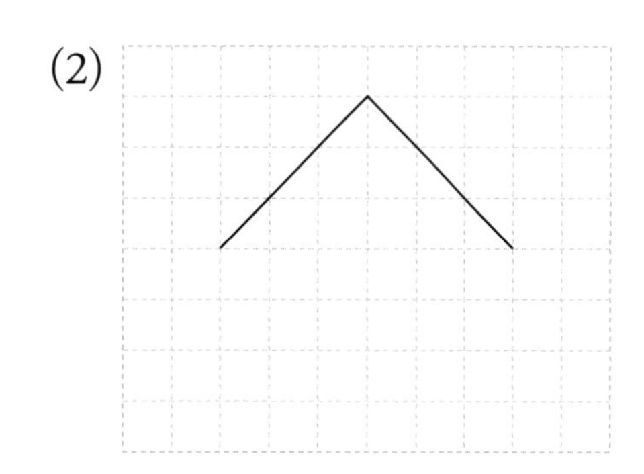

6 도형의 점 ㄱ을 옮겨서 사다리꼴을 만들려고 합니다. 점 ㄱ을 어느 점으로 옮겨야 할까요? ( )

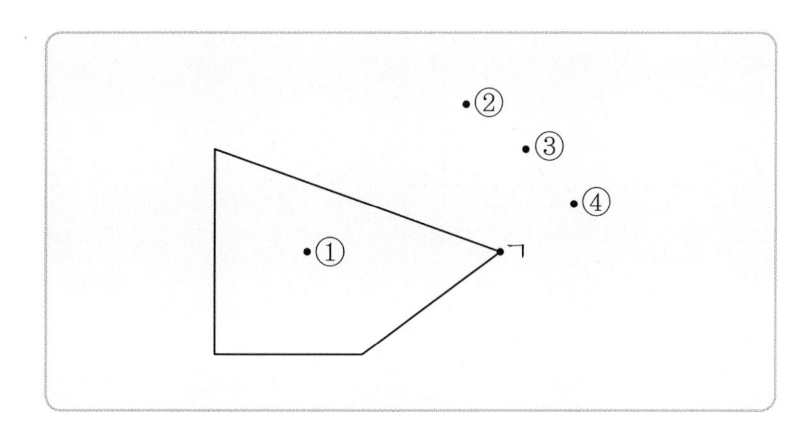

7 평행사변형의 네 변의 길이의 합은 몇 cm일까요?

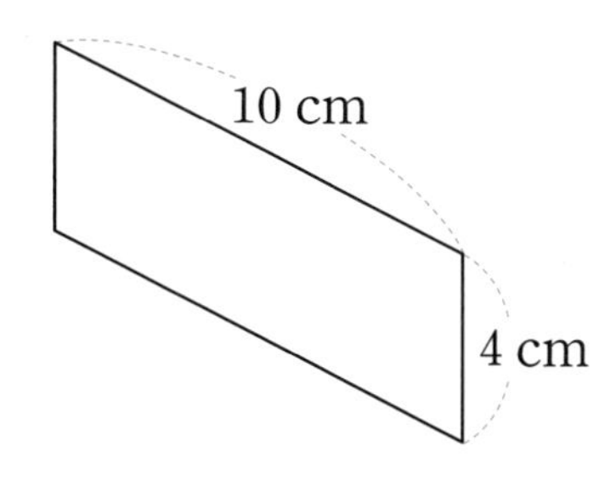

( )

8 직사각형에서 서로 평행한 변을 모두 찾아 써 보세요.

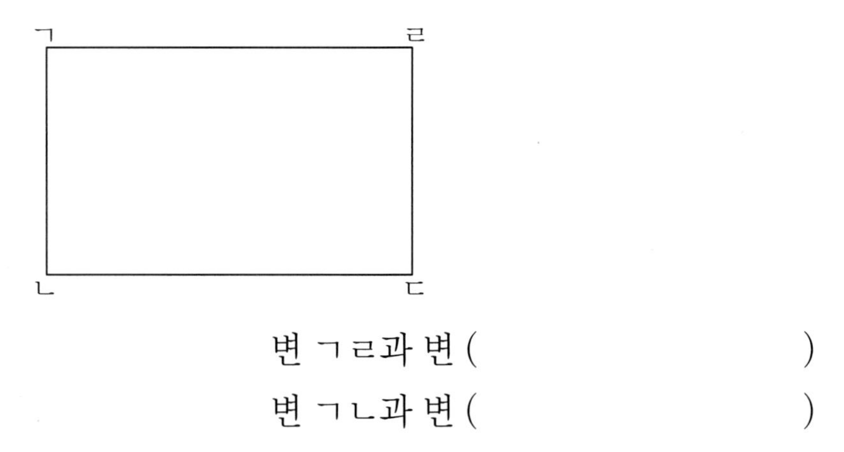

변 ㄱㄹ과 변 (　　　　　　　)

변 ㄱㄴ과 변 (　　　　　　　)

9 직사각형을 모두 찾아 기호를 써 보세요.

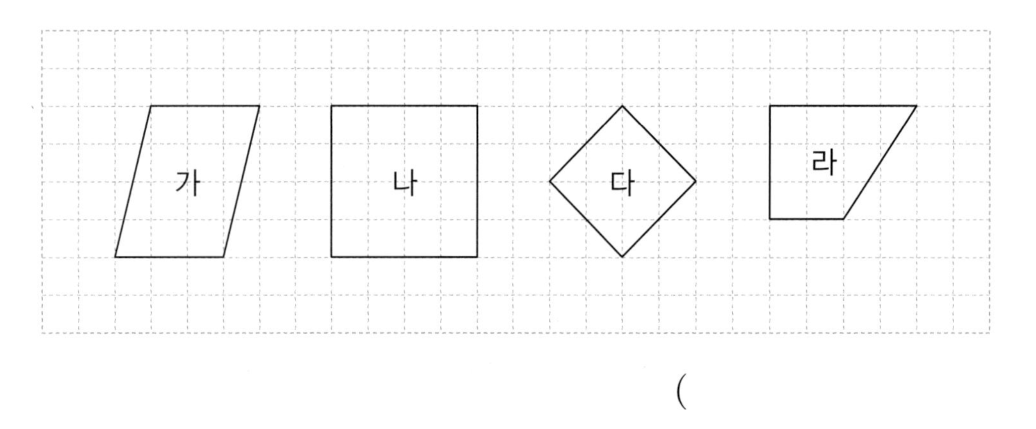

(　　　　　　　　　　)

10 마름모를 보고 □ 안에 알맞은 수를 써넣으세요.

(1)　　　　　　　　　　(2)

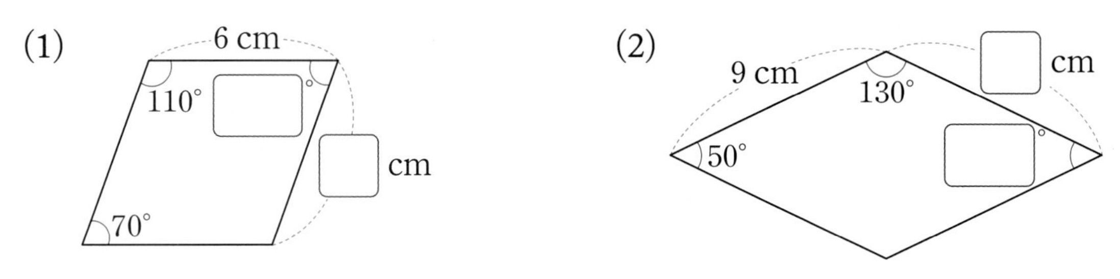

11 마름모 ㄱㄴㄷㄹ을 보고 물음에 답하세요.

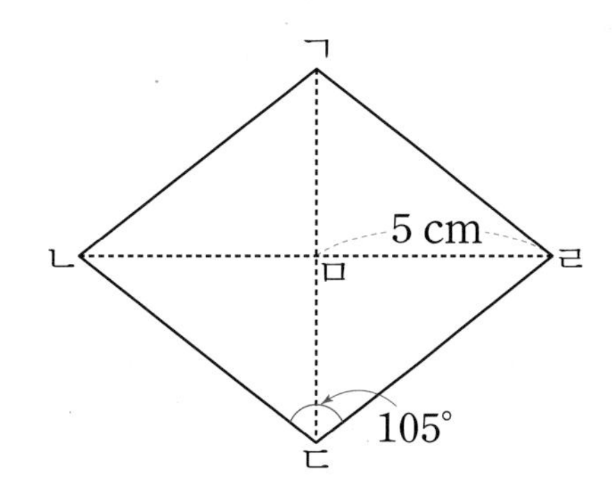

(1) 각 ㄱㄴㄷ의 크기를 구해 보세요.

( )

(2) 선분 ㄴㄹ의 길이를 구해 보세요.

( )

(3) 각 ㄱㅁㄹ의 크기를 구해 보세요.

( )

4 단원

12 정사각형에 대한 설명으로 맞으면 ○표, 틀리면 ×표 하세요.

(1) 정사각형은 네 변의 길이가 모두 같습니다. ( )

(2) 정사각형은 네 각이 모두 직각입니다. ( )

(3) 정사각형은 사다리꼴이라고 할 수 없습니다. ( )

(4) 정사각형은 마름모라고 할 수 있습니다. ( )

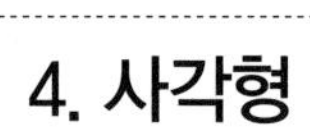

개념 확인평가

4. 사각형

맞은 개수

1 두 직선이 만나서 이루는 각이 직각인 곳을 모두 찾아 ⊾ 로 표시해 보세요.

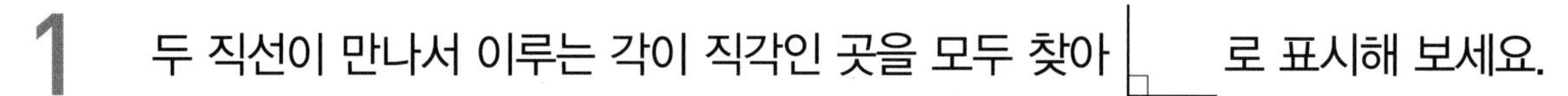

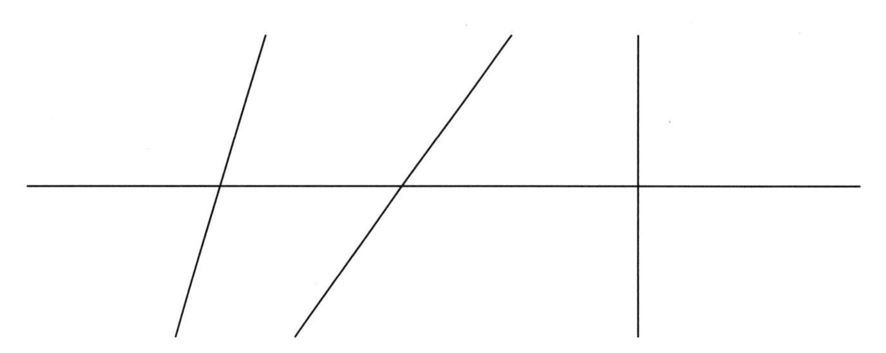

2 그림을 보고 물음에 답하세요.

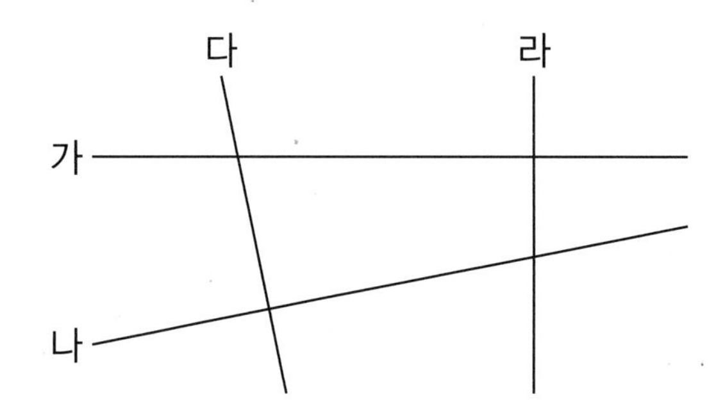

(1) 직선 가와 서로 수직으로 만나는 직선을 찾아 기호를 써 보세요.

직선 (　　　　　　　　　)

(2) 직선 다에 대한 수선을 찾아 기호를 써 보세요.

직선 (　　　　　　　　　)

3 직선 가와 직선 나는 서로 평행합니다. 평행선 사이의 거리는 몇 cm일까요?

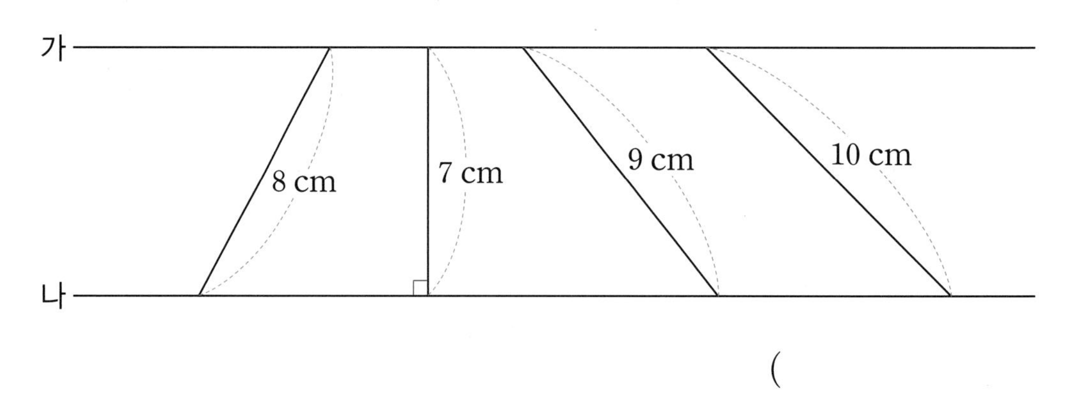

(　　　　　　　　　)

4 다음 중 사다리꼴이 아닌 것은 어느 것일까요? .... (   )

① 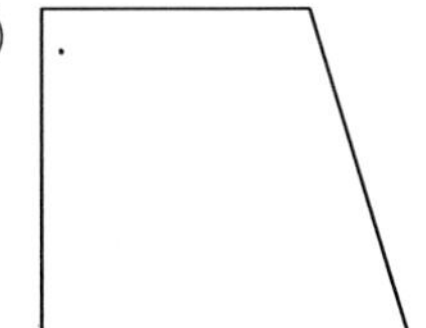

② 

③ 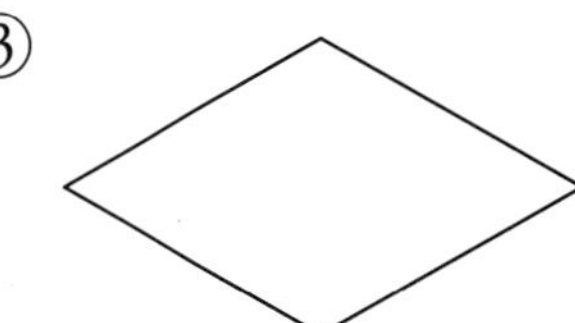

④ 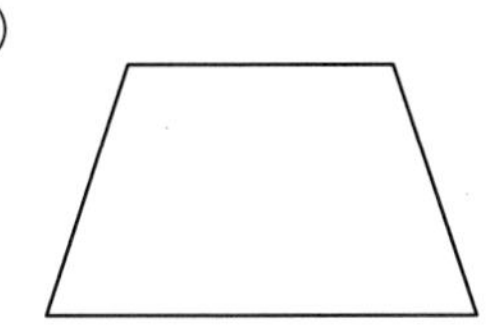

⑤ 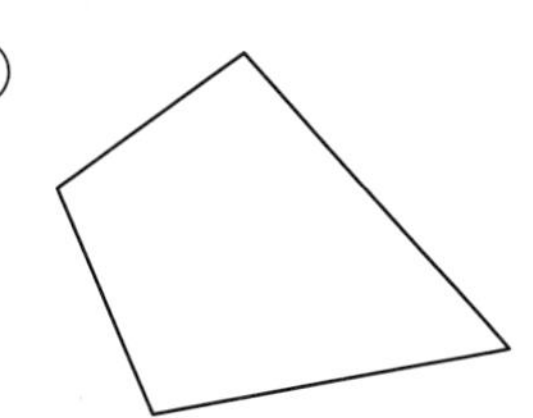

5 도형에서 변 ㄱㄴ과 평행한 변은 모두 몇 개인지 써 보세요.

(1) 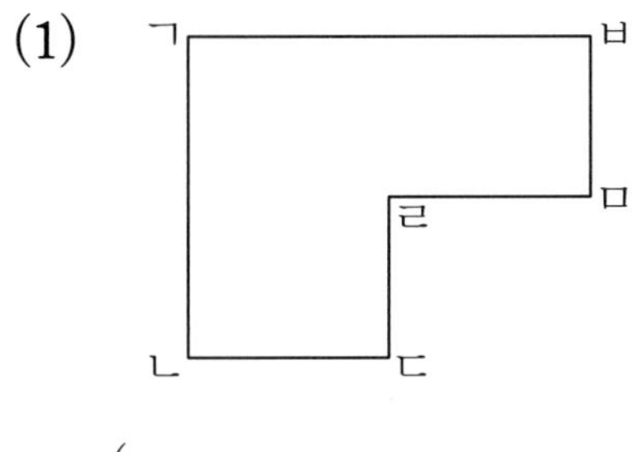

(   )

(2) 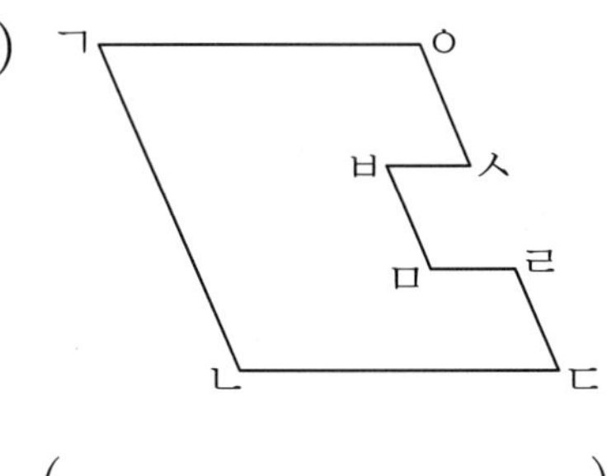

(   )

6 주어진 선분을 이용하여 마주 보는 두 쌍의 변이 서로 평행한 사각형을 그려 보세요.

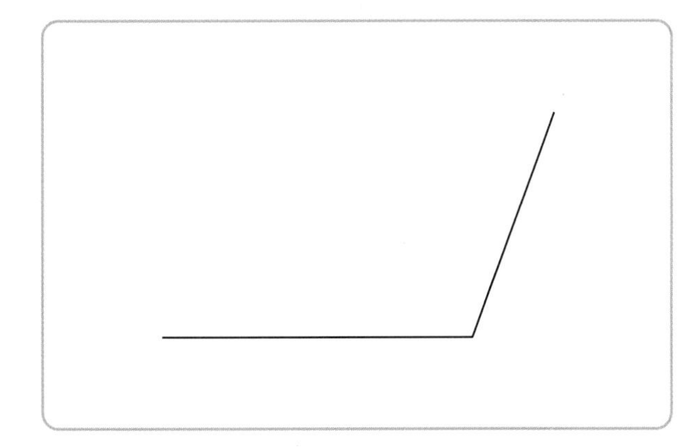

4 단원

7 혜윤이네 방 창문은 삼각형과 사각형 모양으로 이루어져 있습니다. 창문을 보고 물음에 답하세요.

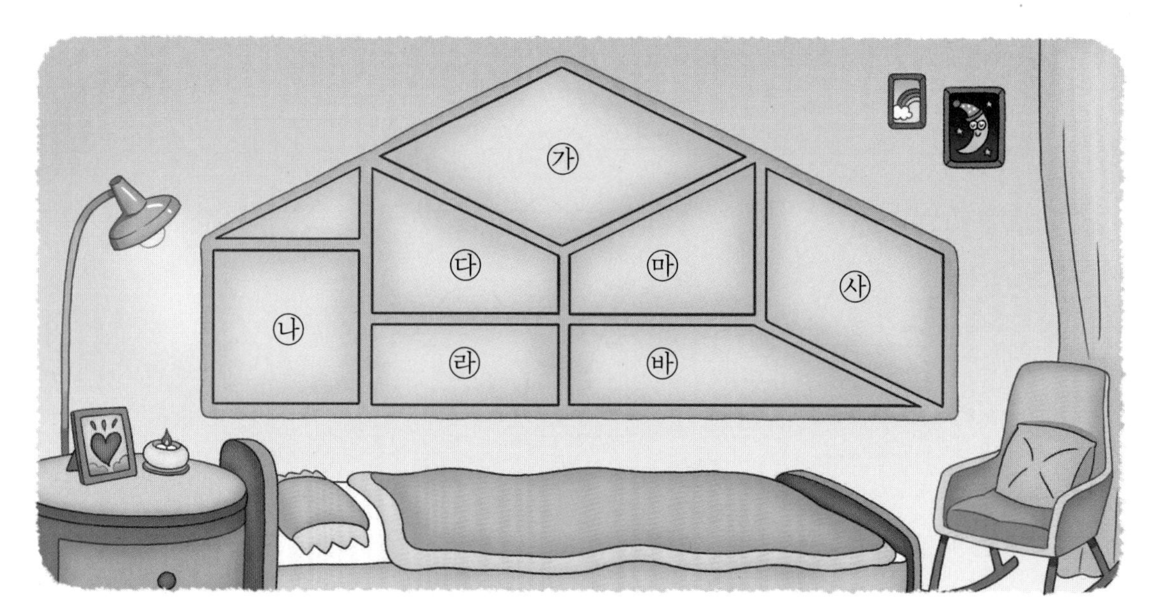

(1) 사다리꼴을 모두 찾아 기호를 써 보세요.

( )

(2) 평행사변형을 모두 찾아 기호를 써 보세요.

( )

(3) 직사각형을 모두 찾아 기호를 써 보세요.

( )

(4) 마름모를 모두 찾아 기호를 써 보세요.

( )

(5) 정사각형을 찾아 기호를 써 보세요.

( )

5 꺾은선그래프

학습 계획표

내용	쪽수	날짜	확인
교과서 개념 잡기	118~121쪽	월 일	
교과서 개념 play / 집중! 드릴 문제	122~125쪽	월 일	
교과서 개념 확인 문제	126~129쪽	월 일	
교과서 개념 잡기	130~133쪽	월 일	
교과서 개념 play / 집중! 드릴 문제	134~137쪽	월 일	
교과서 개념 확인 문제	138~141쪽	월 일	
개념 확인평가	142~144쪽	월 일	

교과서 개념 잡기

개념 1 꺾은선그래프 알아보기

수량을 점으로 표시하고, 그 점들을 선분으로 이어 그린 그래프를 꺾은선그래프라고 합니다.

• 막대그래프와 꺾은선그래프 비교하기

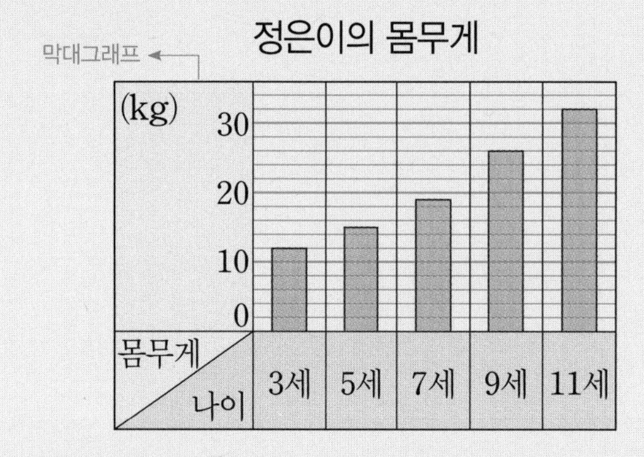

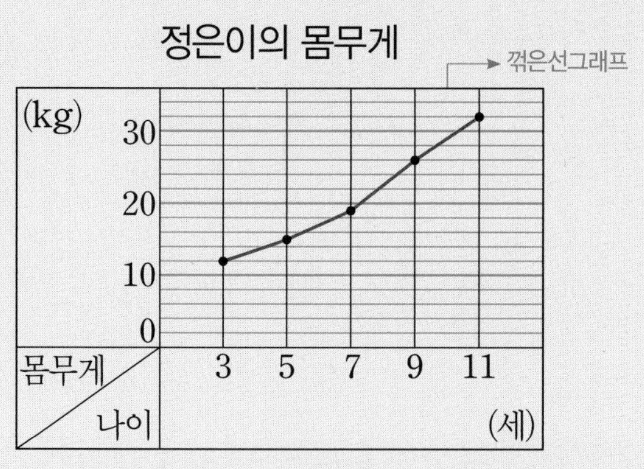

	막대그래프	꺾은선그래프
같은 점	• 가로는 나이, 세로는 몸무게를 나타냅니다. • 눈금의 크기가 같습니다. → 세로 눈금 한 칸은 10÷5=2 (kg)을 나타냅니다.	
다른 점	• **막대**로 나타냈습니다. • 자료의 양을 비교하기 쉽습니다.	• **선**으로 나타냈습니다. • 자료의 변화 정도를 쉽게 알 수 있습니다.

➔ 꺾은선그래프는 점들을 선분으로 이어 그린 그래프이므로 기울어진 정도를 보면 나이별 몸무게의 변화를 한눈에 알아보기 쉽습니다.

키, 몸무게, 온도 등 시간이 지남에 따라 변화하는 양은 꺾은선그래프로 나타내는 것이 좋아요.

개념 Check

꺾은선그래프로 나타내기 좋은 것을 말한 사람에 ○표 하세요.

마을별 학생 수

교실의 온도 변화

1 연우가 운동장의 온도 변화를 조사하여 나타낸 꺾은선그래프입니다. 물음에 답하세요.

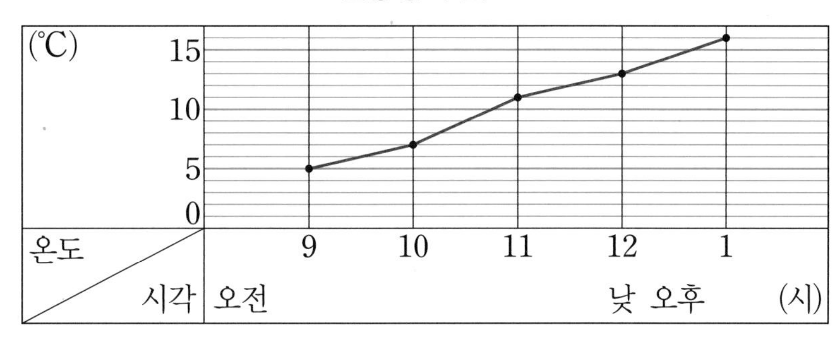

(1) 위와 같은 그래프를 무슨 그래프라고 할까요?

( )

(2) 위 그래프의 가로와 세로는 각각 무엇을 나타낼까요?

가로 ( ), 세로 ( )

(3) 세로 눈금 한 칸은 몇 ℃를 나타낼까요?

( )

2 지혜가 사용하고 있는 색연필의 길이를 9월에 조사하여 나타낸 막대그래프와 꺾은선그래프입니다. 두 그래프의 다른 점에 맞게 □ 안에 알맞은 말을 써넣으세요.

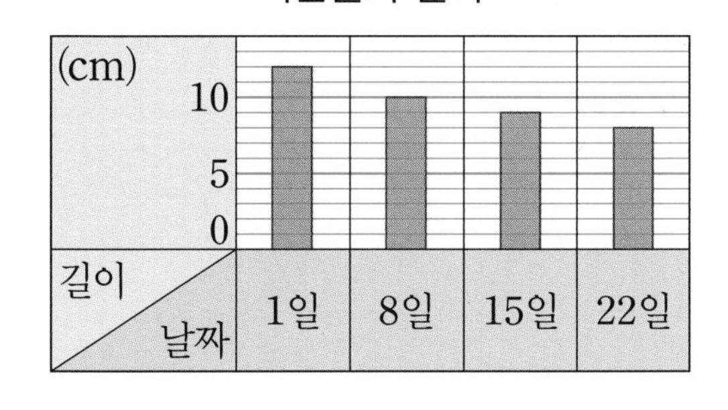

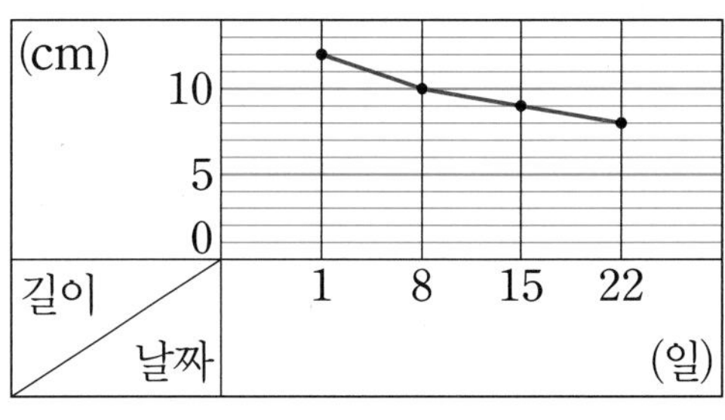

막대그래프는 □(으)로, 꺾은선그래프는 □(으)로 나타냈습니다.

개념 2 꺾은선그래프에서 알 수 있는 점

• 꺾은선그래프의 내용 알아보기

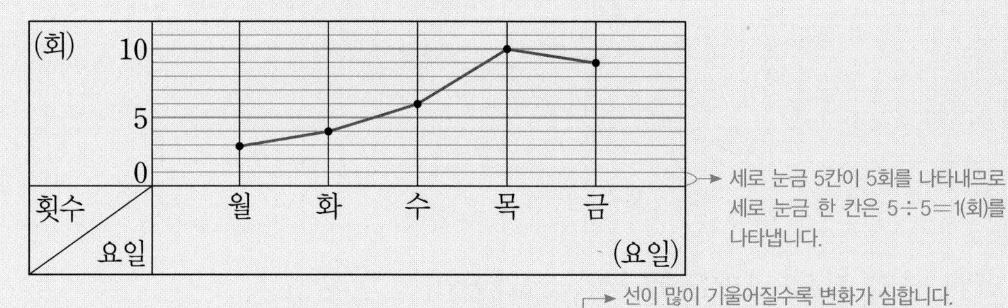

선이 많이 기울어질수록 변화가 심합니다.

① 전날과 비교하여 턱걸이를 한 횟수가 가장 많이 늘어난 때는 목요일입니다.

② 전날과 비교하여 턱걸이를 한 횟수가 줄어든 때는 금요일입니다.

• 꺾은선그래프에서 물결선의 필요성 알아보기

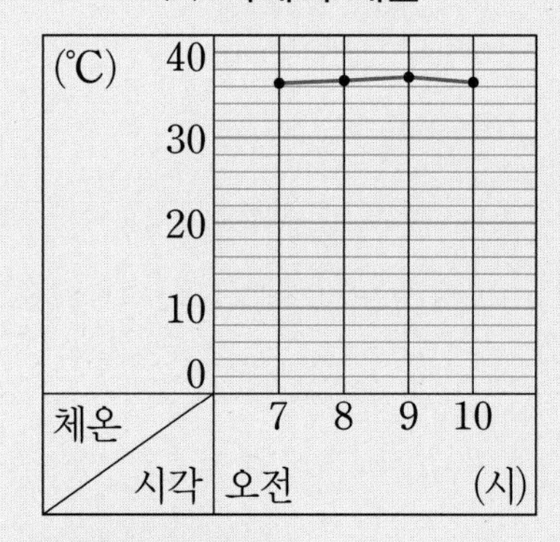

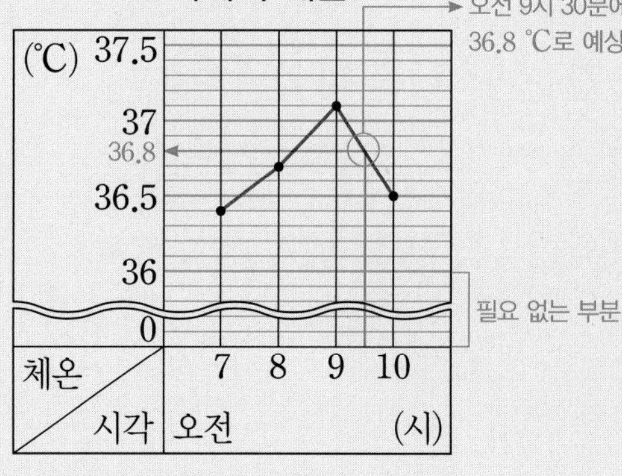

오전 9시 30분에 지혜의 체온은 36.8 ℃로 예상할 수 있습니다.

≈은 물결선이라고 해요.

같은 점	지혜의 체온을 시각별로 조사하여 나타낸 것입니다.
다른 점	• (나) 그래프에는 **물결선**이 있습니다. • 세로 눈금 한 칸의 크기가 (가) 그래프는 $10 \div 5 = 2$ (℃)를 나타내고, (나) 그래프는 0.1 ℃를 나타냅니다.

→ (나) 그래프는 필요 없는 부분을 줄여서 나타내기 때문에 체온이 변화하는 모습이 (가) 그래프보다 잘 나타납니다.

참고 꺾은선그래프에서 선이 많이 기울어질수록 변화가 심합니다.

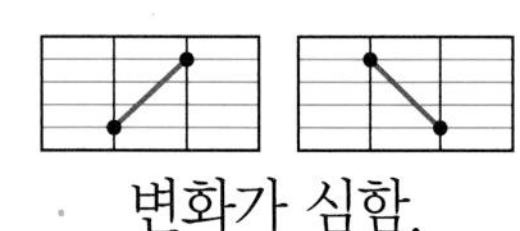

변화가 심함.

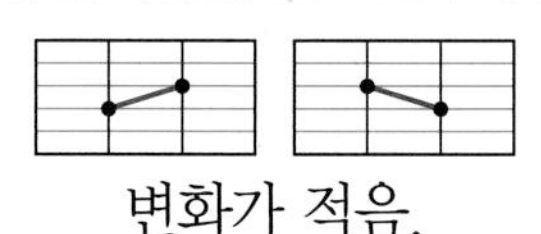

변화가 적음.

변화 없음.

1

어느 지역의 월별 강수량을 조사하여 나타낸 꺾은선그래프입니다. 물음에 답하세요.

월별 강수량

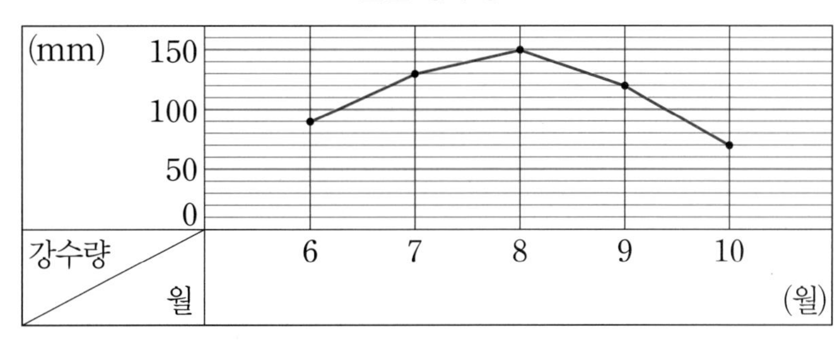

(1) 세로 눈금 한 칸은 몇 mm를 나타낼까요?

(   )

(2) 7월의 강수량은 몇 mm일까요?

(   )

(3) 강수량이 가장 많은 때는 몇 월일까요?

(   )

2

봉숭아의 키를 조사하여 나타낸 꺾은선그래프입니다. (가) 그래프와 (나) 그래프 중에서 봉숭아의 키가 변화하는 모습이 더 잘 나타난 것은 어느 것일까요?

(가) 봉숭아의 키

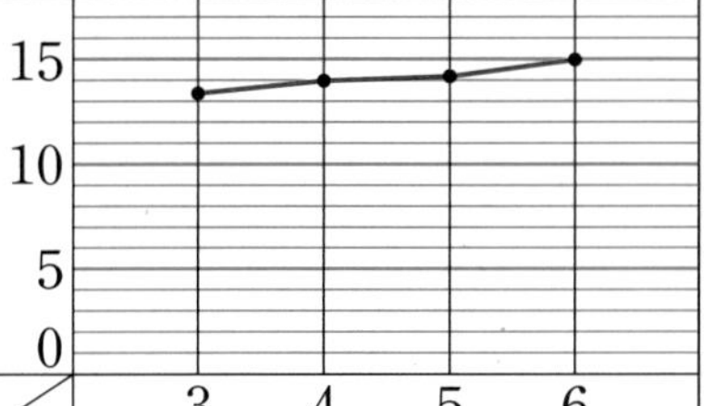

(나) 봉숭아의 키

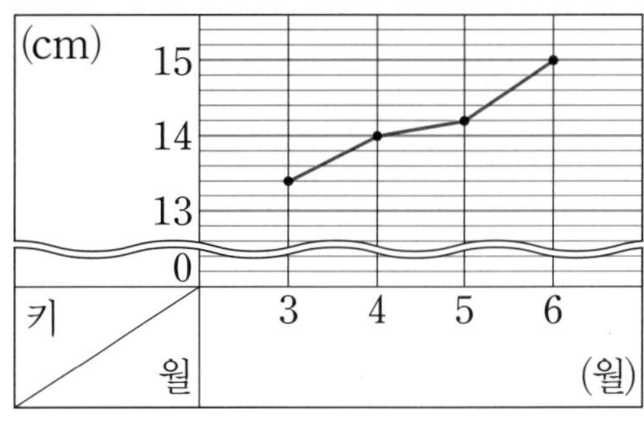

(   )

5 단원

교과서 개념  보고서 완성하기

준비물 붙임딱지

같은 자료를 막대그래프와 꺾은선그래프로 나타낸 보고서의 일부가 찢어져 있습니다. 찢어진 부분에 알맞은 꺾은선그래프 붙임딱지를 붙여 보세요. 그리고 □ 안에 알맞은 수나 말을 써넣으세요.

운동장의 온도

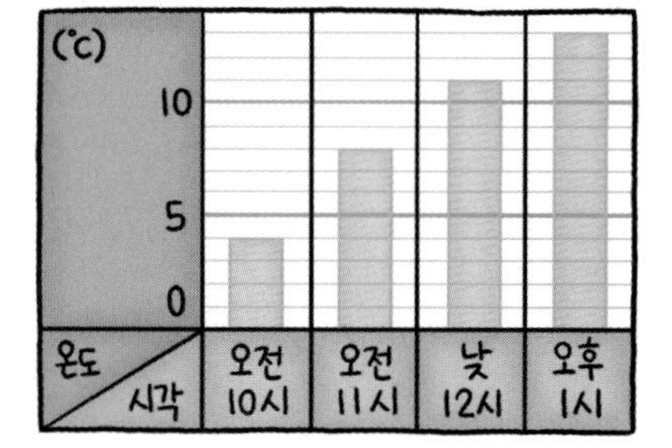

막대그래프와 꺾은선그래프 모두 □을/를 나타냅니다.

막대그래프와 꺾은선그래프 모두 □의 크기가 같습니다.

동생의 몸무게

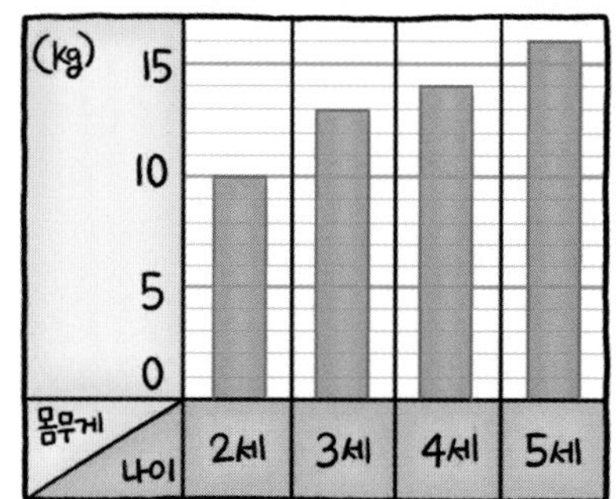

세로 눈금 한 칸의 크기는 □ kg을 나타냅니다.

꺾은선이 나타내는 것은 □의 변화입니다.

막대그래프는 □(으)로, 꺾은선 그래프는 □(으)로 나타냈습니다.

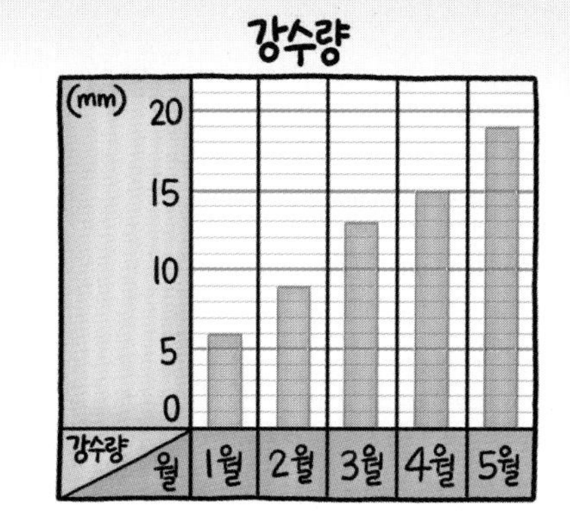

막대그래프와 꺾은선그래프 모두 가로는 □을, 세로는 □을 나타냅니다.

강낭콩 싹의 키의 변화를 한눈에 알아보기 쉬운 그래프는 □입니다.

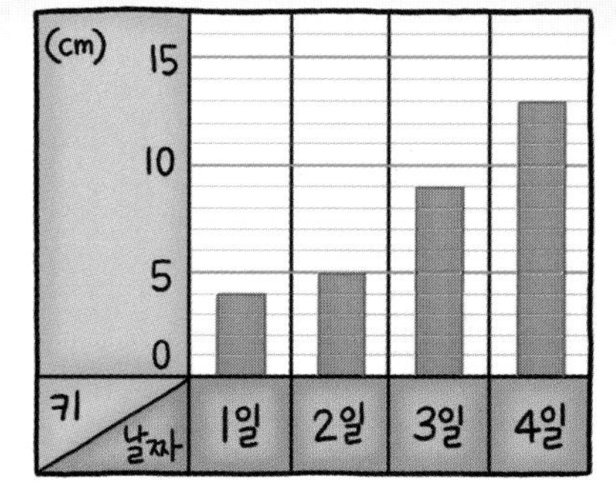

막대그래프와 꺾은선그래프 모두 가로는 □를, 세로는 □를 나타냅니다.

5
단원

집중! 드릴 문제

[1~5] 막대그래프로 나타내기 좋은 경우는 '막대', 꺾은선그래프로 나타내기 좋은 경우는 '꺾은선'이라고 써 보세요.

1

월별 강수량의 변화

(　　　　　　　　)

2

모둠 친구들의 몸무게

(　　　　　　　　)

3

식물의 키의 변화

(　　　　　　　　)

4

바닷물의 온도 변화

(　　　　　　　　)

5

지역별 출생아 수

(　　　　　　　　)

[6~9] 옥수수 싹의 키를 조사하여 나타낸 꺾은선그래프입니다. 알 수 있는 내용을 바르게 설명한 것에 ○표, 잘못 설명한 것에 ×표 하세요.

옥수수 싹의 키

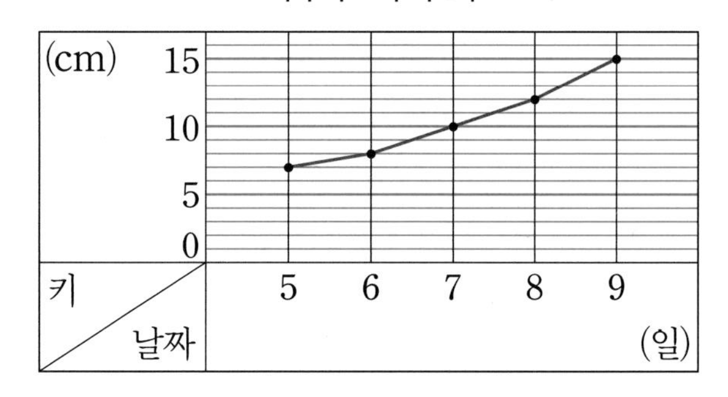

6

가로는 날짜를 나타냅니다.

(　　　)

7

세로는 키를 나타냅니다.

(　　　)

8

세로 눈금 한 칸은 5 cm를 나타냅니다.

(　　　)

9

8일에 옥수수 싹의 키는 12 cm입니다.

(　　　)

[10~13] 어느 제과점의 크림빵 판매량을 나타낸 꺾은선그래프입니다. 물음에 답하세요.

크림빵 판매량

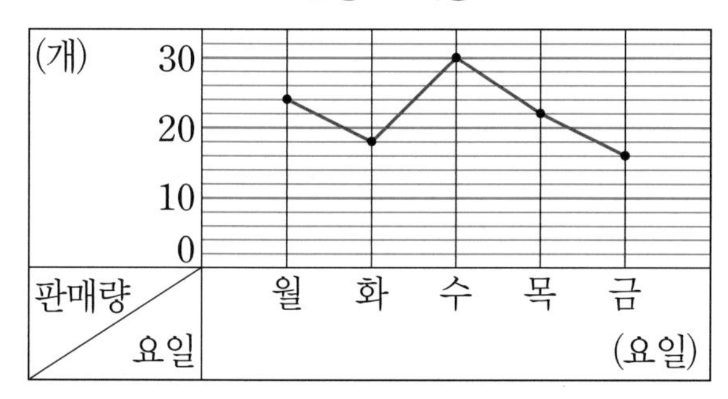

10 가로와 세로는 각각 무엇을 나타낼까요?

가로 (　　　　　　　　　　)

세로 (　　　　　　　　　　)

11 세로 눈금 한 칸은 몇 개를 나타낼까요?

(　　　　　　　　　　)

12 크림빵 판매량이 가장 많은 요일은 언제일까요?

(　　　　　　　　　　)

13 크림빵 판매량이 가장 적은 요일은 언제일까요?

(　　　　　　　　　　)

[14~17] 교실의 온도 변화를 조사하여 나타낸 꺾은선그래프입니다. 물음에 답하세요.

교실의 온도

(℃)
20
19.5
19
18.5
0
온도
시각
10 11 12 1 2
오전 낮 오후 (시)

14 세로 눈금 한 칸은 몇 ℃를 나타낼까요?

(　　　　　　　　　　)

15 오전 10시에 교실의 온도는 몇 ℃일까요?

(　　　　　　　　　　)

16 낮 12시에 교실의 온도는 몇 ℃일까요?

(　　　　　　　　　　)

17 온도가 가장 높은 때는 몇 시일까요?

(　　　　　　　　　　)

5 단원

교과서 개념 확인 문제

[1~4] 어느 지역의 월별 강수량을 조사하여 나타낸 꺾은선그래프입니다. 물음에 답하세요.

월별 강수량

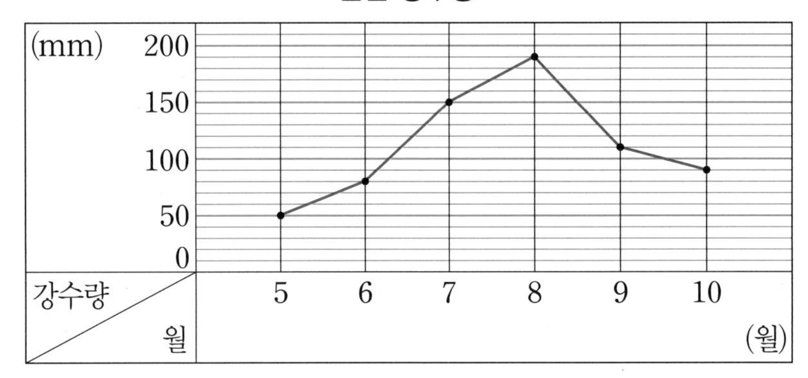

1 꺾은선그래프의 가로와 세로는 각각 무엇을 나타낼까요?

가로 (　　　　　　　　　　), 세로 (　　　　　　　　　　)

2 세로 눈금 한 칸은 몇 mm를 나타낼까요?

(　　　　　　　　　　)

3 꺾은선이 나타내는 것을 찾아 ○표 하세요.

강수량의 변화	월의 변화
(　　　)	(　　　)

4 강수량이 가장 적은 때는 몇 월일까요?

(　　　　　　　　　　)

[5~7] 동진이의 요일별 턱걸이를 한 횟수를 조사하여 나타낸 꺾은선그래프입니다. 물음에 답하세요.

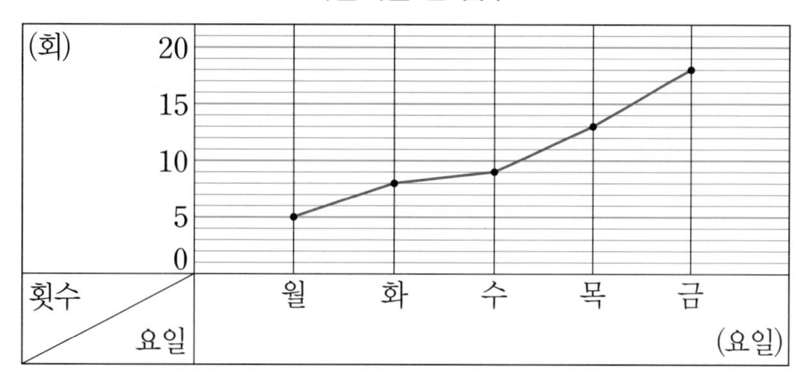

5 세로 눈금 한 칸은 몇 회를 나타낼까요?

(　　　　　　　　)

6 수요일에 턱걸이를 한 횟수는 몇 회일까요?

(　　　　　　　　)

7 화요일과 금요일에 턱걸이를 한 횟수의 차는 몇 회일까요?

(　　　　　　　　)

8 꺾은선그래프로 나타내기 좋은 것을 모두 찾아 기호를 써 보세요.

㉠ 월별 해바라기의 키의 변화	㉡ 좋아하는 계절별 학생 수
㉢ 거실의 온도 변화	㉣ 도서관에 있는 종류별 책의 수

(　　　　　　　　)

5 단원

[9~12] 정훈이의 몸무게를 매월 1일에 조사하여 나타낸 꺾은선그래프입니다. 물음에 답하세요.

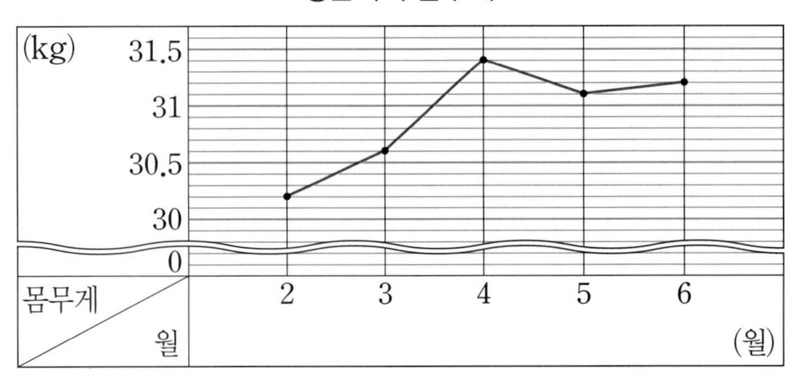

9 세로 눈금 한 칸은 몇 kg을 나타낼까요?

(　　　　　　　　)

10 몸무게가 전월에 비해 줄어든 때는 몇 월일까요?

(　　　　　　　　)

11 몸무게의 변화가 가장 적은 때는 몇 월과 몇 월 사이일까요?

(　　　　　　　　)

12 4월에는 2월보다 몸무게가 몇 kg 늘었을까요?

(　　　　　　　　)

정답과 풀이 p.32

[13~16] 가영이의 키를 매년 1월에 조사하여 나타낸 꺾은선그래프입니다. 물음에 답하세요.

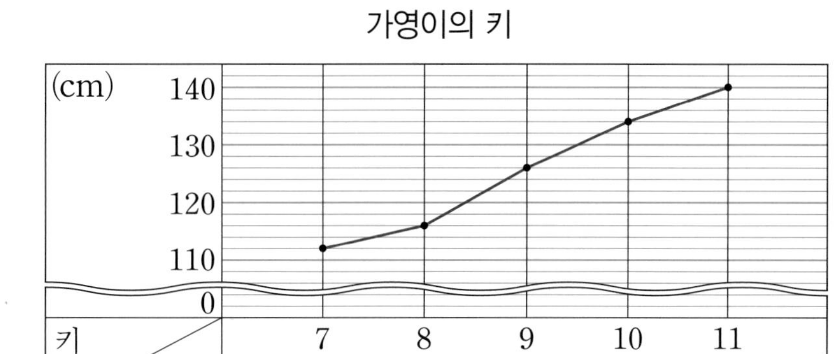

13 세로 눈금 한 칸은 몇 cm를 나타낼까요?

( )

14 키가 가장 많이 자란 때는 몇 세와 몇 세 사이일까요?

( )

5 단원

15 키가 가장 적게 자란 때는 몇 세와 몇 세 사이일까요?

( )

16 가영이가 9세일 때 7월의 키는 몇 cm로 예상할 수 있을까요?

( )

교과서 개념 잡기

개념 3 꺾은선그래프를 그리는 방법

윗몸 일으키기를 한 횟수

요일(요일)	월	화	수	목	금
횟수(회)	25	28	35	33	37

→ 가장 큰 수 (37)

윗몸 일으키기를 한 횟수 — ⑤

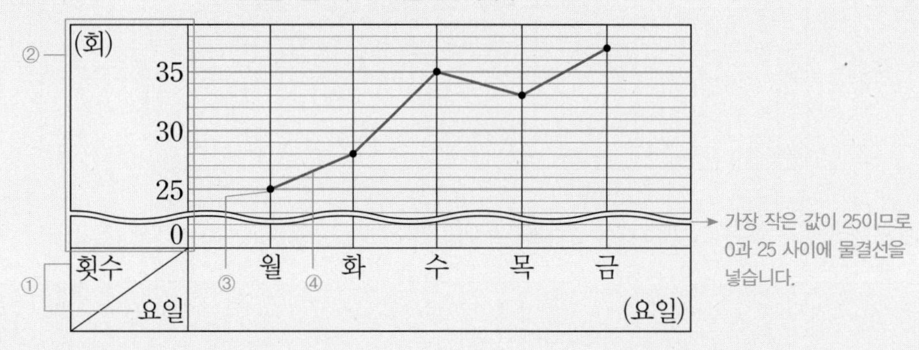

① 가로와 세로 중 어느 쪽에 조사한 수를 나타낼 것인가를 정합니다.

→ 가로: 요일, 세로: 횟수

② 눈금 한 칸의 크기를 정하고, 조사한 수 중에서 가장 큰 수를 나타낼 수 있도록 눈금의 수를 정합니다.

→ 세로 눈금 한 칸의 크기: 1회

③ 가로 눈금과 세로 눈금이 만나는 자리에 점을 찍습니다.

④ 점들을 선분으로 잇습니다.

⑤ 꺾은선그래프에 알맞은 제목을 붙입니다.

꺾은선그래프를 그릴 때 반드시 ①~⑤의 순서대로 나타내야 할 필요는 없지만 이 과정이 모두 포함되어야 해요.

참고 물결선을 사용한 꺾은선그래프를 그릴 때 물결선이 꺾은선을 가로지르게 그릴 수 없습니다.

개념 4 자료를 조사하여 꺾은선그래프로 나타내기

조사할 내용 및 조사 항목 정하기 → 자료 수집 및 분류하기 → 조사한 결과를 표나 그래프로 나타내기

1

바다의 수온을 조사하여 나타낸 표입니다. 꺾은선그래프를 완성해 보세요.

바다의 수온

시각(시)	오전 10	오전 11	낮 12	오후 1	오후 2
수온(℃)	6	7	10	12	13

바다의 수온

2

지훈이가 팔굽혀펴기를 한 횟수를 기록한 것입니다. 물음에 답하세요.

(1) 기록한 것을 보고 표로 나타내어 보세요.

팔굽혀펴기를 한 횟수

요일(요일)	월	화	수	목	금
횟수(회)	6	8			

(2) 표를 보고 꺾은선그래프를 완성해 보세요.

팔굽혀펴기를 한 횟수

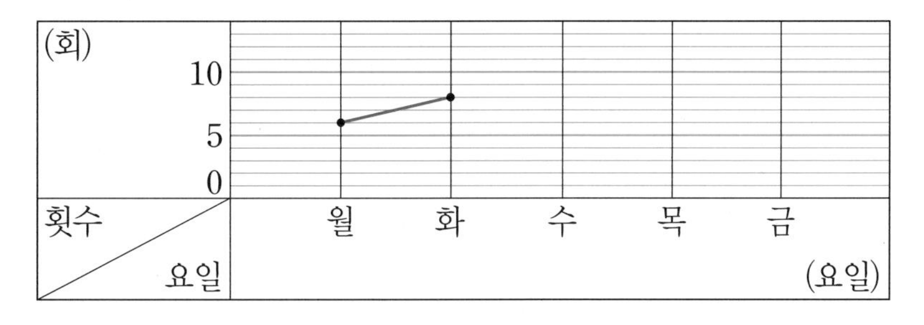

개념 5 꺾은선그래프 해석하기

• 글을 읽고 꺾은선그래프로 나타내기

나는 5일 동안 100 m 달리기 기록을 재어 보았다. 월요일은 15.9초, 화요일은 15.8초, 수요일은 15.5초, 목요일은 15.4초, 금요일은 15.3초의 기록이 나왔다.

→

100 m 달리기 기록

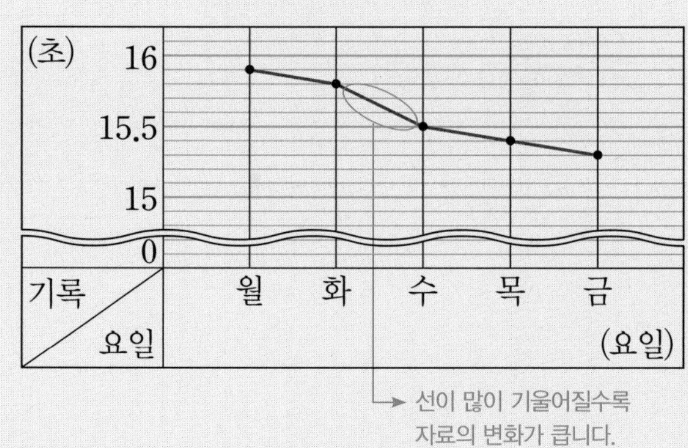

① 기록이 점점 좋아지고 있습니다.

② 전날과 비교하여 기록이 가장 많이 좋아진 때는 수요일입니다.

③ 토요일의 기록은 금요일과 비슷하거나 조금 더 좋아질 것 같습니다.

• 두 꺾은선그래프 비교하기

가 지역의 인구

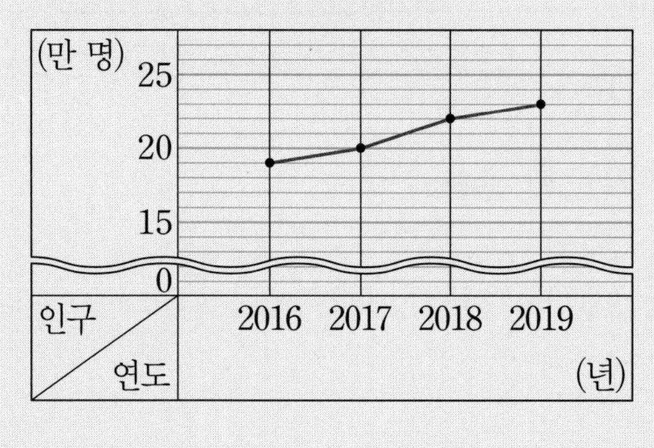

나 지역의 인구

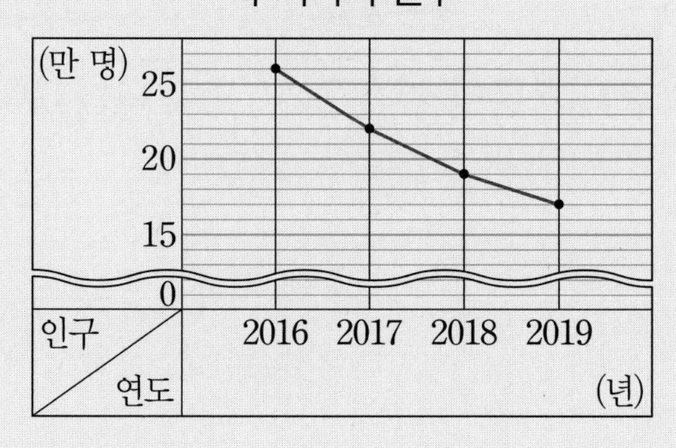

① 가 지역의 인구는 매년 늘어나고 있습니다. → 꺾은선그래프의 선이 올라가고 있습니다.

② 나 지역의 인구는 매년 줄어들고 있습니다. → 꺾은선그래프의 선이 내려가고 있습니다.

③ 2020년에는 가 지역의 인구가 23만 명보다 많고 나 지역의 인구가 17만 명보다 적을 것으로 예상할 수 있습니다.

꺾은선그래프를 보고 앞으로 변화될 모습을 예상할 수 있어요. 그러나 미래의 일은 다른 요소들이 작용하기 때문에 예상한 것과 다르게 일어날 수 있어요.

1 연주네 마을의 연도별 학생 수를 조사하여 나타낸 꺾은선그래프입니다. 2021년의 학생 수를 바르게 예상한 사람의 이름을 써 보세요.

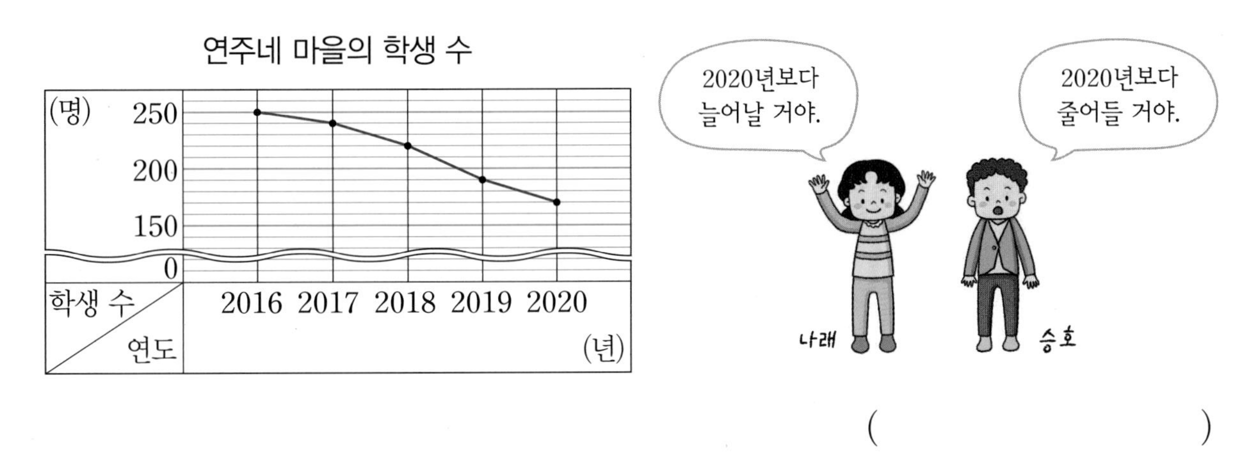

( )

2 3월 한 달 동안 어느 지역의 해 뜨는 시각과 해 지는 시각을 조사하여 꺾은선그래프로 나타낸 것입니다. 물음에 답하세요.

해 뜨는 시각

시각: 오전 6:45, 6:50, 6:55, 7:00, 7:05, 7:10
날짜: 7, 14, 21, 28 (일)

해 지는 시각

시각: 오후 5:55, 6:00, 6:05, 6:10, 6:15, 6:20
날짜: 7, 14, 21, 28 (일)

(1) 알맞은 말에 ○표 하세요.

해 뜨는 시각은 (빨라지고 , 늦어지고), 해 지는 시각은 (빨라지고 , 늦어지고) 있습니다.

(2) 3월 28일의 해 뜨는 시각과 해 지는 시각은 각각 언제일까요?

해 뜨는 시각 ( )

해 지는 시각 ( )

낮의 길이

준비물 붙임딱지

어느 해 서울의 해 뜨는 시각과 해 지는 시각을 매월 1일에 조사하여 나타낸 꺾은선그래프입니다. 앵커들이 올바른 내용을 전달할 수 있도록 말풍선 붙임딱지를 붙여 완성하고, 더 알 수 있는 내용을 써 보세요. 또, 오른쪽에 표를 보고 꺾은선그래프로 나타내어 보세요.

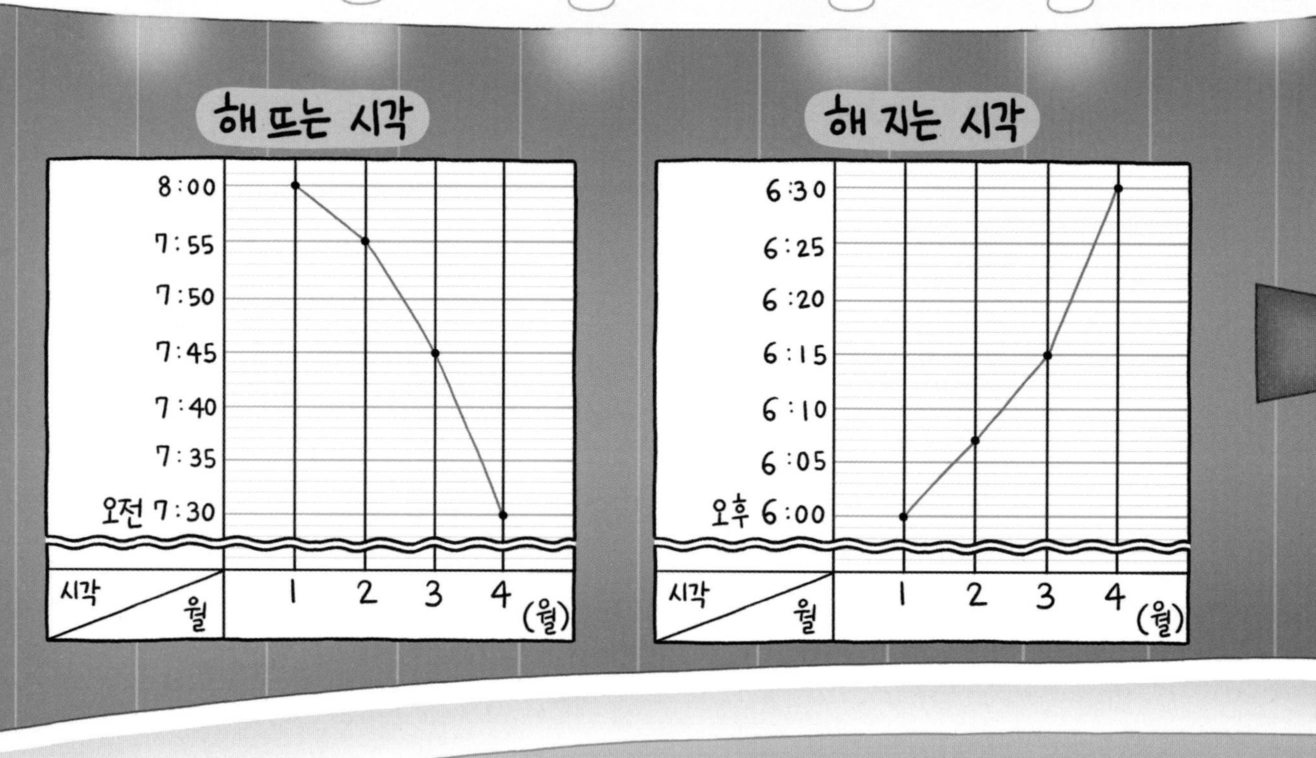

낮의 길이

(매월 1일에 측정)

월(월)	1	2	3	4
낮의 길이 (시간)	10	10.2	10.5	11

낮의 길이

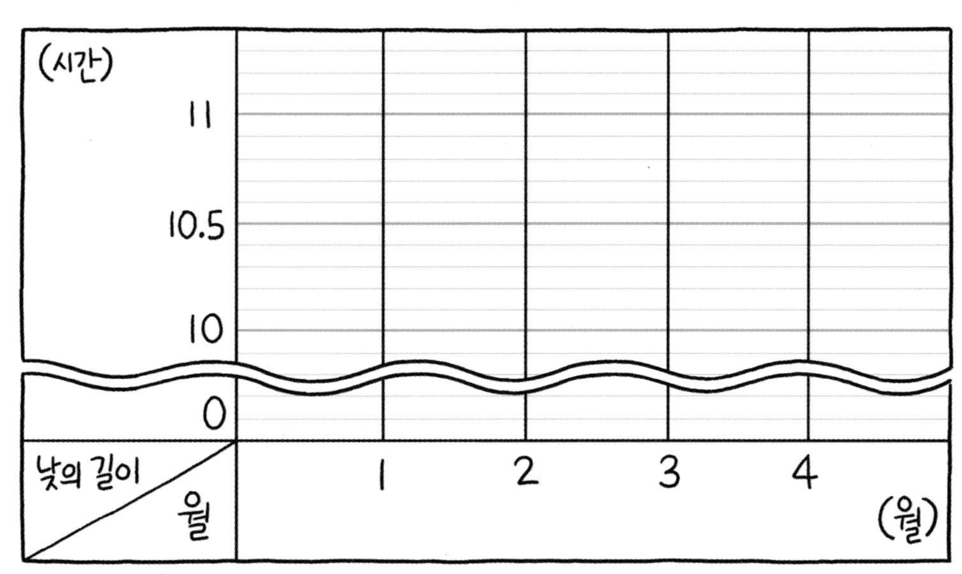

→ 낮의 길이는 점점 [ ] 있습니다.

→ 5월의 낮의 길이는 11시간보다 [ ] 것입니다.

→ ______________________________

____

집중! 드릴 문제

[1~4] 어느 병원의 월별 출생아 수를 조사하여 나타낸 표를 보고 꺾은선그래프로 나타내려고 합니다. 물음에 답하세요.

월별 출생아 수

월(월)	1	2	3	4	5
출생아 수(명)	36	38	43	41	42

1 꺾은선그래프의 가로에 월을 쓴다면 세로에는 무엇을 써야 할까요?

( )

2 세로 눈금 한 칸은 얼마를 나타내어야 할까요?

( )

3 세로 눈금에 물결선은 몇 명과 몇 명 사이에 넣어야 할까요?

( )

4 꺾은선그래프를 완성해 보세요.

월별 출생아 수

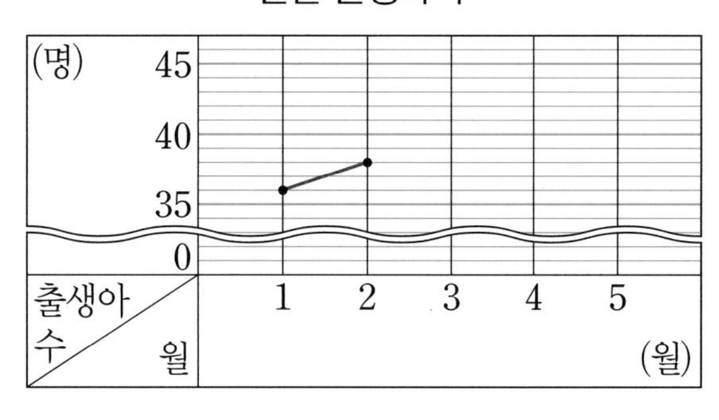

[5~6] 표를 보고 꺾은선그래프로 나타내어 보세요.

5

제기차기 횟수

날짜(일)	1	2	3	4	5
횟수(회)	9	12	11	16	19

제기차기 횟수

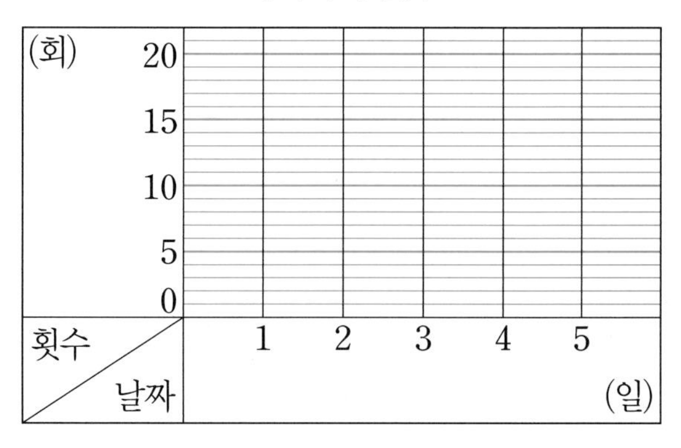

6

월별 음료수 판매량

월(월)	5	6	7	8	9
판매량(병)	160	240	360	380	300

월별 음료수 판매량

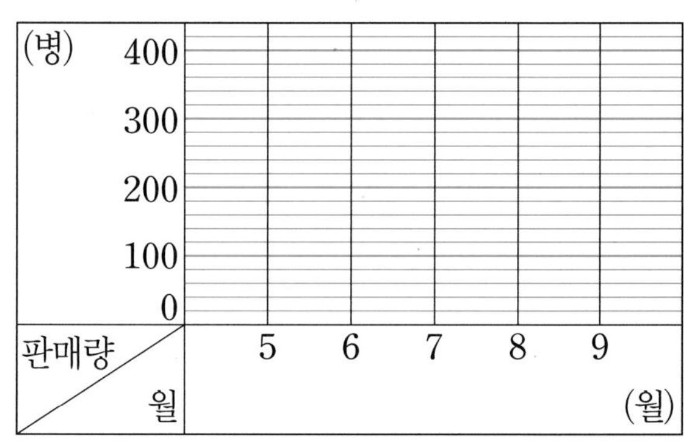

[7~8] 표를 보고 꺾은선그래프로 나타내어 보세요.

7

재은이의 키

학년(학년)	1	2	3	4	5
키(cm)	120	124	129	136	140

재은이의 키

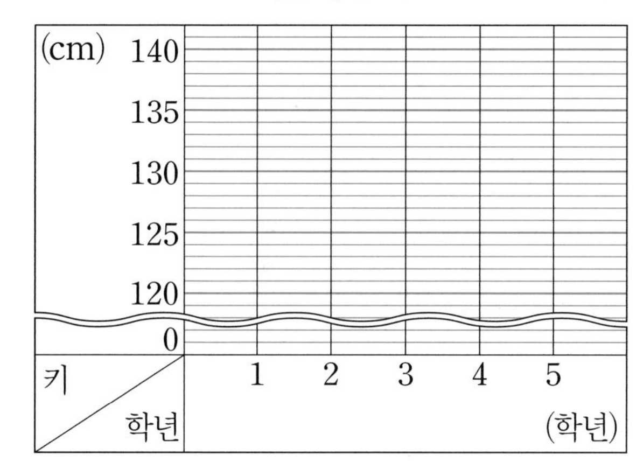

8

현민이의 체온

시각(시)	오후 3	오후 4	오후 5	오후 6	오후 7
체온(℃)	37.6	38.4	37.7	37.1	36.8

현민이의 체온

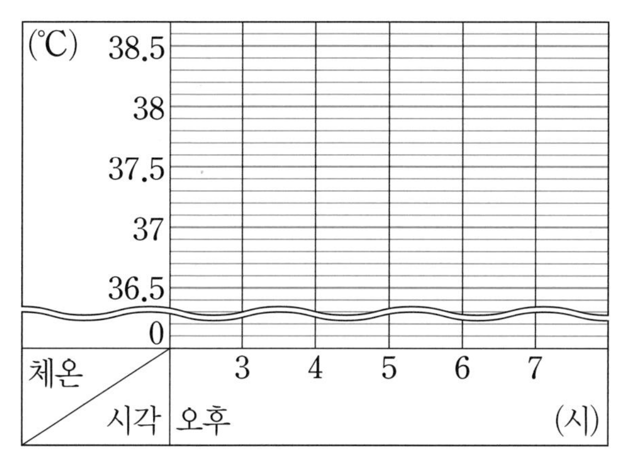

[9~11] 어느 과수원의 사과 생산량과 배 생산량을 나타낸 꺾은선그래프입니다. 알 수 있는 내용을 바르게 설명한 것에 ○표, 잘못 설명한 것에 ×표 하세요.

사과 생산량

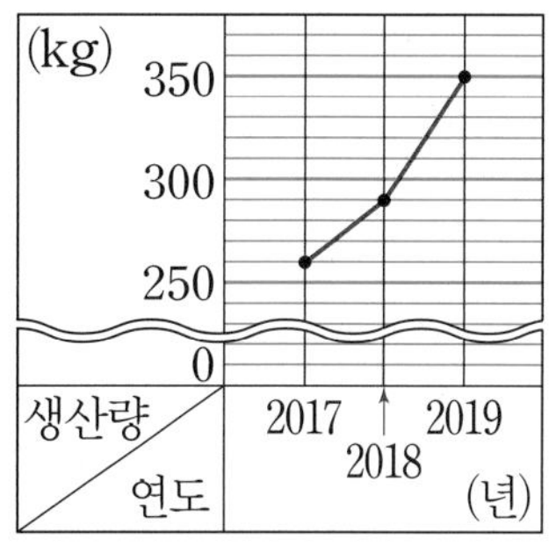

배 생산량

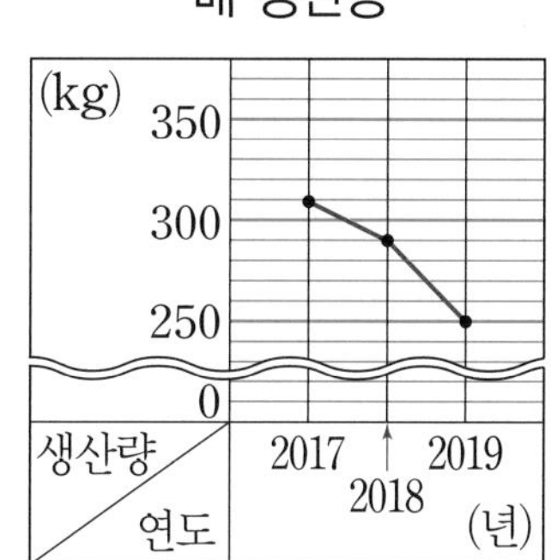

9 과수원의 2017년 사과 생산량은 260 kg입니다.

(　　　)

10 사과 생산량은 줄어들고, 배 생산량은 늘어나고 있습니다.

(　　　)

11 과수원의 2018년 사과 생산량과 배 생산량은 같습니다.

(　　　)

5 단원

교과서 개념 확인 문제

[1~4] 동주네 학교 운동장의 온도를 조사하여 나타낸 표를 보고 꺾은선그래프로 나타내려고 합니다. 물음에 답하세요.

운동장의 온도

시각(시)	오전 10	오전 11	낮 12	오후 1	오후 2
온도(℃)	7	9	15	18	14

1 꺾은선그래프의 가로에 시각을 쓴다면 세로에는 무엇을 써야 할까요?

( )

2 세로 눈금 한 칸은 몇 ℃를 나타내어야 할까요?

( )

3 꺾은선그래프로 나타내어 보세요.

운동장의 온도

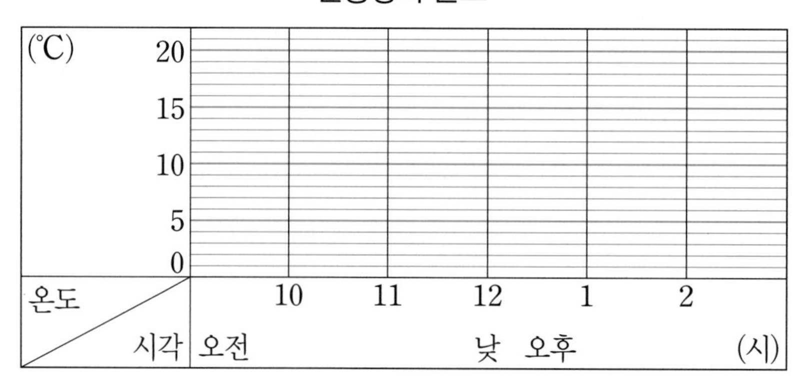

4 운동장의 온도가 낮아진 때는 몇 시와 몇 시 사이일까요?

( )

[5~8] 어느 지역의 연도별 적설량을 조사하여 나타낸 표를 보고 꺾은선그래프로 나타내려고 합니다. 물음에 답하세요.

연도별 적설량

연도(년)	2015	2016	2017	2018	2019
적설량(mm)	25	28	35	23	30

5 꺾은선그래프의 가로와 세로에는 각각 무엇을 나타내어야 할까요?

가로 (　　　　　　　　)

세로 (　　　　　　　　)

6 물결선을 넣으면 좋은 곳에 ○표 하세요.

0 mm와 30 mm 사이	0 mm와 20 mm 사이
(　　　)	(　　　)

7 꺾은선그래프로 나타내어 보세요.

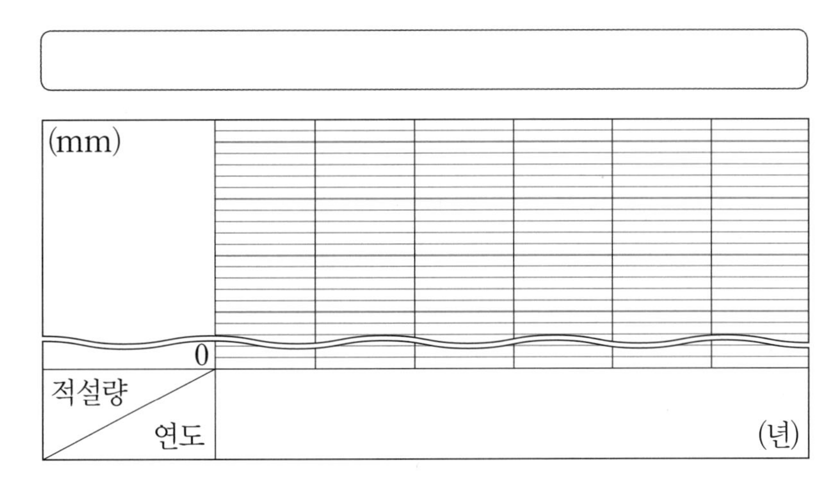

8 2017년은 2016년보다 적설량이 몇 mm 늘어났을까요?

(　　　　　　　　)

5 단원

[9~11] 선미가 뒤로 줄넘기를 한 개수를 기록한 것입니다. 물음에 답하세요.

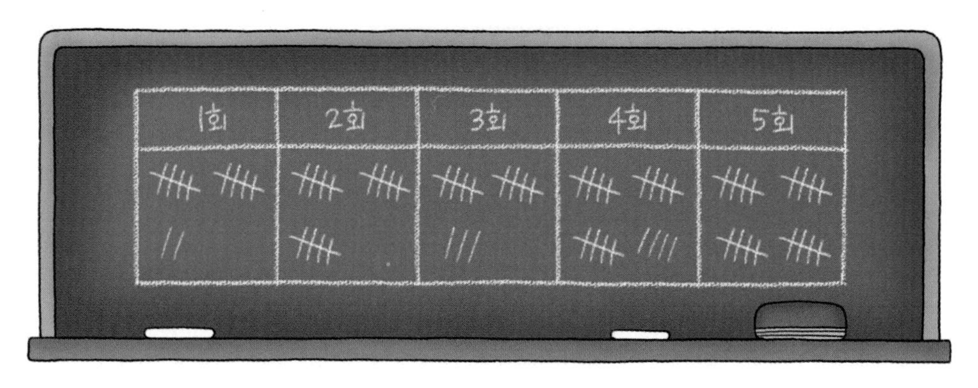

9 기록한 것을 보고 표로 나타내어 보세요.

뒤로 줄넘기를 한 개수

회(회)	1	2	3	4	5
개수(개)					

10 표를 보고 꺾은선그래프로 나타내어 보세요.

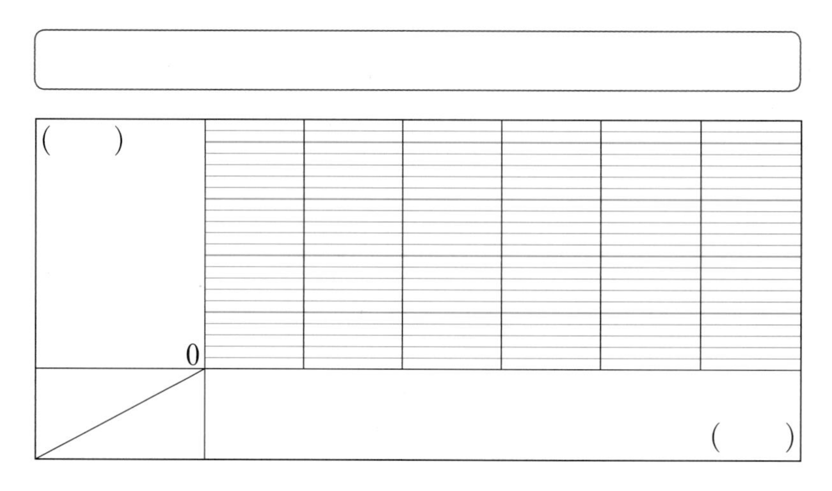

11 전 회보다 줄넘기 개수가 가장 많이 늘어난 때는 몇 회일까요?

(　　　　　　　　)

[12~15] 두 회사의 장난감 판매량을 조사하여 나타낸 꺾은선그래프입니다. 물음에 답하세요.

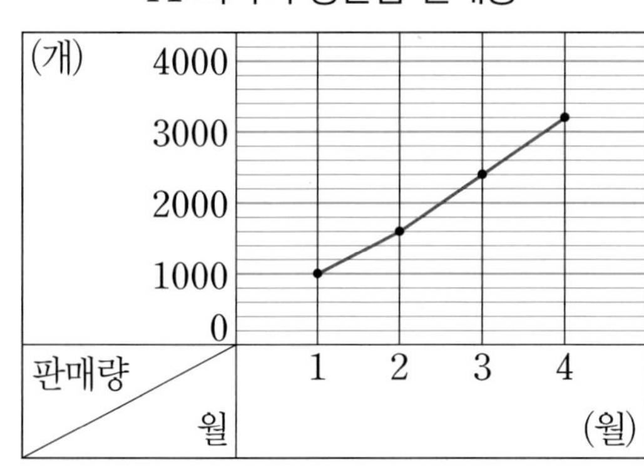

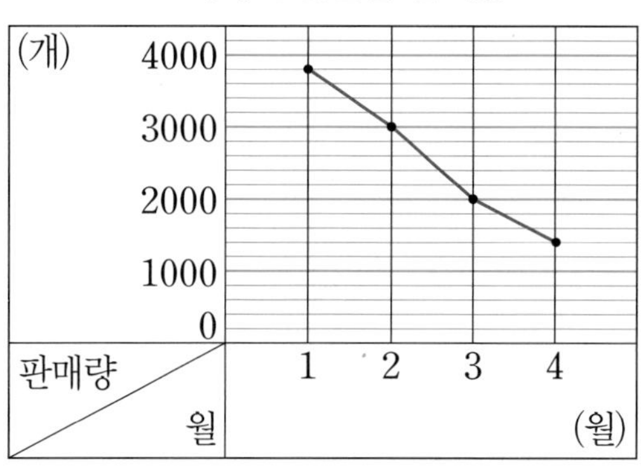

12 A 회사와 B 회사의 장난감 판매량은 어떻게 변하고 있는지 알맞은 말에 ○표 하세요.

> 시간이 지날수록 장난감 판매량이 A 회사는 (늘어나고 , 줄어들고),
> B 회사는 (늘어나고 , 줄어들고) 있습니다.

13 4월에 A 회사와 B 회사의 장난감 판매량의 합은 몇 개일까요?

( )

14 A 회사의 장난감 판매량이 B 회사보다 많아지기 시작하는 때는 몇 월일까요?

( )

15 5월에 A 회사의 장난감 판매량은 몇 개가 될 것이라고 예상할 수 있을까요?

( )

5 단원

개념 확인평가

5. 꺾은선그래프

[1~3] 어느 날 연못의 수온을 조사하여 나타낸 꺾은선그래프입니다. 물음에 답하세요.

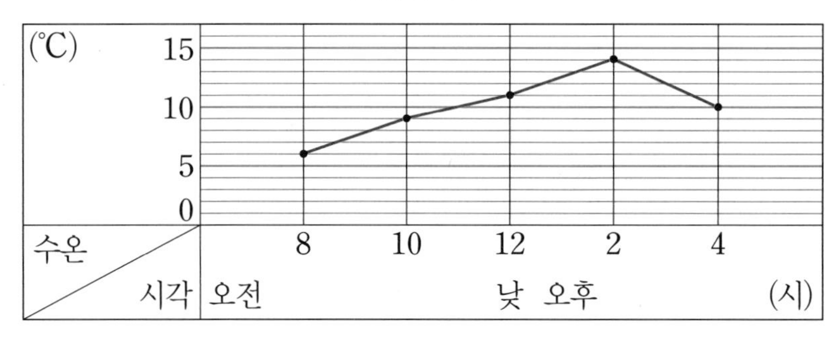

1 꺾은선그래프의 가로와 세로는 각각 무엇을 나타낼까요?

가로 ( ), 세로 ( )

2 세로 눈금 한 칸은 몇 ℃를 나타낼까요?

( )

3 오후 2시의 수온은 몇 ℃일까요?

( )

4 막대그래프로 나타내기 좋은 것에 '막대', 꺾은선그래프로 나타내기 좋은 것에 '꺾은선'이라고 써 보세요.

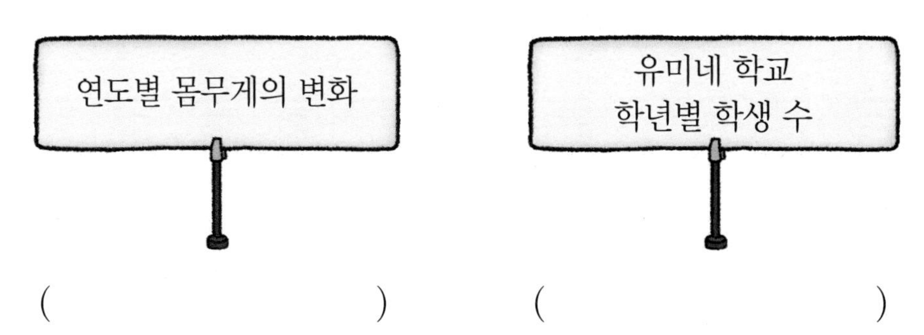

( ) ( )

[5~6] 주희의 100 m 달리기 기록을 나타낸 표를 보고 꺾은선그래프로 나타내려고 합니다. 물음에 답하세요.

100 m 달리기 기록

요일(요일)	월	화	수	목	금
시간(초)	23	22	19	21	20

5 꺾은선그래프의 가로에 요일을 쓴다면 세로에는 무엇을 써야 할까요?

( )

6 꺾은선그래프로 나타내어 보세요.

100 m 달리기 기록

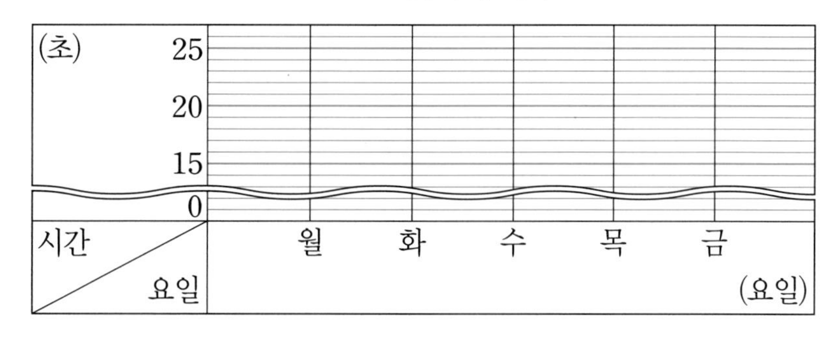

7 어느 도서관의 이용자 수를 조사하여 나타낸 꺾은선그래프입니다. 그래프에 대한 설명으로 잘못된 것을 찾아 기호를 써 보세요.

도서관 이용자 수

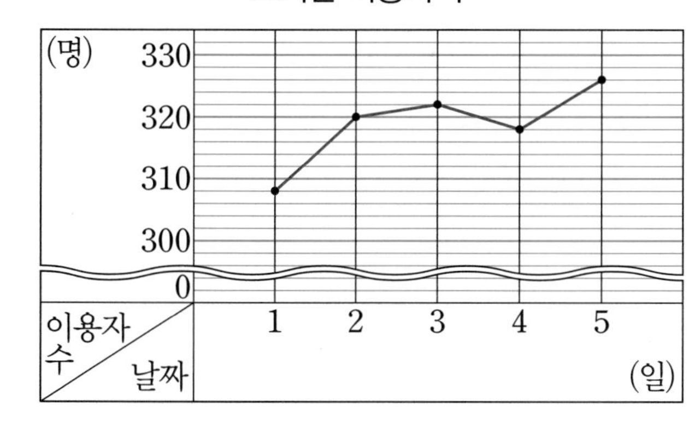

㉠ 전날에 비해 도서관 이용자 수가 줄어든 날은 4일입니다.
㉡ 3일은 2일보다 도서관 이용자가 1명 더 많습니다.

( )

[8~9] 고구마 줄기의 길이 변화를 나타낸 꺾은선그래프입니다. 물음에 답하세요.

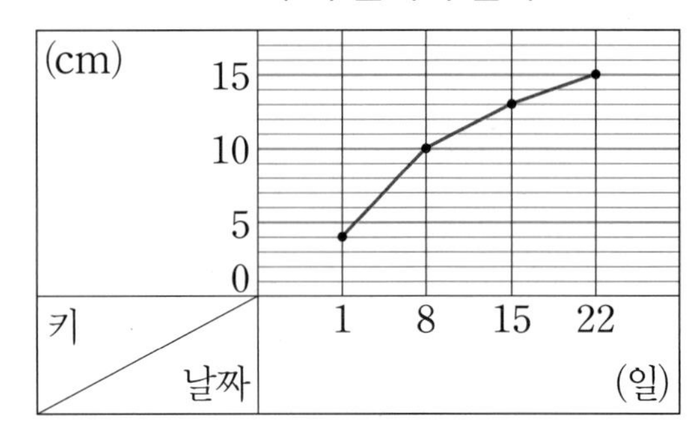

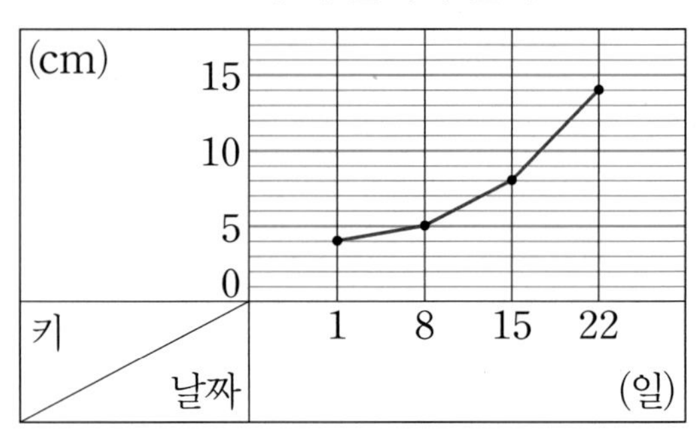

8 처음에는 천천히 자라다가 시간이 지나면서 빠르게 자라는 고구마 줄기의 기호를 써 보세요.

( )

9 처음에는 빠르게 자라다가 시간이 지나면서 천천히 자라는 고구마 줄기의 기호를 써 보세요.

( )

10 은아가 8월부터 12월까지 매달 저축한 금액을 조사하여 나타낸 꺾은선그래프입니다. 9월과 11월의 은아의 저축액은 모두 얼마일까요?

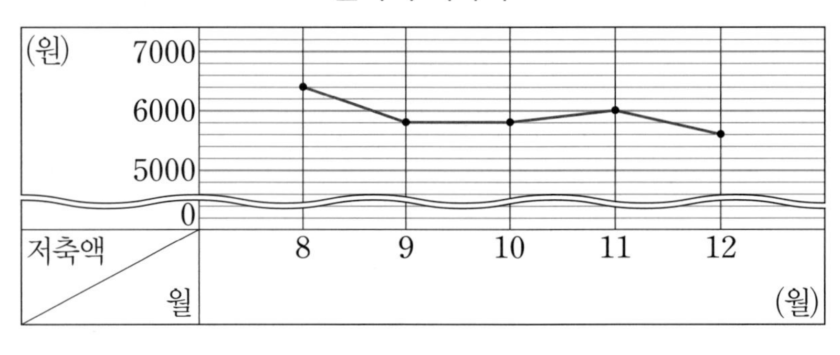

( )

6 다각형

학습 계획표

내용	쪽수	날짜	확인
교과서 개념 잡기	146~149쪽	월 일	
교과서 개념 play / 집중! 드릴 문제	150~153쪽	월 일	
교과서 개념 확인 문제	154~157쪽	월 일	
교과서 개념 잡기	158~161쪽	월 일	
교과서 개념 play / 집중! 드릴 문제	162~165쪽	월 일	
교과서 개념 확인 문제	166~169쪽	월 일	
개념 확인평가	170~172쪽	월 일	

교과서 개념 잡기

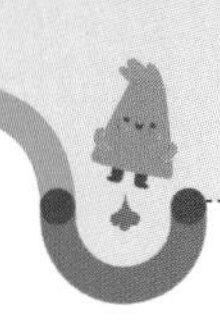

개념 1 다각형 알아보기

선분으로만 둘러싸인 도형을 다각형이라고 합니다.

곡선이 포함되어 있거나 끊어진 곳이 있는 도형은 다각형이 아닙니다.

다각형	다각형이 아닌 도형

• 다각형의 이름 알아보기

다각형은 변의 수에 따라 변이 6개이면 육각형, 변이 7개이면 칠각형, 변이 8개이면 팔각형이라고 부릅니다.

육각형 칠각형 팔각형

다각형	삼각형	사각형	오각형	육각형
변의 수(개)	3	4	5	6
꼭짓점의 수(개)	3	4	5	6
각의 수(개)	3	4	5	6

참고 다각형은 변의 수, 꼭짓점의 수, 각의 수가 모두 같습니다.

개념 Check

육각형을 찾아 ○표 하세요.

1 도형을 보고 □ 안에 알맞은 말을 써넣으세요.

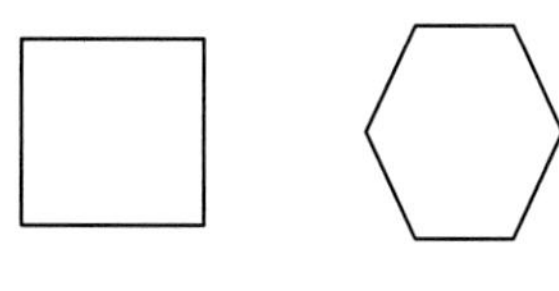 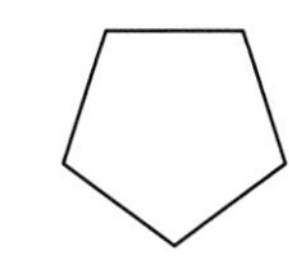 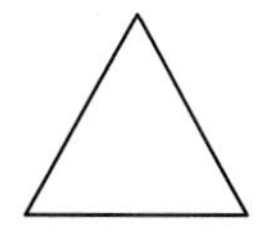 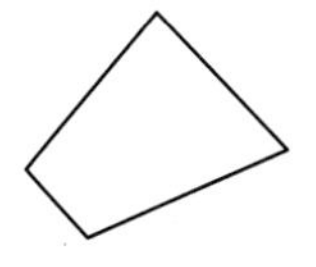

위와 같이 □(으)로만 둘러싸인 도형을 다각형이라고 합니다.

2 모양자에서 다각형을 모두 찾아 기호를 써 보세요.

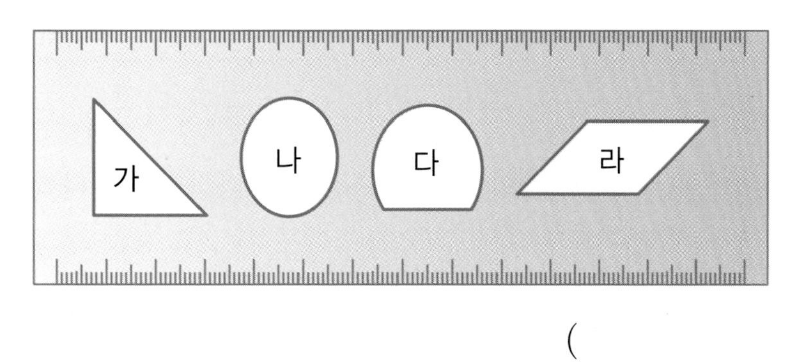

(　　　　　　　　　　)

3 다각형의 변의 수를 찾아 선으로 이어 보세요.

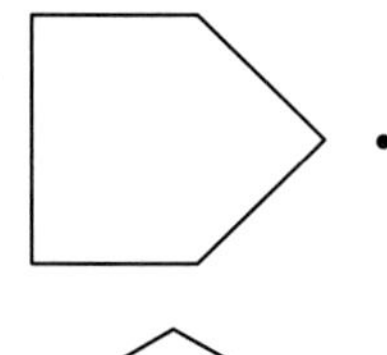

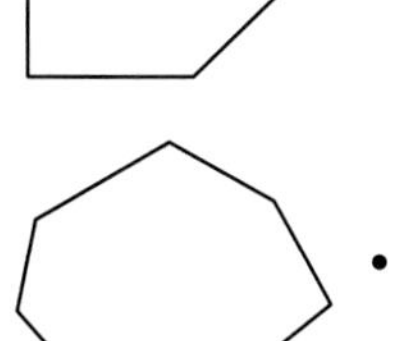

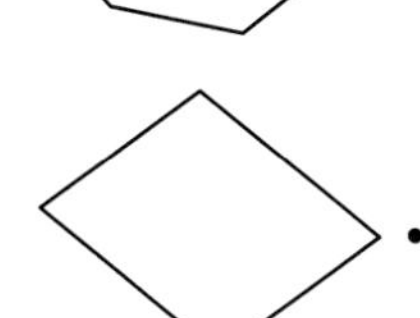

- 4개
- 5개
- 6개
- 7개

4 다각형의 이름을 써 보세요.

(1) 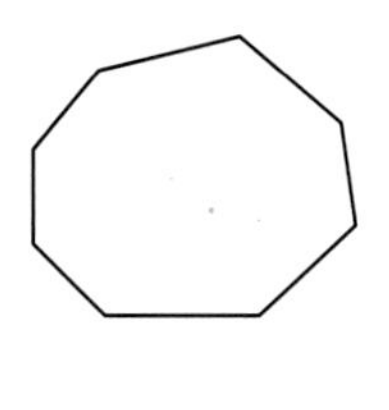

(　　　　　　　　　　)

(2) 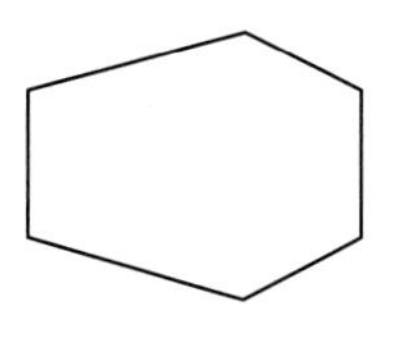

(　　　　　　　　　　)

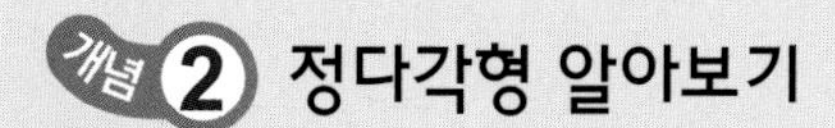

개념 2 정다각형 알아보기

가
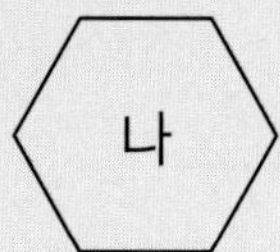

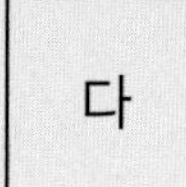

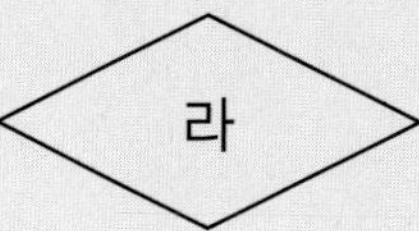

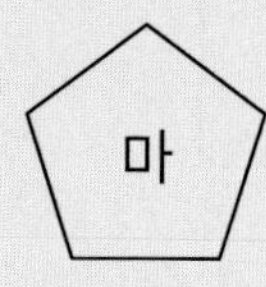

변의 길이가 모두 같은 다각형	변의 길이가 모두 같지는 않은 다각형
나, 다, 라, 마	가, 바

각의 크기가 모두 같은 다각형	각의 크기가 모두 같지는 않은 다각형
가, 나, 다, 마	라, 바

→ **변의 길이**가 모두 같고, **각의 크기**가 모두 같은 다각형: 나, 다, 마

변의 길이가 모두 같고, 각의 크기가 모두 같은 다각형을 정다각형이라고 합니다.

• 정다각형의 이름

정삼각형

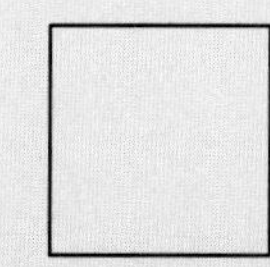
정사각형

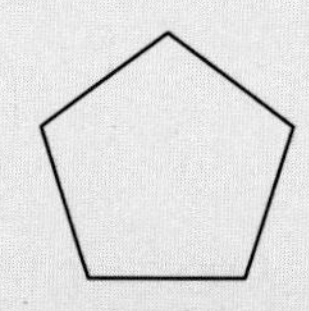
정오각형

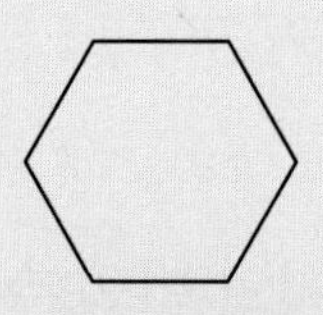
정육각형

• 정다각형이 아닌 이유 알아보기

마름모는 변의 길이는 모두 같지만 각의 크기가 모두 같지 않아서 정다각형이 아니에요.

직사각형

직사각형은 각의 크기는 모두 같지만 변의 길이가 모두 같지 않아서 정다각형이 아니에요.

개념 Check

정다각형을 모두 찾아 ○표 하세요.

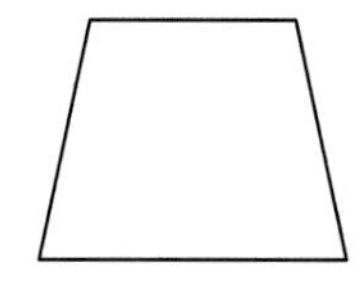
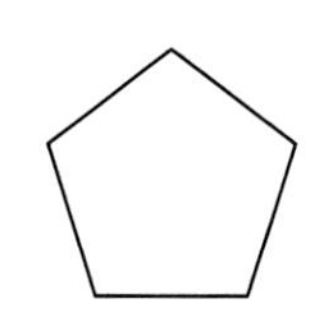
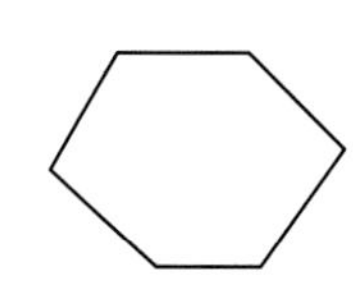
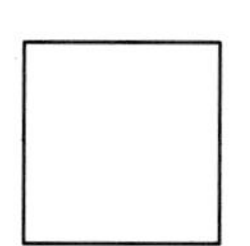

1 모양 조각 중 정다각형을 모두 찾아 ○표 하세요.

준비물 붙임딱지

2 위 1에서 찾은 정다각형 모양 조각 붙임딱지를 붙이고 정다각형의 이름을 각각 써 보세요.

(1) ( ) (2) ( ) (3) ( )

3 정다각형에 대한 설명으로 틀린 것을 찾아 기호를 써 보세요.

㉠ 정다각형은 변의 길이가 모두 같고, 각의 크기가 모두 같습니다.
㉡ 정다각형은 변의 수에 따라 이름이 정해집니다.
㉢ 직사각형은 정다각형이라고 할 수 있습니다.

( )

4 다음 도형이 정사각형이 아닌 이유로 알맞은 말에 ○표 하세요.

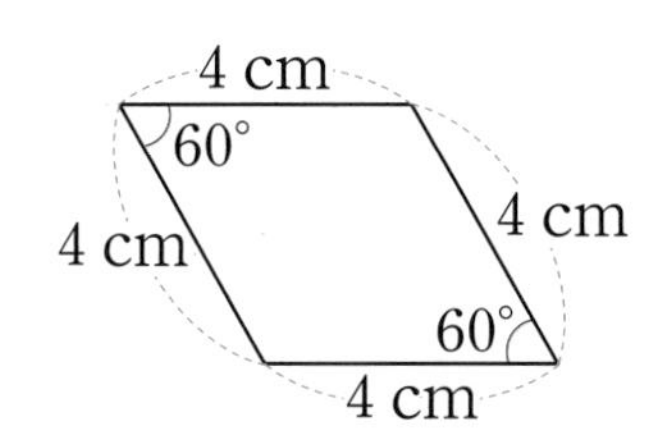

(변의 길이 , 각의 크기)는 모두 같지만 (변의 길이 , 각의 크기)가 모두 같지 않으므로 정사각형이 아닙니다.

6 단원

교과서 개념  안내 표지판 진열하기

준비물 붙임딱지

문구점에 안내 표지판을 진열하려고 합니다.
안내 표지판을 정다각형 모양과 정다각형이 아닌 모양으로 분류하여 알맞게 진열해 보세요.

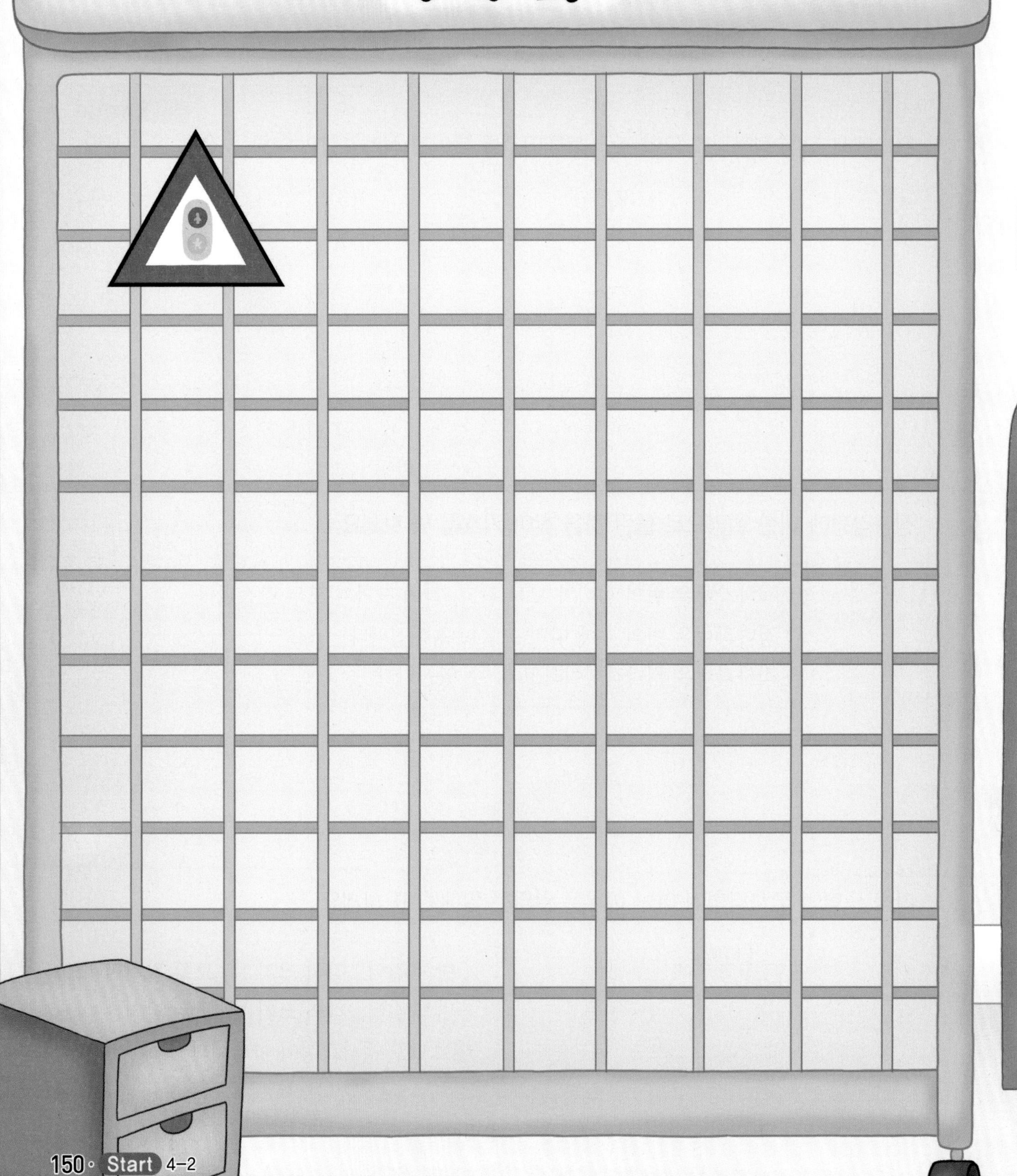

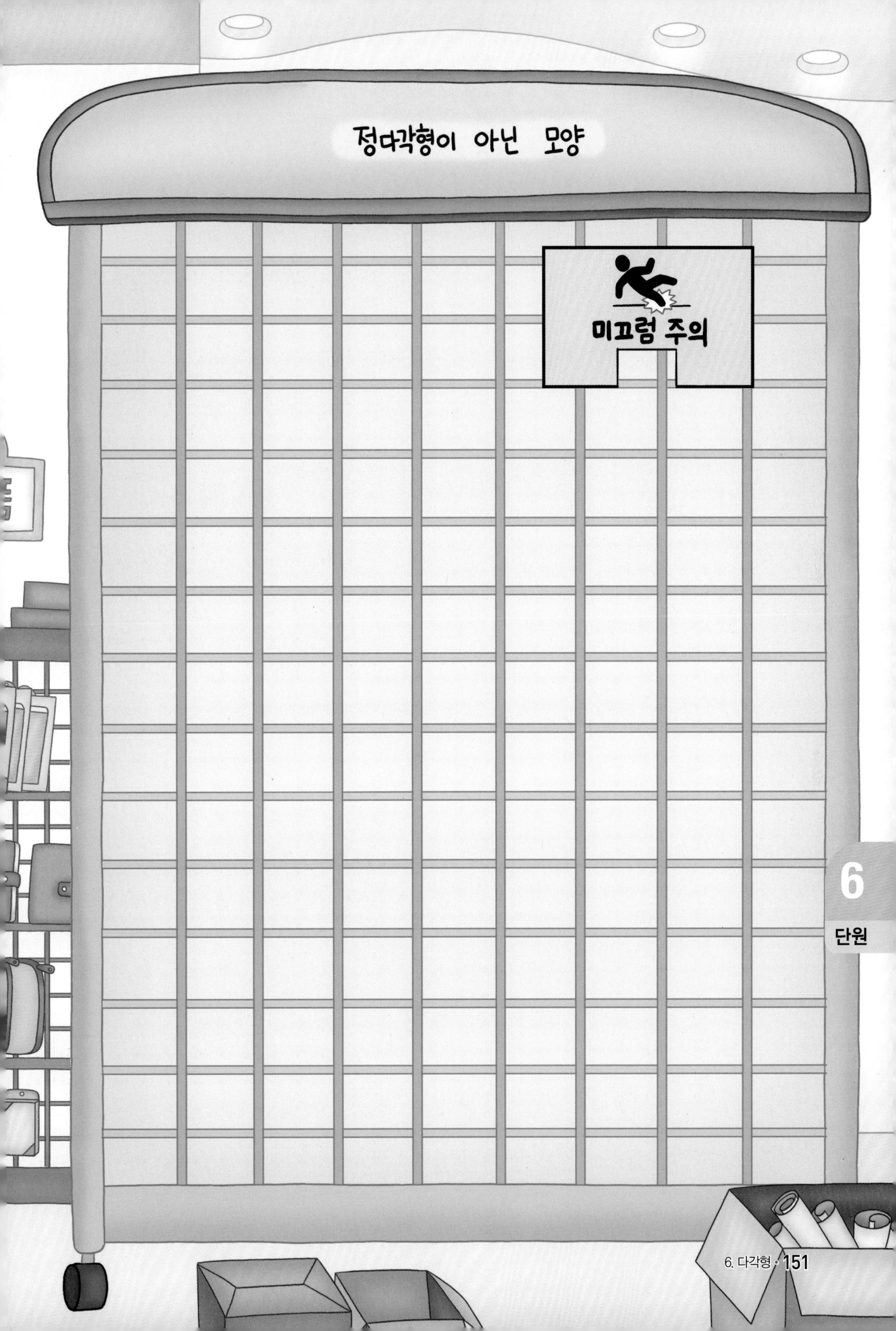
정다각형이 아닌 모양
미끄럼 주의

집중! 드릴 문제

[1~4] 다각형의 이름을 써 보세요.

1

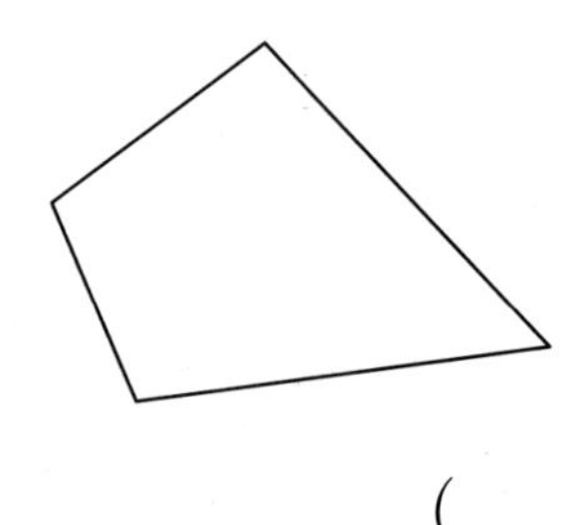

(　　　　　　　　　)

2

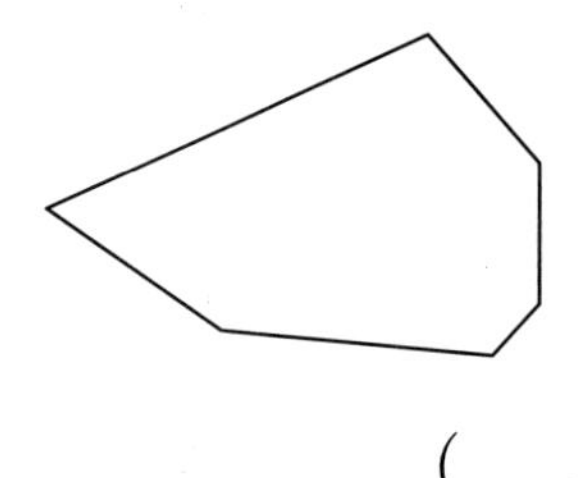

(　　　　　　　　　)

3

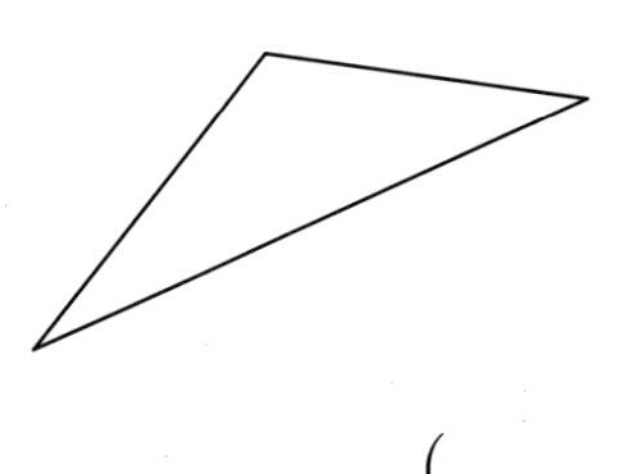

(　　　　　　　　　)

4

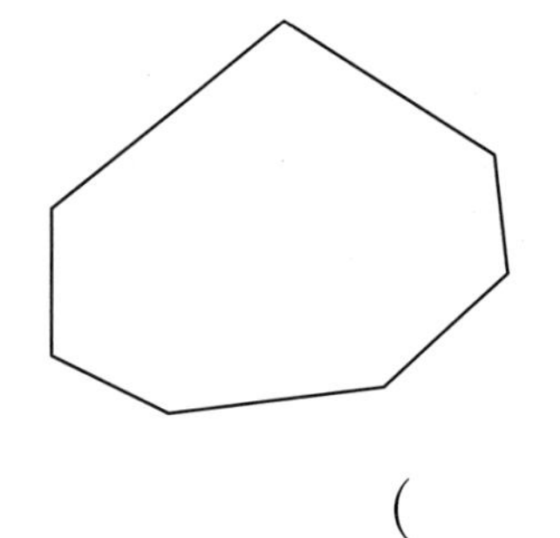

(　　　　　　　　　)

[5~8] 점 종이에 주어진 다각형을 그려 보세요.

5

오각형

6

칠각형

7

팔각형

8

육각형

[9~13] 정다각형이면 ○표, 정다각형이 아니면 ×표 하세요.

9

(　　　　)

10

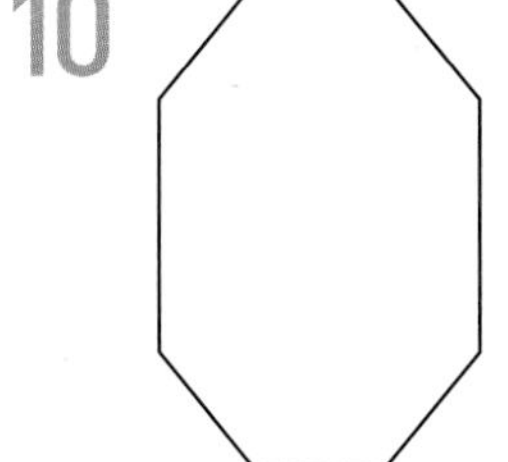

(　　　　)

11

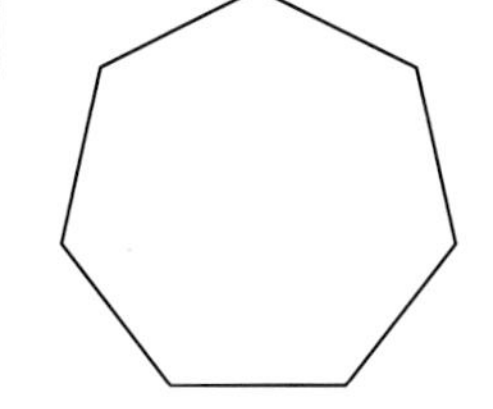

(　　　　)

12

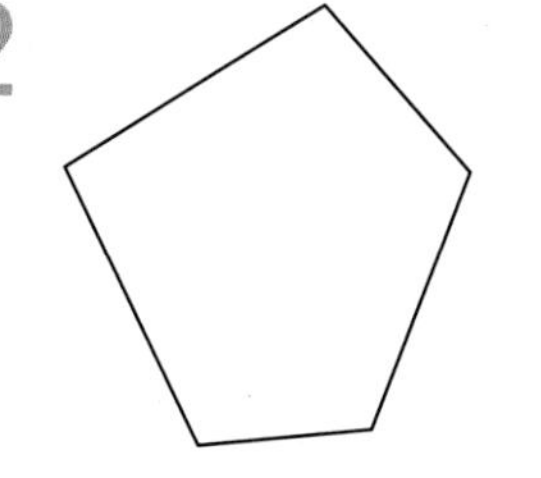

(　　　　)

13

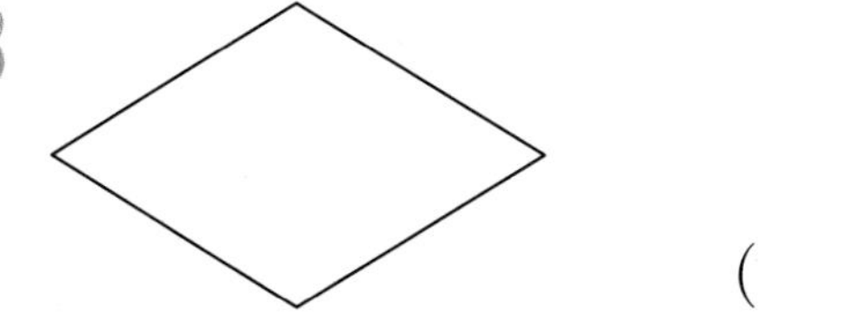

(　　　　)

[14~17] 정다각형입니다. □ 안에 알맞은 수를 써넣으세요.

14

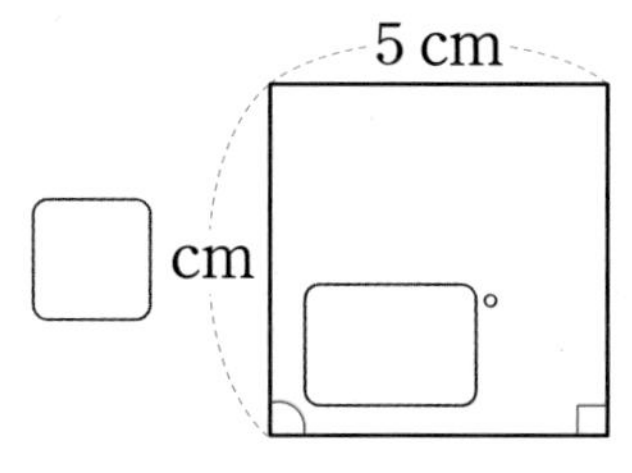

15

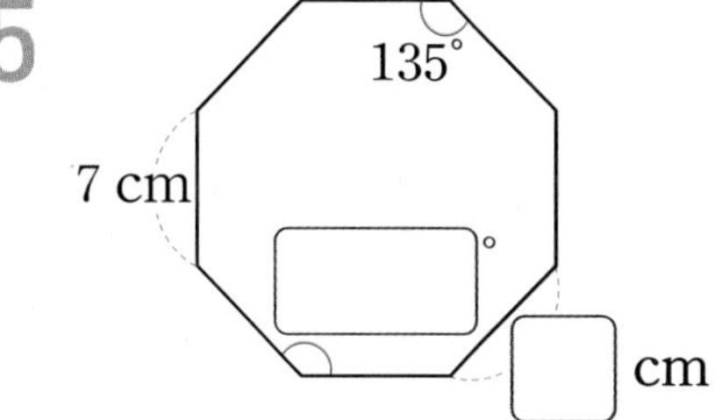

16

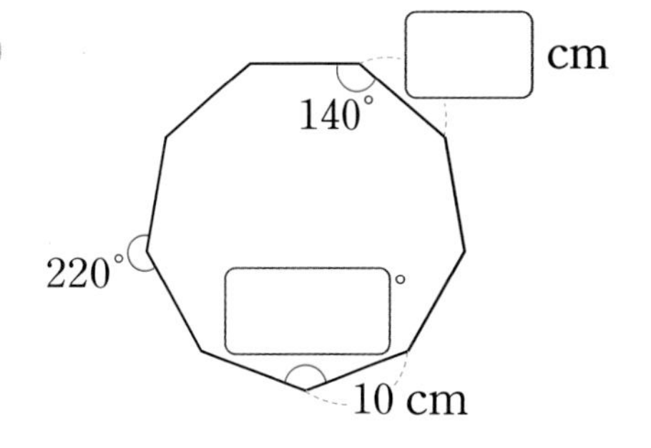

17

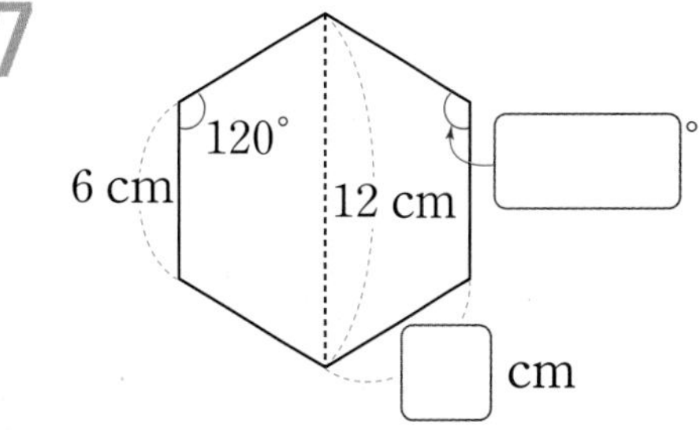

교과서 개념 확인 문제

[1~3] 도형을 보고 물음에 답하세요.

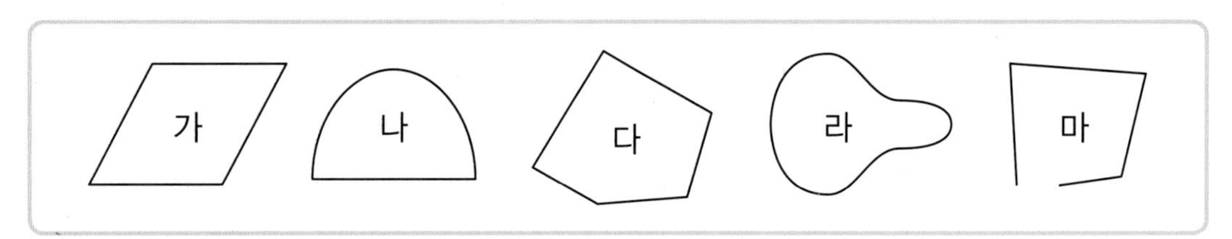

1 다각형이 아닌 것을 모두 찾아 기호를 써 보세요.

( )

2 다와 같은 다각형의 이름을 써 보세요.

( )

3 알맞은 말에 ○표 하세요.

다각형 가는 (정다각형입니다 , 정다각형이 아닙니다).

4 관계있는 것끼리 선으로 이어 보세요.

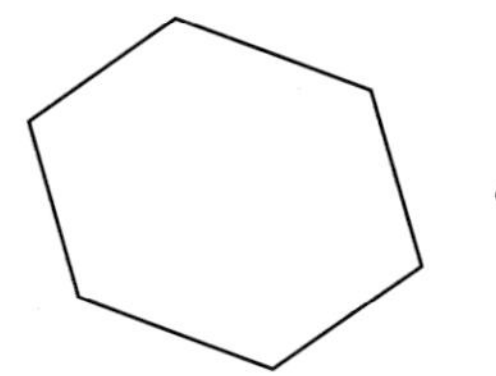

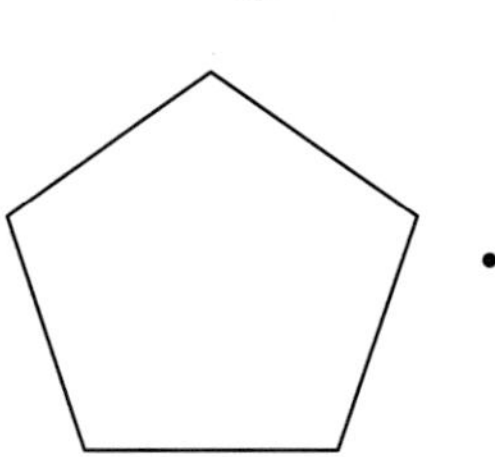

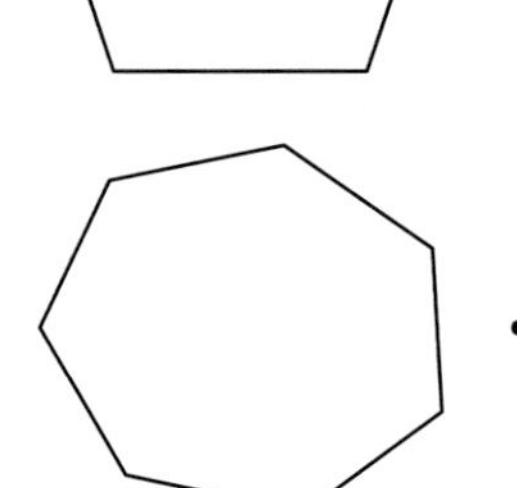

- 오각형
- 육각형
- 칠각형
- 팔각형

5 육각형을 찾아 색칠해 보세요.

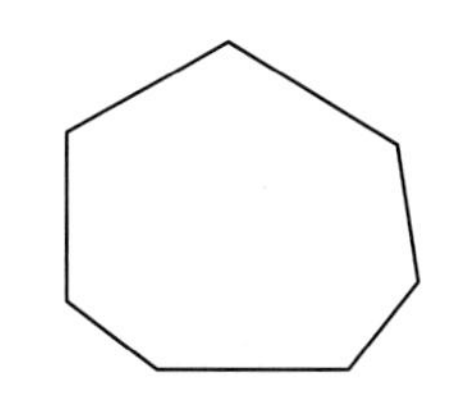
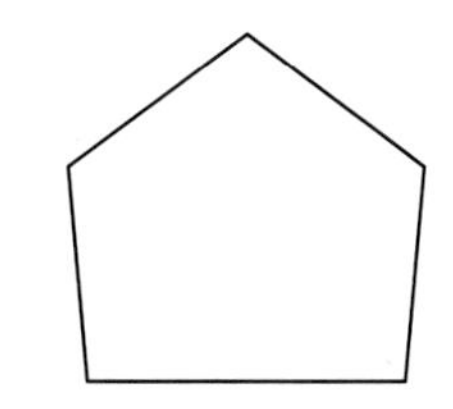
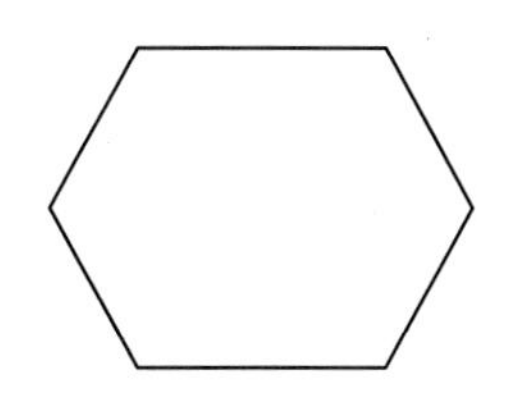
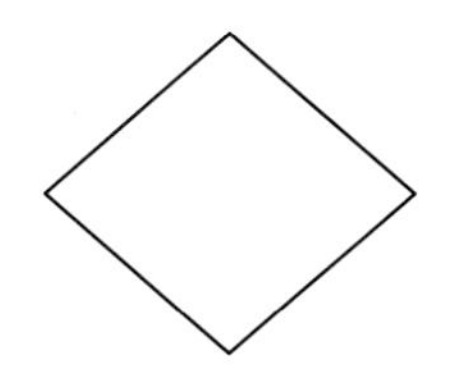

6 정다각형에 대한 설명입니다. □ 안에 알맞은 말을 써넣으세요.

정다각형은 □의 길이가 모두 같고, □의 크기가 모두 같습니다.

7 정다각형을 찾아 ○표 하세요.

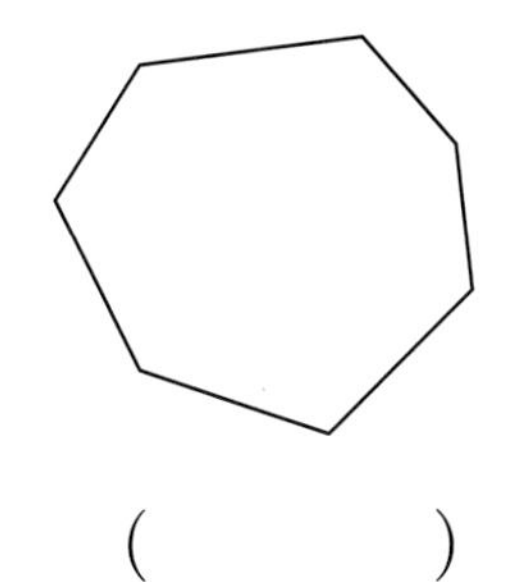
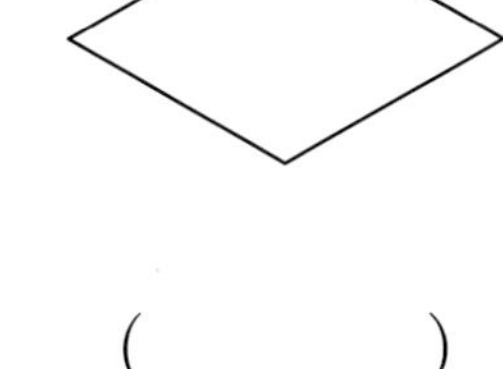
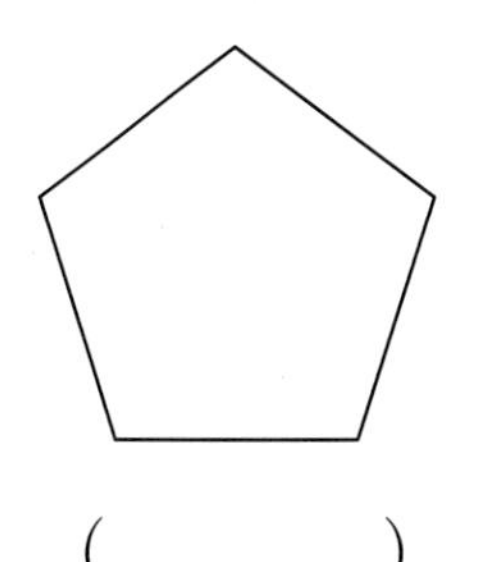

(　　　)　(　　　)　(　　　)

8 정다각형의 이름을 써 보세요.

(1) 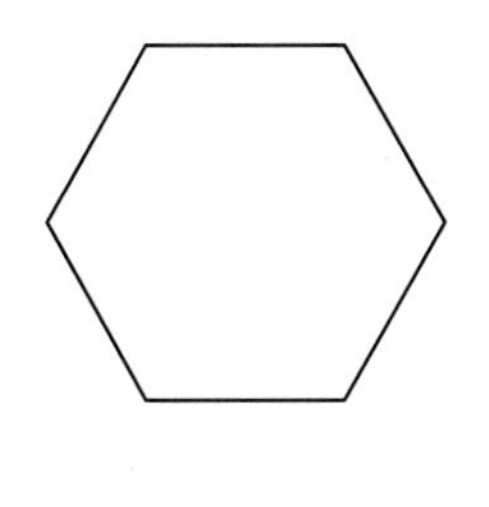
(　　　　　　)

(2) 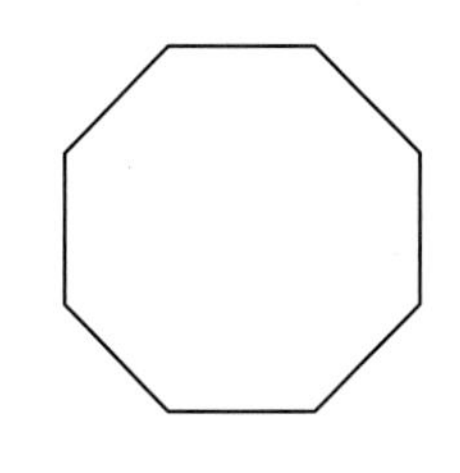
(　　　　　　)

(3) 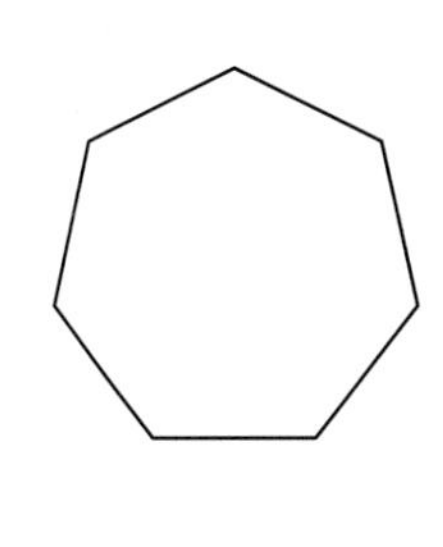
(　　　　　　)

9 점 종이에 어떤 다각형을 만들었는지 써 보세요.

(1)

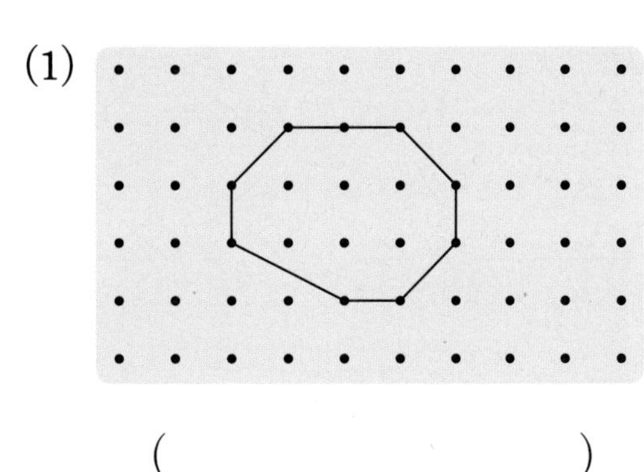

(　　　　　　　　)

(2)

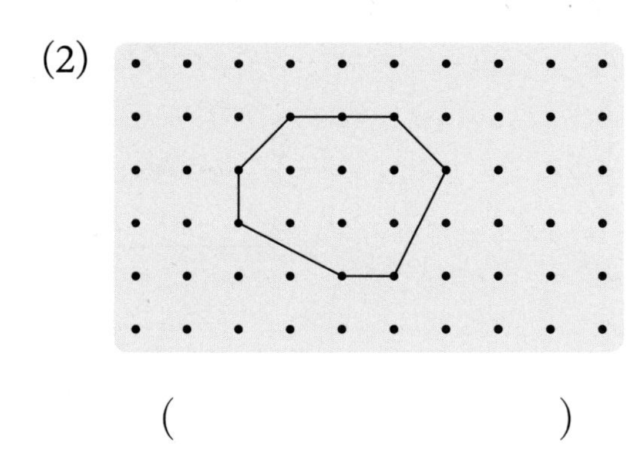

(　　　　　　　　)

10 안전 표지판에서 볼 수 있는 다각형의 이름을 써 보세요.

(　　　　　　　　)

11 모눈종이에 그려진 선분을 이용하여 정육각형을 완성해 보세요.

(1)

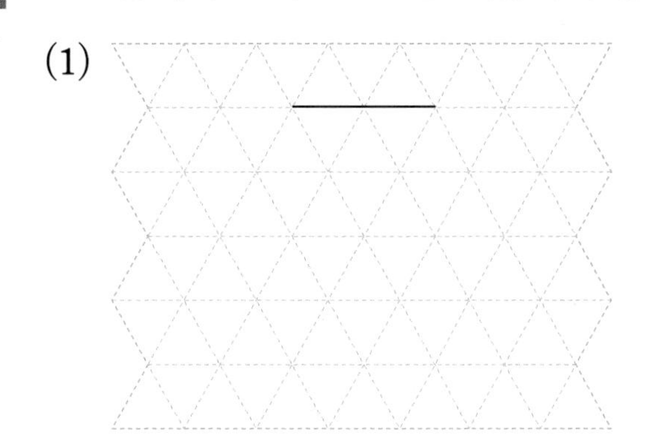

(2)

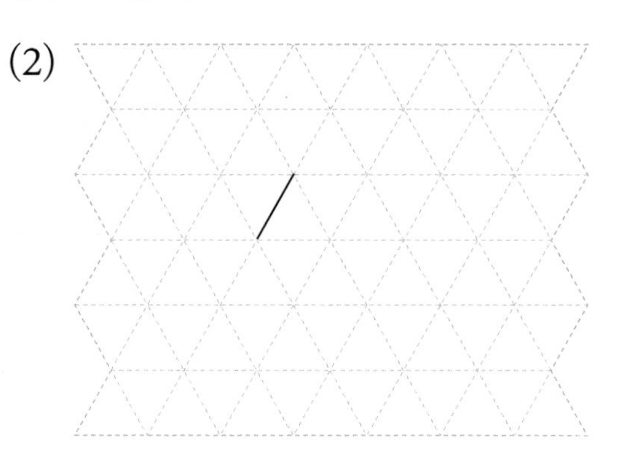

12 빈 곳에 알맞은 수를 써넣으세요.

(1) 칠각형의 각의 수 — □ (2) 오각형의 꼭짓점의 수 — □

13 정다각형입니다. □ 안에 알맞은 수를 써넣으세요.

(1)

108°, 9 cm, □ cm, □°

(2)

8 cm, □ cm, □ cm, 135°, □°

14 정팔각형입니다. 모든 변의 길이의 합은 몇 cm일까요?

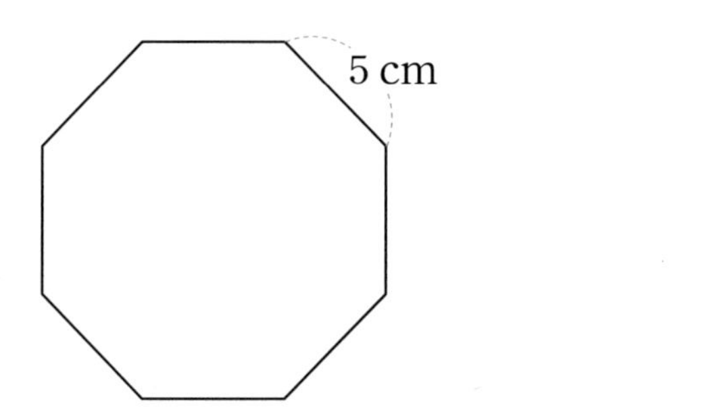

( )

15 정육각형의 한 각의 크기는 120°입니다. 정육각형의 모든 각의 크기의 합은 몇 도일까요?

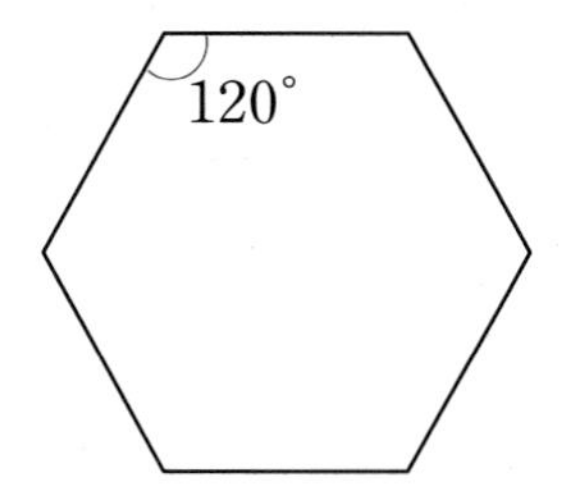

( )

교과서 개념 잡기

개념 3 대각선 알아보기

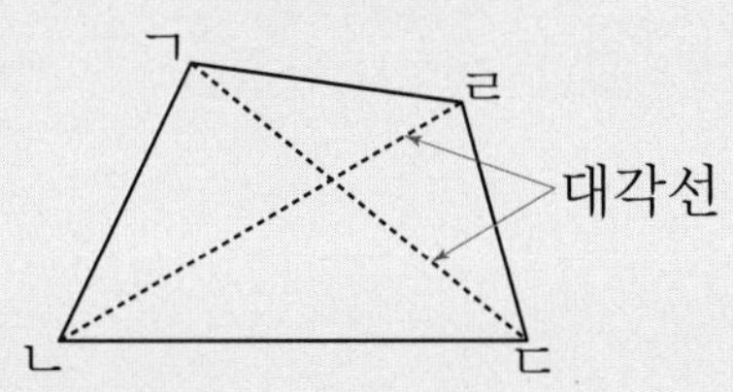

다각형에서 선분 ㄱㄷ, 선분 ㄴㄹ과 같이 서로 이웃하지 않는 두 꼭짓점을 이은 선분을 대각선이라고 합니다.

• 대각선의 수 알아보기

다각형	삼각형	사각형	오각형	육각형
한 꼭짓점에서 그을 수 있는 대각선의 수(개)	0	1	2	3
대각선의 수(개)	0	2	5	9

참고 삼각형은 세 꼭짓점이 서로 이웃하고 있으므로 대각선을 그을 수 없습니다.

• 여러 가지 사각형에서 대각선의 성질 알아보기

① 직사각형

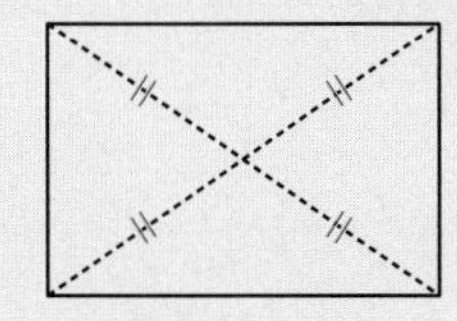

두 대각선의 길이가 같고, 한 대각선이 다른 대각선을 똑같이 둘로 나눕니다.

② 마름모, 정사각형

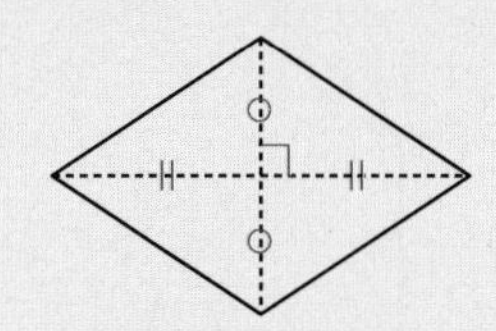

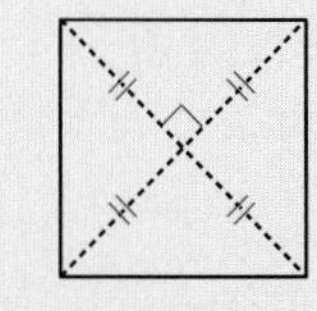

두 대각선이 서로 수직으로 만나고, 한 대각선이 다른 대각선을 똑같이 둘로 나눕니다.

개념 Check

한 꼭짓점에서 그을 수 있는 대각선의 수에 ○표 하세요.

(1)

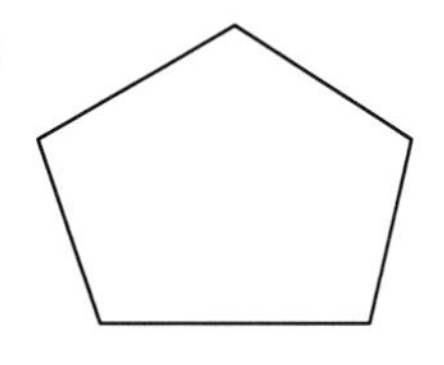

(1개 , 2개)

(2)

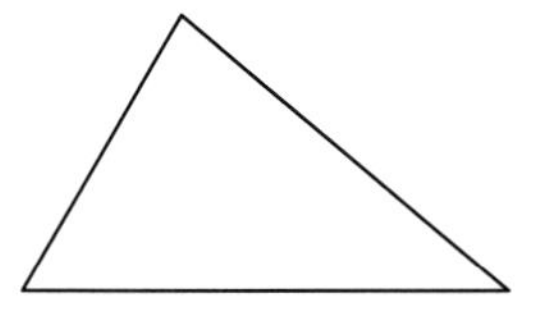

(0개 , 1개)

정답과 풀이 p.40

1 표시된 꼭짓점에서 그을 수 있는 대각선을 모두 그어 보세요.

(1)

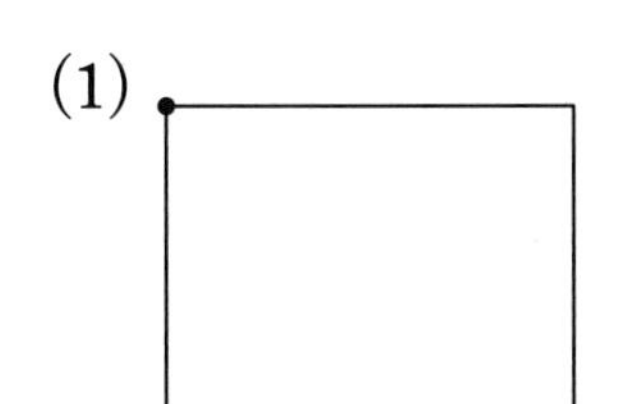

(2)

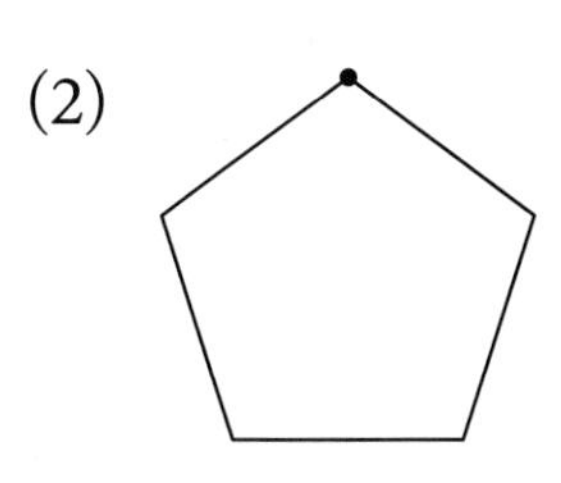

(3)

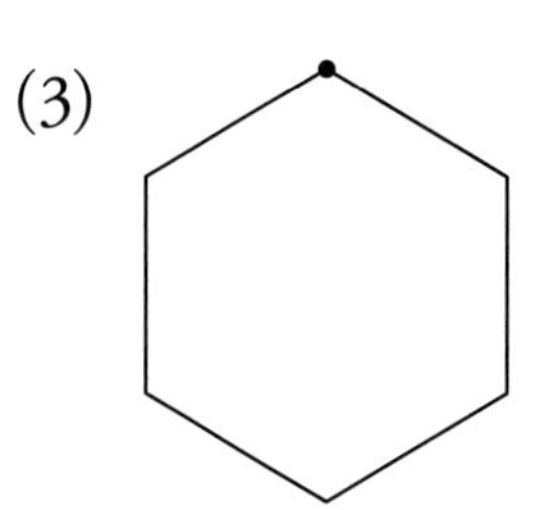

[2~4] 사각형을 보고 물음에 답하세요.

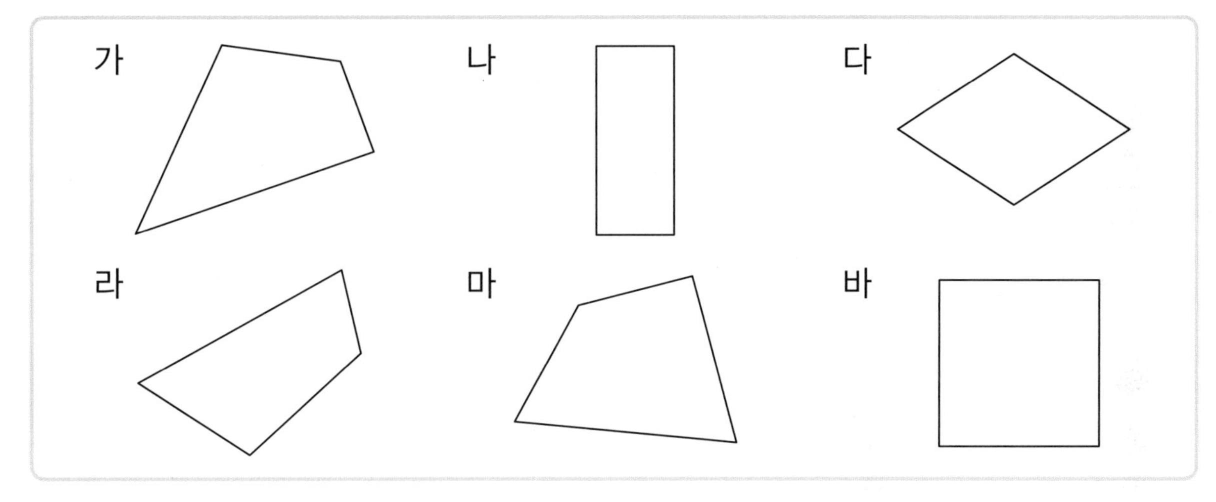

2 사각형에 대각선을 모두 그어 보세요.

3 두 대각선의 길이가 같은 사각형을 모두 찾아 기호를 써 보세요.

( )

4 두 대각선이 서로 수직으로 만나는 사각형을 모두 찾아 기호를 써 보세요.

( )

개념 4 모양 만들기

모양 조각의 종류 알아보기

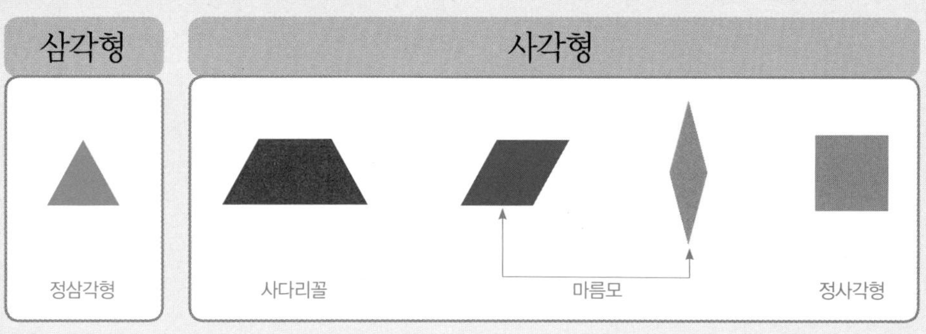

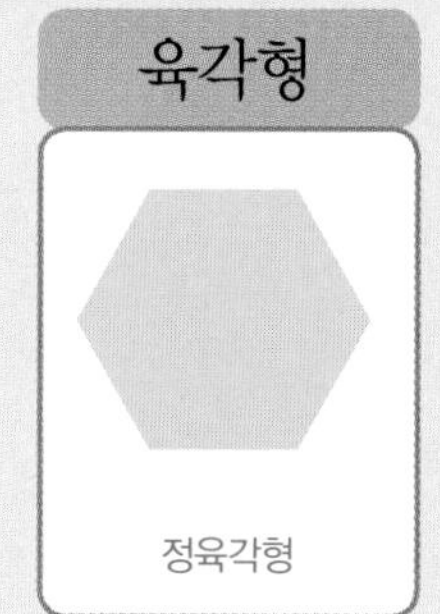

- 모양 조각으로 다각형 만들기

모양 조각의 변의 길이가 서로 같으므로 변끼리 붙여서 여러 가지 다각형을 만들 수 있습니다.

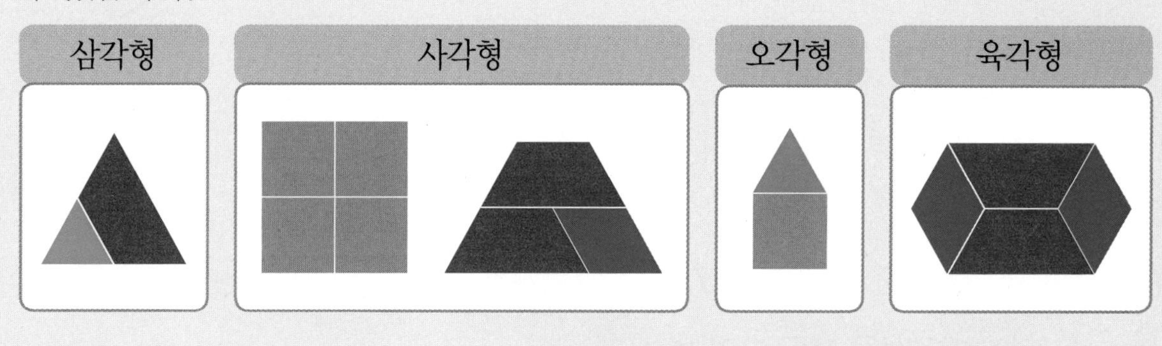

개념 5 모양 채우기

모양 조각을 사용하여 서로 겹치거나 빈틈이 생기지 않도록 이어 붙여 모양을 채웁니다.

한 가지 모양 조각을 사용하기	두 가지 모양 조각을 사용하기	세 가지 모양 조각을 사용하기

→ 모양을 채울 때 같은 모양을 여러 번 사용할 수 있습니다.

1 다음 모양을 만들려면 ▲ 모양 조각은 몇 개 필요한지 써 보세요.

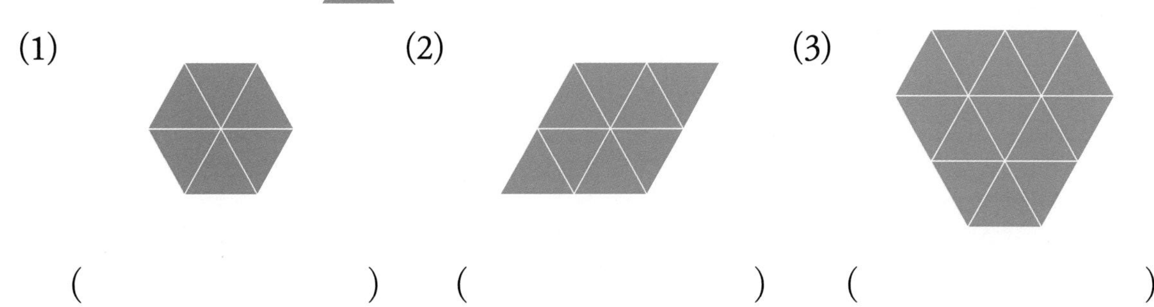

(1) (　　　　　)　(2) (　　　　　)　(3) (　　　　　)

2 주어진 모양 조각을 모두 사용하여 모양을 만들고, 만든 모양에 이름을 붙여 보세요.

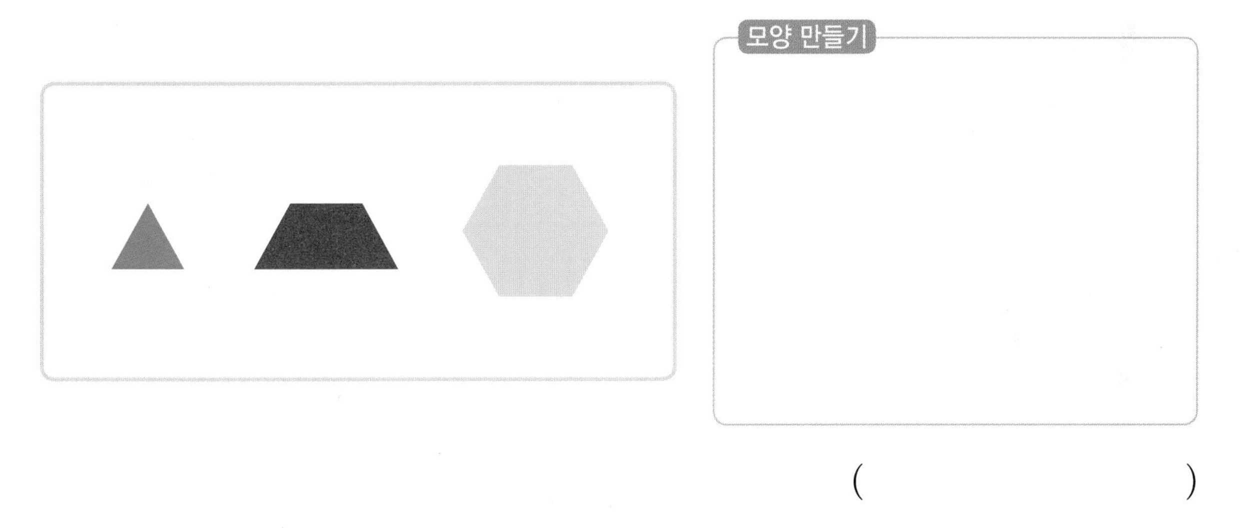

(　　　　　)

3 다각형을 사용하여 꾸민 모양입니다. 모양을 채우고 있는 다각형의 이름을 써 보세요.

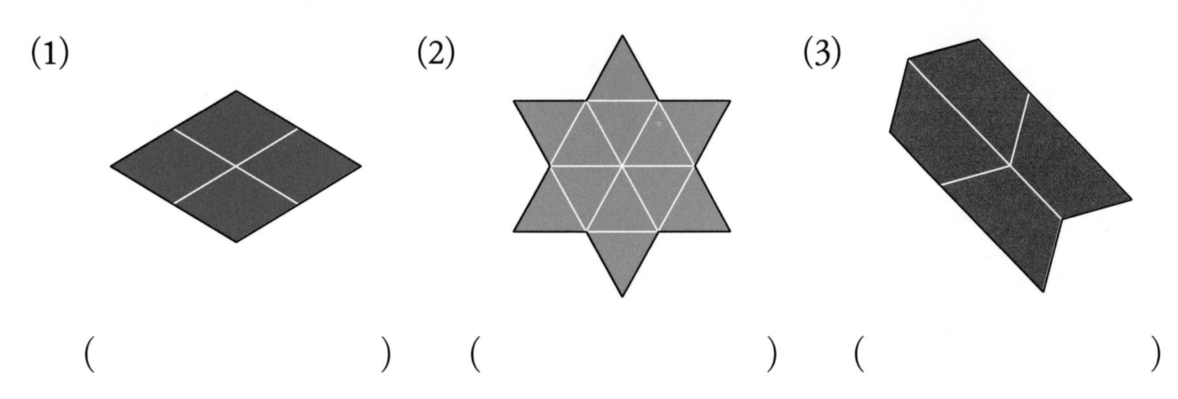

(1) (　　　　　)　(2) (　　　　　)　(3) (　　　　　)

교과서 개념 play 서로 다른 방법으로 모양 채우기

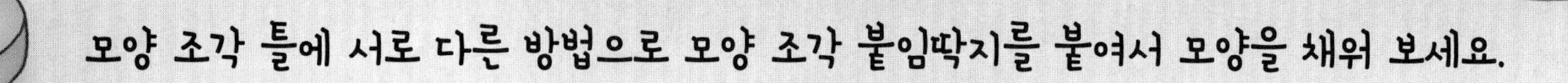

준비물 붙임딱지

모양 조각 틀에 서로 다른 방법으로 모양 조각 붙임딱지를 붙여서 모양을 채워 보세요.

책상 위에 있는 모양 조각을 사용하여 나만의 모양을 만들고 만든 모양을 설명해 보세요.

집중! 드릴 문제

[1~5] 도형에 대각선을 모두 그어 보세요.

1

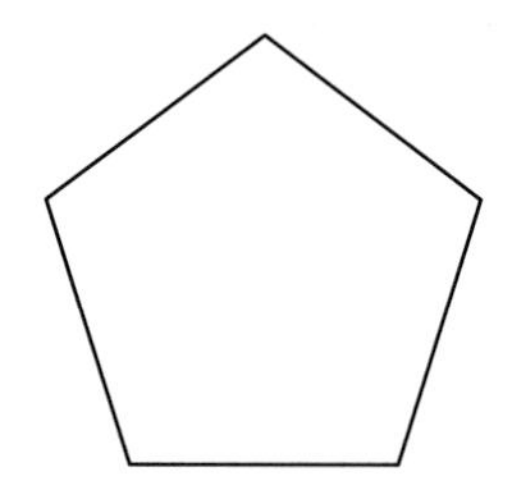

2

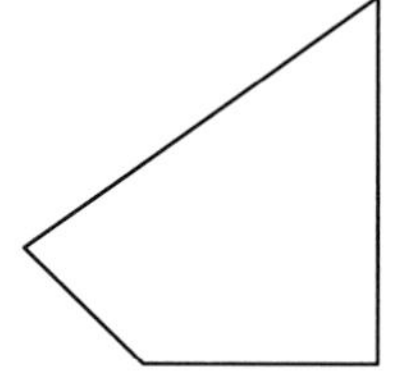

3

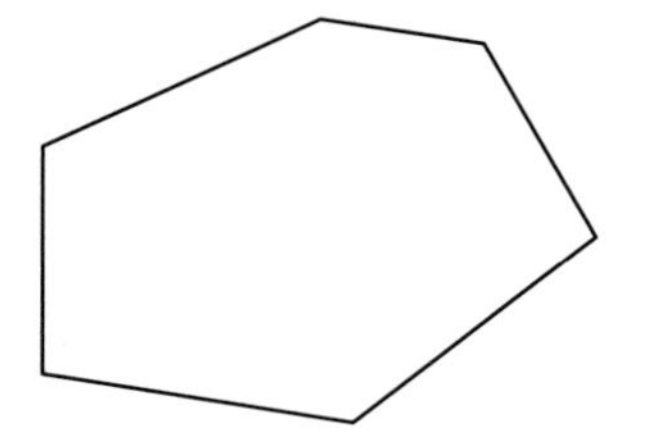

4

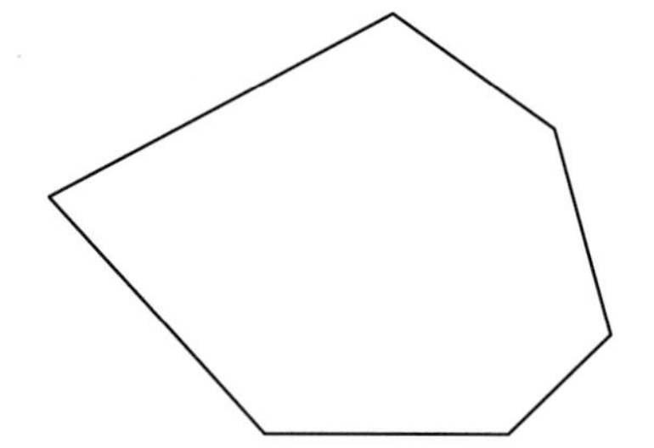

5

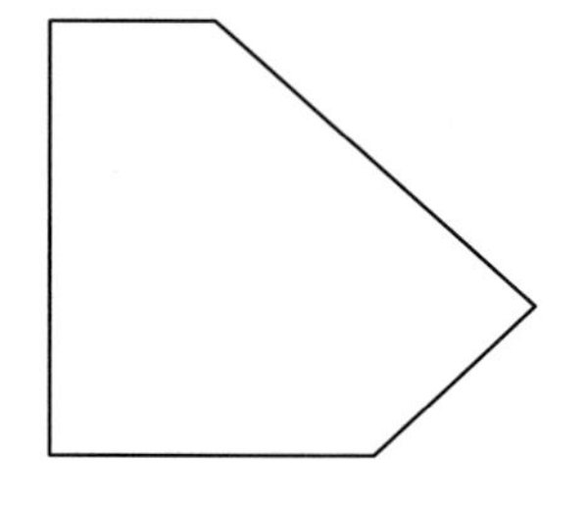

[6~10] □ 안에 도형에 그을 수 있는 대각선의 수를 써넣으세요.

6

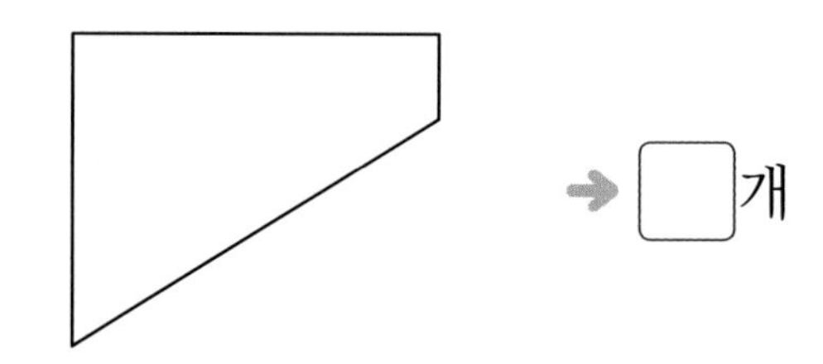

➔ □개

7

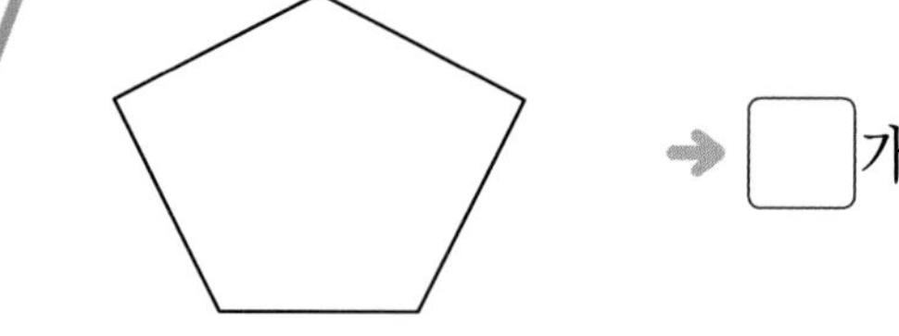

➔ □개

8

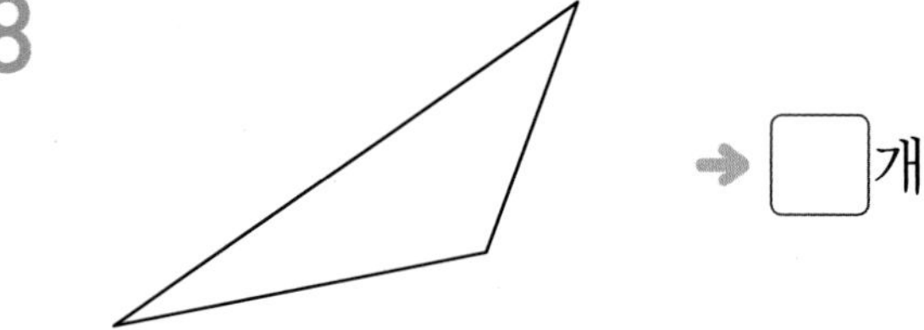

➔ □개

9

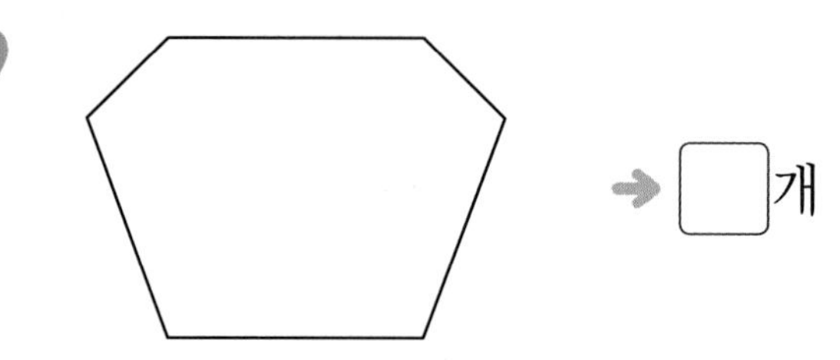

➔ □개

10

➔ □개

준비물 붙임딱지

[11~14] 모양 조각 붙임딱지를 붙여서 주어진 다각형을 2가지 방법으로 만들어 보세요.

11 삼각형

12 사각형

13 오각형

14 육각형

준비물 붙임딱지

[15~17] 2가지 이상의 모양 조각 붙임딱지를 붙여서 주어진 모양을 채워 보세요.

15

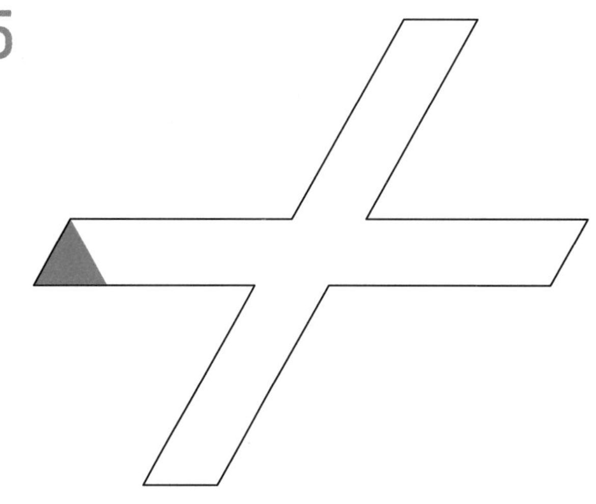

16

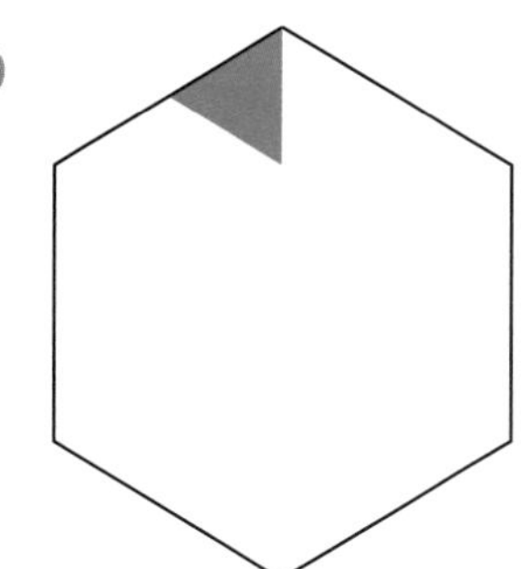

17

6 단원

교과서 개념 확인 문제

1 다음 모양을 만들려면  모양 조각은 몇 개 필요할까요?

(1)

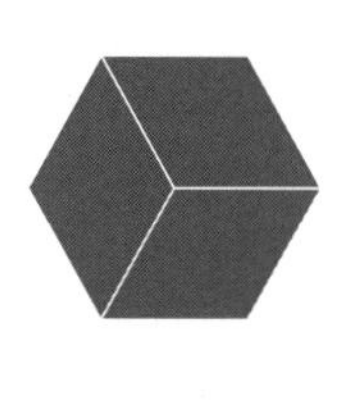

(   )

(2)

(   )

2 오각형에 그을 수 있는 대각선을 바르게 나타낸 것에 ○표 하세요.

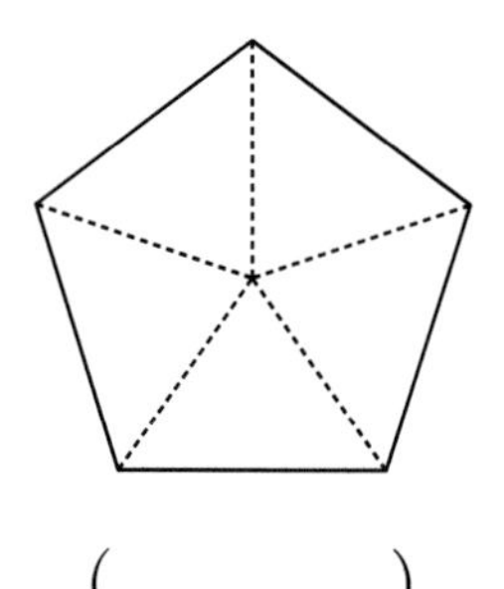

(   )

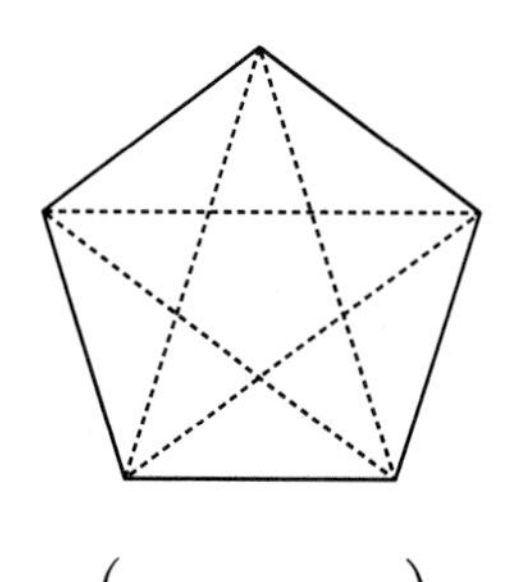

(   )

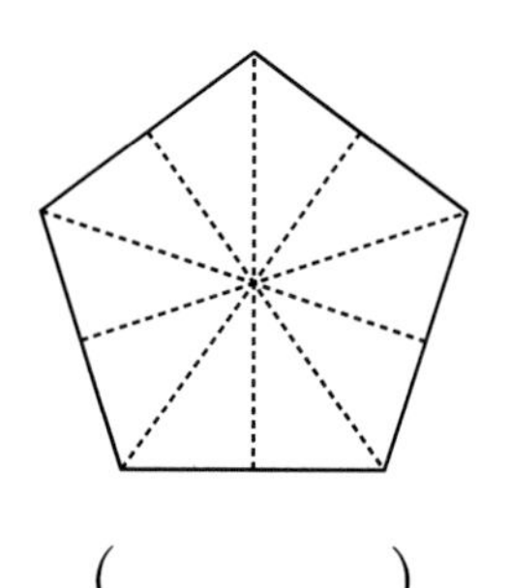

(   )

3 다각형을 사용하여 꾸민 모양입니다. 모양을 채우고 있는 다각형의 이름을 찾아 ○표 하세요.

(1)

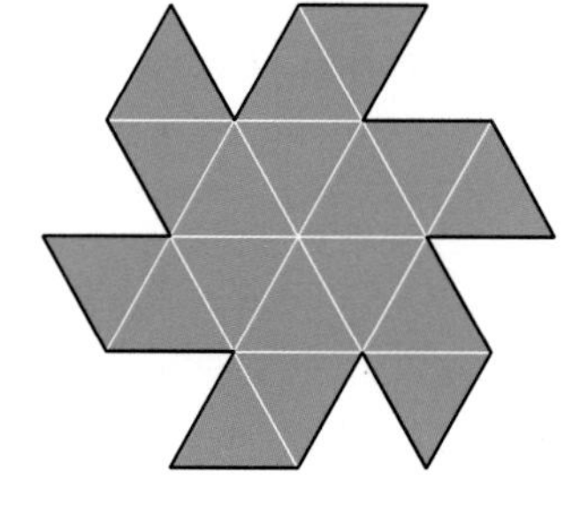

(삼각형 , 사각형 , 육각형)

(2)

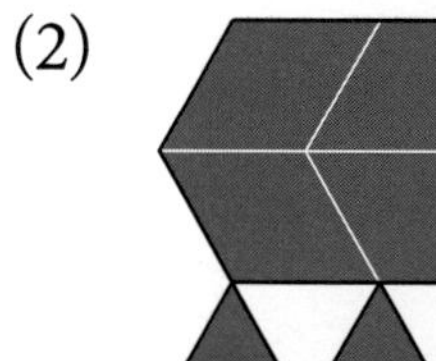

(삼각형 , 사각형 , 육각형)

4 육각형에서 대각선이 아닌 것을 찾아 기호를 써 보세요.

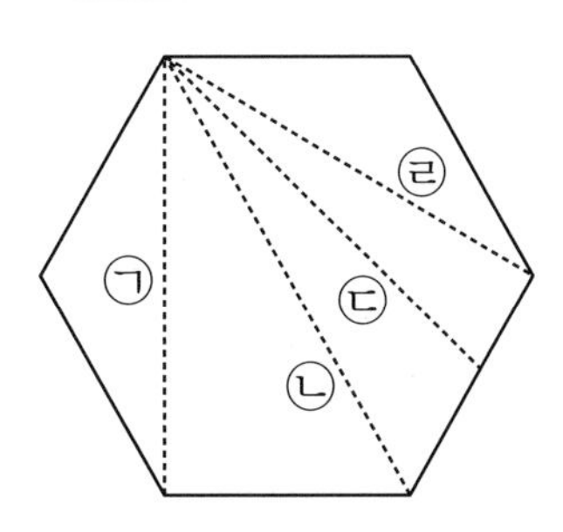

( )

5 그을 수 있는 대각선의 수가 같은 두 도형을 찾아 기호를 써 보세요.

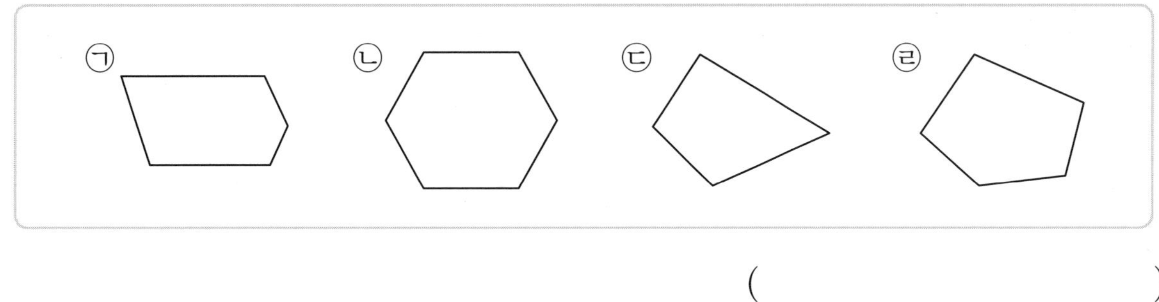

( )

6 그을 수 있는 대각선의 수가 많은 순서대로 기호를 써 보세요.

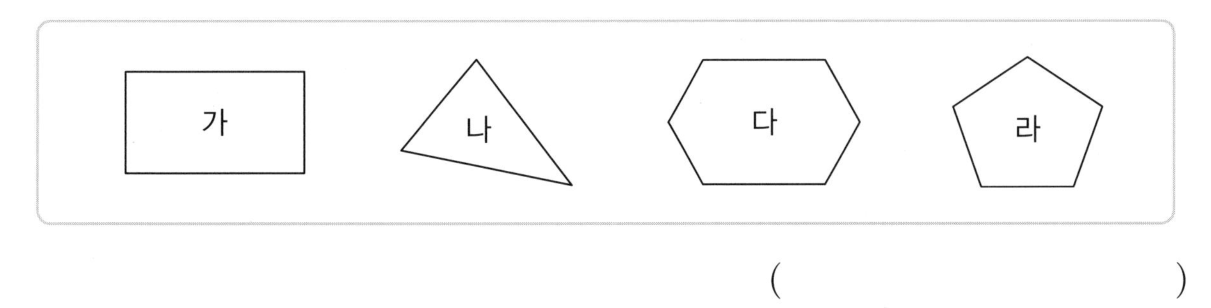

( )

7 보기 의 모양 조각을 사용하여 평행사변형을 채워 보세요.

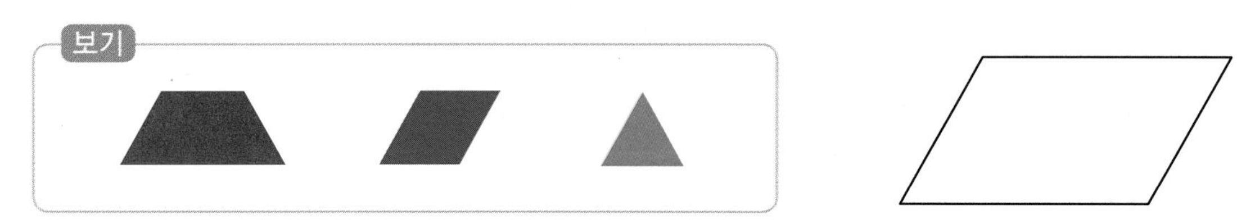

8 보기 의 모양 조각을 사용하여 서로 다른 방법으로 마름모를 채워 보세요.

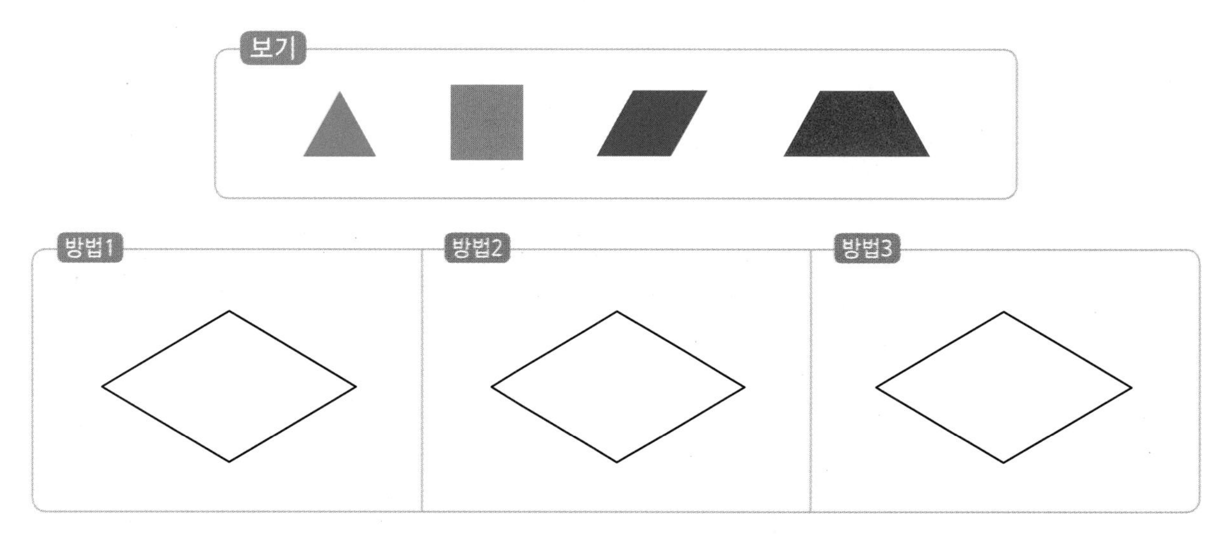

9 보기 의 모양 조각 중에서 1가지를 골라 모양을 채워 보세요.

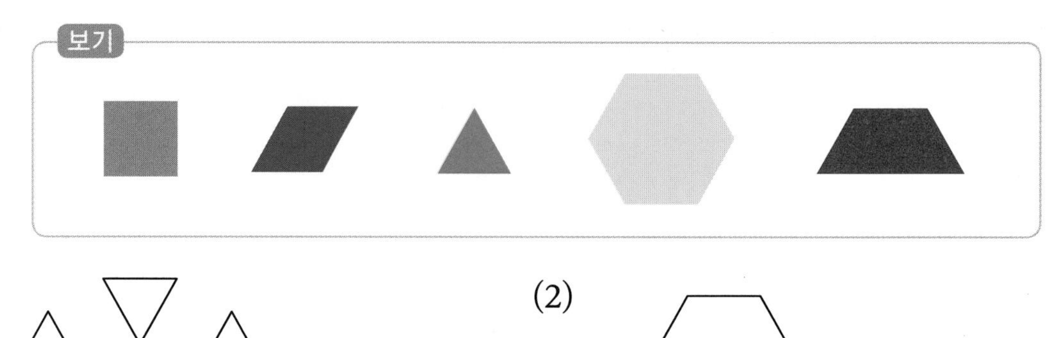

(1)

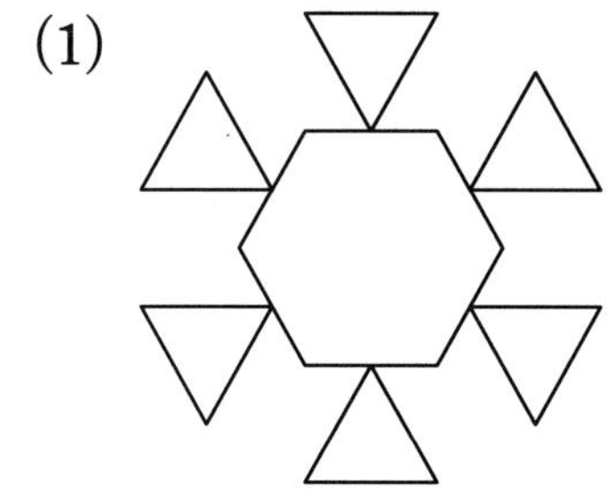

(2)

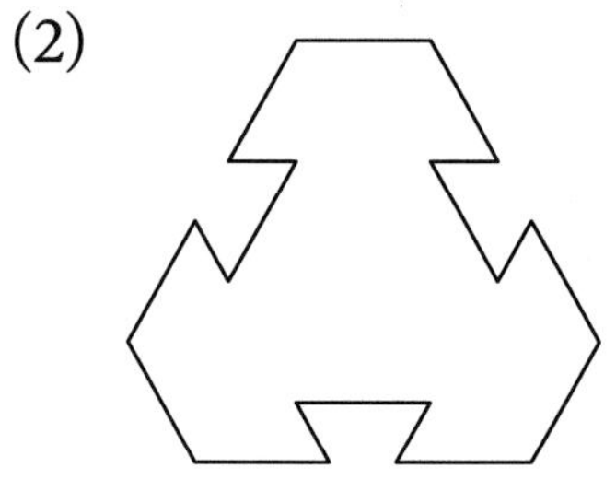

10 두 대각선이 서로 수직으로 만나는 사각형을 모두 찾아 ○표 하세요.

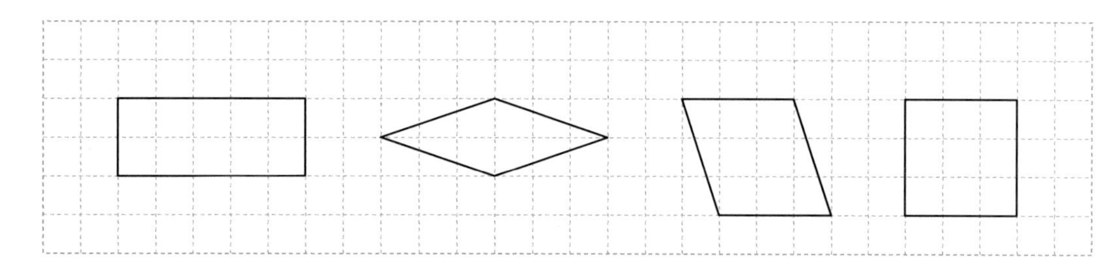

11 보기 의 모양 조각 중에서 2가지를 골라 빈 곳에 사다리꼴을 만들어 보세요.

12 모양을 만드는 데 사용한 다각형의 이름을 모두 써 보세요.

(1)

(　　　　　　　　　　　　　　　　　　　)

(2)

(　　　　　　　　　　　　　　　　　　　)

개념 확인평가

6. 다각형

맞은 개수

1 안내 표지판에서 찾을 수 있는 다각형의 이름을 써 보세요.

(1)

(2)

(3)

(　　　　　　) (　　　　　　) (　　　　　　)

2 정다각형을 모두 찾아 기호를 써 보세요.

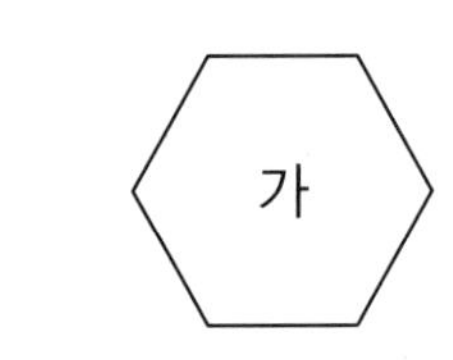

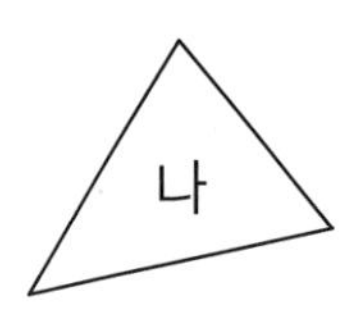

다

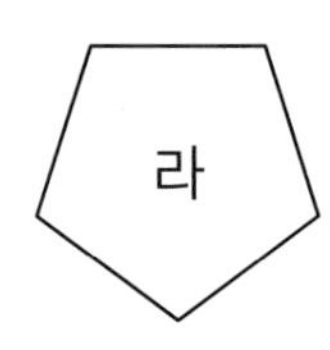

마

(　　　　　　)

3 다음 모양을 만들려면 ■ 모양 조각은 몇 개 필요할까요?

(1)

(2)

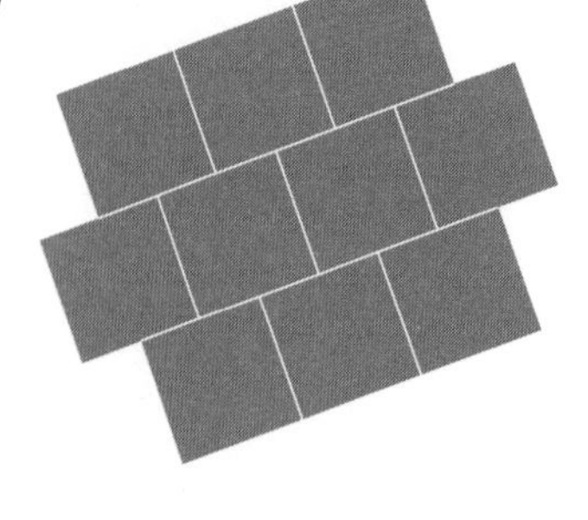

(3)

(　　　　　　) (　　　　　　) (　　　　　　)

4 도형에 대각선을 모두 그어 보고, 그을 수 있는 대각선은 모두 몇 개인지 세어 보세요.

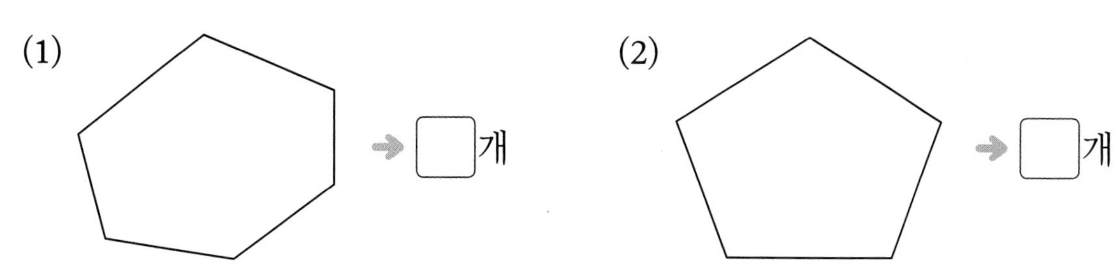

5 점 종이에 서로 다른 오각형을 2개 그려 보세요.

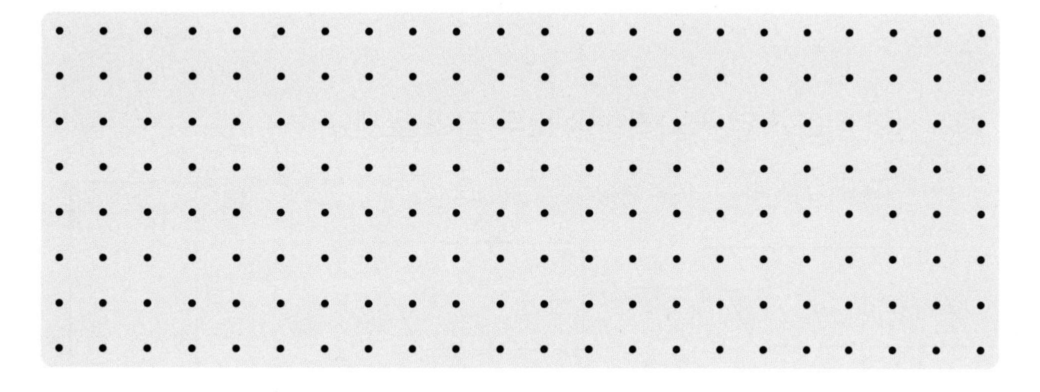

6 모양을 채우고 있는 다각형의 이름으로 잘못된 것에 ×표 하세요.

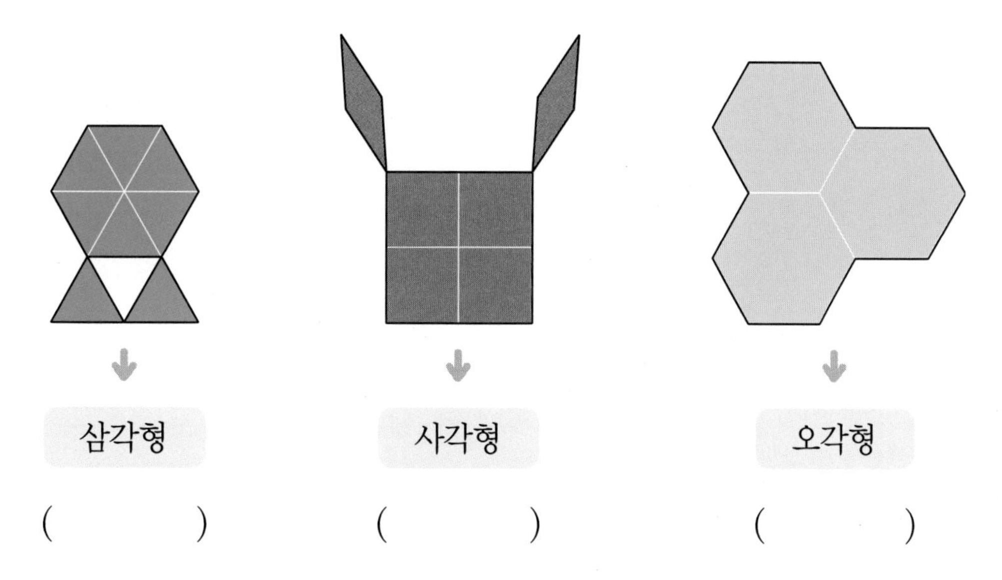

( ) ( ) ( )

7 모양을 만드는 데 사용한 다각형을 모두 찾아 ○표 하세요.

삼각형	사각형
오각형	육각형

8 두 대각선의 길이가 같은 사각형을 모두 골라 보세요. .... (　　　　　)

① 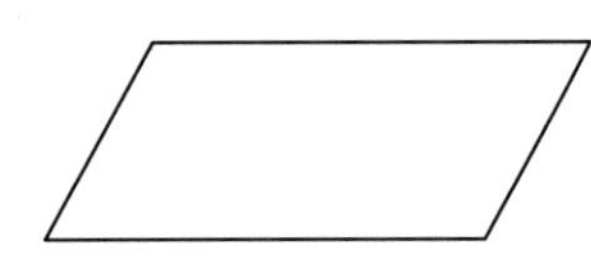
② 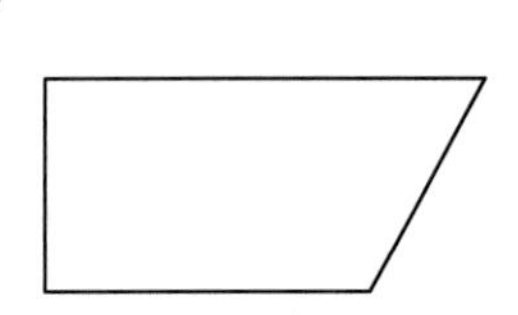
③ 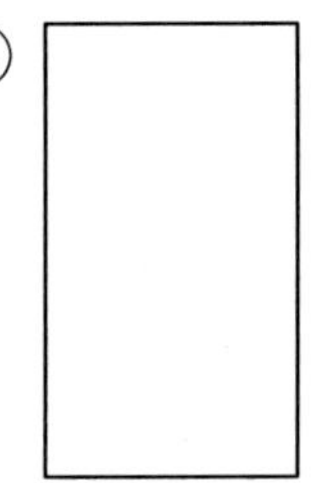
④ 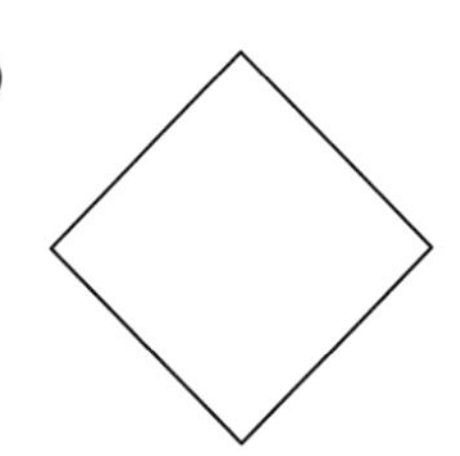
⑤ 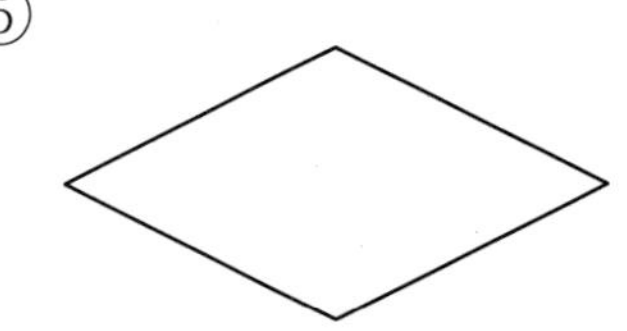

9 다음 도형이 정다각형이 아닌 이유를 써 보세요.

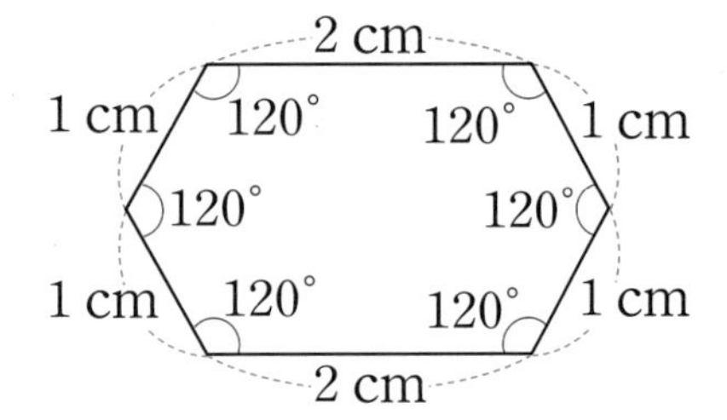

이유 ______________________________